Angelika Rothenhäu-
stud. phil. 19

BERNHARD WELTE

RELIGIONSPHILOSOPHIE

BERNHARD WELTE

RELIGIONS-PHILOSOPHIE

HERDER FREIBURG · BASEL · WIEN

ZWEITE AUFLAGE

Alle Rechte vorbehalten – Printed in Germany
© Verlag Herder Freiburg im Breisgau 1978
Imprimatur. – Freiburg im Breisgau, den 7. Februar 1978
Dr. Schlund, Domdekan
Herstellung: Freiburger Graphische Betriebe 1979
ISBN 3-451-17423-5

Vorwort

Die Religionsphilosophie, die ich hier vorlege, ist aus Vorlesungen hervorgewachsen. Seit dem Jahr 1962 bis zum Jahr 1973 hatte ich regelmäßig Vorlesungen über Religionsphilosophie zu halten. Ich habe meine Gedanken bei jeder Wiederholung umgearbeitet, und zum Teil ergaben sich immer wieder im Laufe dieser Jahre neue Perspektiven. Ich habe den ganzen Gedanken, wie er so herangewachsen war, jetzt für diese Ausgabe noch einmal gründlich und sorgfältig durchgearbeitet.

Viele Einsichten erwuchsen mir aus den laufenden Gesprächen mit Freunden, Mitarbeitern und Schülern, ihnen habe ich vieles zu danken.

Was ich hier vorlege, ist also die Frucht langer Überlegungen und vieler Gespräche.

Ich habe Teile der hier zu besprechenden Themen des öfteren in Aufsätzen oder einzelnen Arbeiten behandelt, manchmal dort mit größerer Ausführlichkeit. Deswegen erlaube ich mir, an den geeigneten Stellen darauf hinzuweisen und mich selbst zu zitieren.

Ich hatte nicht die Absicht, mich bei der Ausarbeitung dieser Religionsphilosophie mit der religionsphilosophischen Literatur auseinanderzusetzen. Dies gewiß nicht aus Mißachtung dessen, was andere Autoren zu diesem wichtigen Thema beigetragen haben. Aber ich hatte die Absicht, die Sache, um die es geht, unmittelbar und direkt im Denken anzugehen. Auch muß darauf hingewiesen werden, daß es gute Literaturübersichten über die wichtigsten Erscheinungen der Religionsphilosophie seit der Zeit der Aufklärung bis heute an leicht zugänglichen Stellen gibt. So die von N. H. Søe und besonders von Wolfgang Trillhaas[1] im RGG und ergänzend dazu die Ausführungen und Angaben von J. B. Metz[2] in LThK. Im Blick auf diese verdienstvollen Arbeiten schien es mir überflüssig, noch einmal zu wiederholen, was dort schon einmal gut gesagt ist.

Doch schien es mir wichtig, auf die bedeutendsten Strömungen des heutigen Philosophierens einzugehen, soweit sie über den Fachbereich hinaus meinungsbildend wirken in der Öffentlichkeit. Dies gilt vor allem für die Kritische Theorie und für den modernen Positivismus. Denn soweit diese Theorien für viele Menschen zu einer Art Weltanschauung geworden sind, bilden sie den Horizont heutigen Nachdenkens über die Sache der Religion.

Wo die Entwicklung der Sache selber Anlaß gab, auf frühere wichtige Äußerungen dazu einzugehen, finden sich die Hinweise darauf im laufenden Text.

Für die Durchsicht, Ordnung und Ergänzung der Anmerkungen und auch für das Lesen der Korrekturen danke ich Herrn Dr. Heinz-Jürgen Görtz und Herrn Wolfgang Schneider von Herzen.

Ich hoffe, daß dieses Buch nach einigen Seiten nützlich sein kann. Ich hoffe besonders, daß es Denkanstöße gibt zum Weiterdenken.

Freiburg, den 15. Oktober 1977   *Bernhard Welte*

Inhalt

Zweites Kapitel
Gott als Prinzip der Religion 45

Erstes Kapitel

Einleitende Fragen

§ 1. Über den Sinn von philosophischem Denken überhaupt

Wir gehen davon aus, daß Religionsphilosophie auf jeden Fall Philosophie ist. So haben wir zunächst der Frage nachzugehen, was dies sein solle, Philosophie. Darauf läßt sich nun freilich keine eindeutige und vollends keine endgültige Antwort geben. Wer in Sachen der Philosophie einige Erfahrung hat, der weiß, daß das, was Philosophie ist, nie durch eine vorauslaufende Definition festzulegen ist. Eine solche müßte ja sozusagen einer Meta-Philosophie entnommen sein. Diese aber gibt es nicht, und es kann sie nicht geben[1].

Dessenungeachtet aber kann und muß über das, was Philosophie ist, doch einiges gesagt werden.

1. Selber-Denken

Zuerst muß gesagt werden, daß Philosophie nur sich selber erhellen und bestimmen kann. Und dies wiederum nur so, daß philosophierend ein Mensch *selber denkt*. Philosophie ist Philosophieren, und Philosophieren ist, wie es sich auch des näheren weiterbestimmen mag, auf jeden Fall Denken. Genauer: Philosophie geschieht dort, wo ein Mensch selber denkt, aus seinem eigenen Vermögen, aus seiner eigenen Denkkraft, aus seinem eigenen Ursprung. Philosophieren ist eine ausgezeichnete Form der Entfaltung von ursprünglichem menschlichem Denken.

Philosophie liegt darum nicht schon dort vor, wo philosophische Thesen als irgendwie vorhandene vorgestellt oder gewußt werden. Ein solches Wissen wäre nur Wissen über sonstwo vorhandene Philosophie, aber nicht selber Philosophie. Denn Philosophie geschieht nur als Geschehen des Denkens selbst. Solches Geschehen kann und wird sich bisweilen in Thesen fassen. Entscheidend aber ist, daß diese Thesen oder was sonst immer an faßbaren Elementen des Philosophierens zutage treten mag, Elemente wirklichen und lebendigen Denkens seien und blieben und im Nachvollzug immer wieder werden. Nur insoweit können solche Elemente beanspruchen, Elemente von so etwas wie Philosophie zu sein.

Wer diesen grundlegenden Umstand bedenkt, der wird merken, daß Philosophie damit zugleich als ein eminent menschliches Geschäft gekennzeichnet ist. Im philosophischen Denken erhebt sich der Mensch aus einer eigenen ihm eingegebenen Kraft des Denkens frei und unabhängig in die Entfaltung dieser seiner Kraft. Er erhebt sich dazu, selber zu sehen oder doch sehen zu wollen, wie die Dinge eigentlich sind, von denen gesprochen wird, und wie und als was die Wahrheit der Welt ihm leuchtet. Der Philosophierende wird allen ihm zunächst von außen vorgelegten Meinungen und Thesen gegenüber sagen: Laßt mich selber zusehen, laßt mich selber denken darüber, was es mit solchen Thesen auf sich habe. Das Philosophieren geschieht in der Kraft des dem Menschen gewährten freien Selbstseins, und es entfaltet diese Freiheit des Selbstseins und damit des Selber-Denkens und des Selber-Sehens allem gegenüber. Im Philosophieren wird also der Mensch frei von bloßen äußerlichen Thesen und Meinungen. Er wird frei durch Selber-Denken. Das philosophische Denken ist eine ausgezeichnete Form der menschlichen Freiheit.

2. Die Sache des Denkens

Denken darf dabei freilich nicht als ein immanenter Prozeß verstanden werden, als etwas, von dem man meinen dürfte, es spiele sich nur in einer Art Innenraum der menschlichen Subjektivität ab. Denken ist vielmehr eine lebendige Offenheit über den Menschen hinaus, eine Begegnung von Mensch und Welt, von Denkendem und dem, was ihm im lichten Raum seines Denkens aufgeht und begegnet, eine Auseinandersetzung zwischen dem menschlichen Leben auf der einen Seite und den Zeichen und Winken und Fragen und Wundern auf der anderen Seite, die diesem denkenden Leben begegnen im Raume der Welt[2].

Von daher muß das Denken der Philosophie ausgezeichnet sein dadurch, daß es streng an seine Sache gebunden bleibt. Seine Sache ist das, was ihm an Wahrheit oder an Sein aus den Gestalten der Welt entgegenkommt. Diesem ihm begegnenden Zuspruch von Wahrheit und Sein muß das Denken ent-sprechen, ihm muß es ver-antwortlich Antwort geben. Als Verantwortlichkeit ist die Freiheit des Denkens gebunden an seine Sache.

Die Sachgebundenheit im allgemeinen hat das philosophische Denken freilich mit jedem ernsten Denken, z.B. dem wissenschaftlichen, gemein. Aber sie muß in vollem Umfang und eher gerade auch für das philosophische Denken in Anspruch genommen werden.

Denken ist Denken über eine zu denkende Sache im Zuge des Zuspruchs von Wahrheit und Sein. Wo es also entschiedenes Denken wird, schwebt es nicht im Innenraum bloßer selbstentworfener Gestalten. Es ist Denken der Sache, um die es jedem Denken geht. So frei das philosophische Denken also gegenüber überkommenen Thesen und Meinungen ist, so gebunden ist es gegenüber der Sache und dem für sie Wesentlichen, was ihm aus der Sache entgegenkommt.

Dies heißt zugleich, daß das philosophische Denken alle seine Schritte von seiner Sache her *ausweisen* muß. Es muß in diesem Sinne begründetes und begründendes Denken sein. Der begründende Charakter des philosophischen Denkens besteht zuerst darin, daß dieses genau auf seine Sache blickt und genau auf ihren Zuspruch hört. Es muß, was es sieht und hört, aus dessen Grund, von dem her es sich offenbart, also von dem sich selber Anzeigenden, erheben. Und es muß zweitens das so aus seinem Grund Erhobene sorgsam in Begriffe und in Worte fassen, und dies wiederum so, daß diese Begriffe und Worte den Grund sehen lassen können, nämlich das sich selber Zeigende, so wie es sich von ihm selber her zeigt[3].

Erst und nur in der Strenge eines solchen Begründungsverfahrens erhebt sich das philosophische Denken über den Vorwurf grund- und wirklichkeitsloser Spekulation, den Vorwurf, der ihm gegenüber immer wieder nicht aus Zufall gerade von den exakten Wissenschaften erhoben wird. Der Entwurf von gedanklichen Konstruktionen und gedanklichen Modellen, die in der Wirklichkeit oder dem Sein oder der Wahrheit der Sache nicht ausgewiesen sind, kann zwar geistreich sein, er ist aber nicht Philosophie im eigentlichen Sinn.

So frei also das Denken ist und von jedem Denkenden selbst zu verantworten, so streng ist es gebunden an seine Sache.

Das Denken, das, vom Sein und Wesen und damit auch von der Wahrheit seiner Sache angesprochen, diese auf den Begriff zu bringen sucht, kann als eine Entfaltung des ursprünglichen Selbst- und Seinsverständnisses des Menschen verstanden werden. Indem der Mensch da ist, versteht er immer schon sich selbst in seinem Da oder in seiner Welt. Er versteht zugleich sich und seine Welt vom Sein her als etwas, was ist. So ist der Mensch da als Selbst- und Seinsverständnis. Denkt er also, dann entfaltet er eben dieses Selbst- und Seinsverständnis, indem er z.B. fragt: Was ist dies? Oder was bin ich? Oder was ist dieses, daß ich da bin in meiner Welt? Er denkt und befragt sich und seine Welt im Licht des Seins als etwas, was ist. Nur deswegen ist es möglich, daß der Mensch, vom Sein der Momente seines Daseins angesprochen, sich auf dieses einläßt. Und indem dem Menschen also alles unter dem Gesichtspunkt des Seins einleuchtet und er sich darauf einlassen kann, leuchtet ihm auch das Wesen ein, und er kann sich auf den Unterschied von Wesen und Unwesen einlassen. Alles fragende Denken, alles Philosophieren ist also Entfaltung des Selbst- und Seinsverständnisses des Menschen als eines solchen. Dies dem Menschen gegebene Selbst- und Seinsverständnis, in dem der Mensch sich entfalten, sich bewegen kann, wird auch Vernunft genannt. Der Mensch, wenn er philosophierend von seiner eigenen Vernunft Gebrauch macht, bewegt sich also aus seinem eigenen Ursprung und mit Bindung an seine Sache in dem ihm gegebenen Selbst- und Seinsverständnis. Und wo diese Bewegung als eine solche entfaltet ist, da sprechen wir von Philosophie.

3. *Das eigentliche Sein und die Tatsachen*

Natürlich ist die Gebundenheit des philosophischen Denkens an die zu denkende Sache von anderer Art als in den exakten Wissenschaften. Und damit sind auch die Weisen des Begründens, d. h. des Ausweises von der Sache her, von anderer und eigener Art. Dies kommt vor allem daher, daß die Sache, der das philosophische Denken zugewandt ist, einen besonderen Charakter aufweist, der durchaus anders ist als die Sache der exakten Wissenschaften. Im Maße wir also die Sache des philosophischen Denkens genauer in den Blick zu fassen vermögen, in dem Maße werden wir auch erkennen, daß dieses Denken in seinen Wegen und Methoden von eigentümlicher Art sein muß.

Wir gehen von der Auffassung aus, die wir schon kurz genannt haben und auf die wir noch ein wenig eingehen wollen: Daß das philosophische Denken dadurch gekennzeichnet ist, daß es sich auf das Sein oder die Wahrheit (oder das wahrhaftige Sein) dessen, was es zu bedenken gilt, bezieht. Dies geschieht, wie wir schon sahen, im Zuge der Entfaltung des ursprünglich dem Menschen gegebenen Selbst- und Seinsverständnisses, in dem ihm allererst seine Welt und auch er für sich selber eröffnet ist.

Die im Lichte dieses Selbst- und Seinsverständnisses zu entfaltende Sache kann das eigentliche Sein der Sache genannt werden, das, was deren Sein eigentlich kennzeichnet und für sie wesentlich ist. Dieses wesentliche und eigentliche Sein ist auch das Ganze, das, was sich über alle isolierten Teilaspekte erhebt und sie umfängt. Das philosophische Denken fragt darum gegenüber seinem Gegenstand: Was ist dies eigentlich und wesentlich und im ganzen? Wie steht es mit dem Sein und der Wahrheit und der Wesentlichkeit dieser Sache? Und schließlich sogar: Wie steht es mit Sein und Wahrheit und Wesen im ganzen und überhaupt? Wir sagen kurz: Philosophierendes Denken geht dem Sein des zu Bedenkenden fragend nach und geht auf dieses Sein ein, das Sein des Seienden, das die Freiheit des Denkens anruft und bindet und sie in Verantwortung nimmt.

Es wird im Zusammenhang damit nützlich sein, darauf hinzuweisen, daß eine andere Richtung des sachgebundenen Denkens das Feststellen von Tatsachen ist und das Systematisieren der festgestellten Tatsachen, wie dies in den exakten Wissenschaften geschieht. Hier liegt gleichfalls ein hohes Maß von Sachgebundenheit vor. Trotzdem sind diese Verfahren eigentlich kein Eingehen auf das, was wir das eigentliche Sein auch der Tatsachen oder der Dinge oder der Tatsachen- und Dingzusammenhänge nennen. Das feststellende wissenschaftliche Denken stellt fest, daß dieses oder jenes so oder so ist. Es hält sich so an die faßbaren Elemente des faktischen So-Seins. Aber es läßt sich nicht auf die Frage ein, was ist dies eigentlich? Was liegt aller Faßbarkeit als das Wesentliche zugrunde? Was ist es im ganzen, was sich in einer Vielfalt von faßbaren Momenten im einzelnen fassen läßt? Was ist dies in seinem eigentlichen Wesen?

Darum führt das feststellende Denken zu den höchstnotwendigen Tatsachenwissenschaften, aber nicht zur Philosophie. Im Bereich der Religion würde ein solches Denken zur Religionswissenschaft führen. Für die Religionsphilosophie wird es immer nützlich, ja unerläßlich sein, diese im Auge zu behalten. Aber Religionsphilosophie als Philosophie ist doch wieder etwas anderes.

Das Feststellen einzelner feststellbarer Züge oder Eigenschaften dessen, was es gibt, gehört wesentlich zu den Einzelwissenschaften, aber es ist keine Philosophie. Das philosophische Denken läßt sich nicht auf die Frage näher ein, welche einzelnen Züge festzustellen sind in der Natur oder in der Geschichte oder wo immer, wohl aber fragt sie, was dies eigentlich sei, Natur oder Geschichte oder was auch immer im ganzen. Während in den Naturwissenschaften das Sein der Natur als solches so wenig thematisch wird wie in der Historie als Wissenschaft das Geschichtlichsein, bilden solche Umstände gerade die Thematik philosophischen Denkens.

4. Das wesentliche und das wesenlose Sein

Mit dem denkenden Befragen dessen, was das eigentliche Sein der zu bedenkenden Sache ist, ist ein weiterer Zug unlöslich verbunden, auf den wir eigens aufmerksam machen wollen.

Das Bedenken des Seins der zu bedenkenden Sache schließt die kritische Frage ein nach dem Unterschied zwischen dem eigentlichen und wesentlichen Sein und dem, was wir das uneigentliche und wesenlose nennen können. Schlösse das Denken des Seins diese Unterschiede nicht ein, dann verstände es sich als gebunden an die bloße Faktizität. Dies ist aber nicht der Fall. Das philosophische Denken hat gerade im Blick auf das Faktische nach dem wesentlichen und eigentlichen Sein und nach der wesentlichen und eigentlichen Wahrheit zu suchen. Dieses Sein und diese Wahrheit haben aber diesen Grundzug an sich, daß sie maßstäblich sind für das Faktische, denn das Faktische muß daran gemessen werden, ob es seinem Wesen oder seiner Eigentlichkeit gemäß ist. Es wird insofern von seinem Sein oder von seiner Wahrheit kritisch gekennzeichnet. Darum kann philosophisches Denken die Dinge nicht einfach hinnehmen, wie sie sind. Indem es nach deren Sein und damit nach deren Wahrheit und Wesen fragt, fragt es zugleich nach dem Unterschied des Wesentlichen gegen das Faktische, an dem das Faktische gemessen werden muß. Philosophisches Bedenken einer Sache oder eines Sachbereichs muß daher immer auch ein kritisches Bedenken sein. Es muß Kritik ermöglichen und begründen von der Aufdeckung des wesentlichen Seins und der wesentlichen Seinsverhältnisse her.

5. Die Begründungsweise des philosophischen Denkens

Damit dürfte auch klargeworden sein, warum philosophische Begründungen nicht von derselben Art sein können wie einzelwissenschaftliche Begründungen. Sie können nicht von der feststellbaren Faktizität des Sich-Findens her entschieden werden. Diese Faktizität freilich kann im methodischen Prozeß intersubjektiv wissenschaftlich abgesichert werden. Wo es aber auf mehr und anderes ankommt als auf die bloß vorfindbare und feststellbare Faktizität, wo Wesen und Sein in den Blick kommen, wo von hier aus um Maßstäbe gerungen wird, an denen das Faktische zu messen ist, da ist solche gleichmäßig für alle herstellbare Intersubjektivität nicht mehr möglich und auch nicht mehr sinnvoll.

Dies ist der Grund, warum die Gedankengänge der Philosophie von den Einzelwissenschaften aus leicht als nicht genügend begründet erscheinen.

Gleichwohl bleibt philosophisches Denken in seiner Art sachgebunden und begründend, wie wir schon sagten. Es muß in seiner Weise streng sein. Seine sachgebundene Begründung geschieht – wir sahen es schon – grundsätzlich in der Weise, daß das philosophische Denken das eigentliche Sein, das ihm aus den Erscheinungen der Welt entgegenkommt, freilegt und aufdeckt und dann, indem es dies in den Begriffen und ins Wort faßt, auf dies hinzuweisen sucht. Gerade jenes gilt es dabei aufzudecken, was nicht einfach positiv vor Augen liegt und was gleichwohl für das besonnene Denken sichtbar werden kann. Ist es aufgedeckt, dann gilt es freilich, dieses aufgedeckte eigentliche Sein denkend zu sehen und, wenn es gesehen ist, es zu bergen im Begriff. Im denkenden Sehen und im bergenden Begreifen dessen, was durch das philosophische Denken aufgedeckt wurde, liegt die eigentliche Begründung der Philosophie. Ihre Gründe liegen in dem, was von der Sache her sichtbar wurde und sichtbar gemacht werden konnte.

Warum soll man nicht durch Denken sichtbar machen und dann sehen können, was eigentlich Natur ist oder was eigentlich Kunst ist oder was eigentlich Religion ist, warum soll es nicht so dem Menschen klarwerden und einleuchten, daß er es in Worte zu fassen vermag, die wiederum anderen zu leuchten vermögen? Ist die Strenge des philosophischen Denkens bis zum deutlichen Wort gelungen, dann kann es selber wieder sichtbar machen für andere, die dann in ihrer eigenen Kraft sehen sollen, soweit sie es können.

Dazu muß immer wieder gesagt werden: Niemand *muß* in dieser Weise sehen, und niemand kann äußerlich dazu gezwungen werden. Das denkende Sehen und im Zusammenhang damit der Begründungscharakter des wesentlichen philosophischen Denkens ist von seiner Sache her unerzwingbar. Es ist deswegen nicht subjektiv im Sinne einer bloßen Beliebigkeit. Es muß verantwortet werden angesichts des Sich-selber-Zeigens seiner Sache. Darin hat es seine eigene Strenge, darin im Grunde seine Ausweise und Begründungen. Sie sind einsichtig für den, der denkend und mitdenkend in der Weise des philosophischen Denkens sehen kann und will. Beides ist angefordert, keines davon ist zwingend.

6. Das Unabschließbare des philosophischen Denkens

Damit hängt auch zusammen, daß solches philosophisches Denken und denkendes Begründen *unabschließbar* ist. Es ist nie definitiv am Ende und fertig mit seiner Sache. Dies deswegen nicht, weil das Sein des Seienden für die Sehweise des Denkens sich als unausschöpflich erschließt.

Diese Unabschließbarkeit des philosophischen Denkens zeigt sich darin, daß immer neue philosophische Wege begangen werden. Und auch darin, daß alte philosophische Wege, z. B. die Gedanken der griechischen Philosophen, immer wieder neu interessant werden. Wer mitdenkend mit ihnen geht, kann immer wieder Neues durch sie sehen lernen. Und er wird dadurch zugleich besser instand gesetzt, eigene und neue Wege des Denkens zu gehen. Wirkliche philosophische Gedanken sind nie ganz überholt, sie sind aber auch nie ganz fertig. Darin haben sie eine ganz eigene Art von Geschichtlichkeit, die durchaus anders ist als die Fortschrittsgeschichtlichkeit der exakten Wissenschaften und der Technik.

Diese Unausschöpflichkeit ist nicht eine demnächst zu überwindende Unvollkommenheit der Philosophie. Sie gehört vielmehr zu ihrem Wesen. Hierin ist sie ähnlich der Kunst, in der gleichfalls das Alte nie überholt und das Neue nie das definitiv Endgültige ist.

Dies hängt wiederum mit der Sache der Philosophie und mit der Sache des Denkens zusammen. Das eigentliche Sein des Seienden zeigt sich als das unausschöpflich Fragwürdige. Jeder neue Zugang zeigt darum Neues, aber keiner zeigt alles. Die Wege des Denkens, soweit sie realisiert werden, sind immer begrenzt. Die Möglichkeiten des Denkens, die diesem vom Sein des Seienden her eröffnet werden, sind unbegrenzt.

Philosophie umkreist immer neu, was es zu denken gibt. Sie wird mit diesem immer neu vollziehenden umkreisende Berühren ihrer Sache nie ans Ende kommen, aber auch nie fruchtlos sein müssen.

Boethius beschreibt, wie die Philosophie ihm als eine tröstende Frauengestalt im Kerker erschienen sei. Einer solchen Frau zu begegnen ist für den Mann niemals fruchtlos, es kann für ihn sogar von unendlicher und aufrichtender Bedeutung sein. Aber er wird niemals damit zu Ende kommen und seine Partnerin gleichsam als erledigt ablegen können. Glaubte er dies, dann würde er gerade des Wesentlichsten verlustig gehen, was ihm eine solche Begegnung an Reichtümern schenken kann[4].

Aus demselben Grund hat der platonische Sokrates die Philosophie von der Sophia unterschieden haben wollen: als das liebende Streben nach der Vollendung, aber nicht als die Vollendung selbst[5]. Aristoteles ist ihm in dieser Meinung nachgefolgt, wie man in der Metaphysik nachlesen kann[6].

Dies mag fürs erste genügen, um auf einige Grundzüge des philosophischen Denkens aufmerksam zu machen, wie wir es hier verstehen. Natürlich sind die erläuterten Grundzüge sehr vorläufig und auch unvollständig. Aber für den gegenwärtigen Zusammenhang mögen sie genügen.

§ 2. Über den Sinn von Religionsphilosophie

1. Religion als Sache des Denkens

Religionsphilosophie ist philosophisches Denken, das die Religion zu ihrer Sache macht und sich also bemüht, durch solches Denken das Wesen und die Seinsweise der Religion aufzuhellen. Religionsphilosophie geht demnach denkend der Frage nach: Was ist das eigentlich, Religion?

2. Religion und menschliches Denken

Damit die Religionsphilosophie ihre Sache, nämlich die Religion, bedenken kann, ist es notwendig, daß dem philosophischen Denken die Religion zuerst *gegeben* sei. Dieser einfache Sachverhalt ist begründet in der Tatsache, daß die Religion durchaus auf eigener Wurzel steht und auch stehen kann. Ein auch nur kurzer Blick auf die Welt der Religionen kann uns darüber belehren. Und erst recht ein Blick auf die Ursprünge des Christentums. Die Religion ist offensichtlich nicht aus dem philosophischen Denken entsprungen und wird in ihren guten Zeiten zuweilen intensiv gelebt, ohne von ausdrücklicher Philosophie begleitet zu sein. Die Religion ist also keine Philosophie, sie ist eher das andere der Philosophie[1].

Scheint es aber dann nicht, daß die Philosophie vielleicht überflüssig ist für die Religion? Oder am Ende gar gefährlich? Seit Pascals Tagen wird der Gott der Philosophen dem Gott der Religion und des Christentums, dem Gott Abrahams, Isaaks und Jakobs, dem Gott Jesu Christi, mit einer gewissen Schärfe gegenübergestellt. Die dialektische Theologie hat gekämpft gegen eine Religion, die vom Menschen her entworfen wäre und ihre Herkunft also dem Denken der Menschen verdankte.

Was ist dazu zu sagen? Wie steht philosophisches Denken zur Religion? Es ist doch auch zu sehen, daß das religiöse Leben vielfältig die Philosophie beeinflußt hat und daß es auch von ihr beeinflußt und mitgeformt wurde. Die Geschichte des Abendlandes und des abendländischen Christentums und seiner Theologie bietet eine Fülle von Beispielen für diesen Zusammenhang und Austausch. Allerdings muß man dazu sagen: Gerade dort, wo wir diesen Zusammenhang sehen, können wir auch sehen, daß das Christentum, jene Religion, an der wir uns vor allem, wenn auch nicht ausschließlich, orientieren, nicht aus der Philosophie hervorgegangen ist und sich ihres eigenen Ursprungs auch immer bewußt war, wenn auch nicht immer mit gleicher Klarheit.

Die Religion begegnet dem philosophischen Denken durchaus als sein Anderes, als sein Gegenüber und Zuvor. Gleichwohl aber muß darauf hingewiesen werden, daß die Religion – wie sehr sie auch aus eigenem Ursprung leben mag und vielleicht ein Geschenk Gottes ist – sich doch vollzieht als ein *menschliches Geschehen* und als eine *Form des menschlichen Lebens* und Daseins. Und also geschieht sie im Horizont des Menschen. Es sind immer Menschen, die glauben oder beten oder sich zum Kult versammeln usw.

Was sich aber im Horizont des menschlichen Lebens und Daseins vollzieht, vollzieht sich auch im Horizont des menschlichen Selbst- und Seinsverständnisses. Menschen verstehen sich selbst auf irgendeine Weise etwa in ihrem Glauben an Gott, und sie verstehen – wie unausdrücklich auch immer es sein möge –, was dies ist, wenn sie an Gott glauben. Darum ist das menschliche Selbst- und Seinsverständnis lebendig im ganzen im Falle der Religion. Immer dort, wo Religion lebendig ist, wie sehr sie auch ein Geschenk von oben und damit aus eigenem Ursprung sein mag, lebt sie im menschlichen Verständnis, das jeweils sich selbst und seine Sache als das, was ist, versteht. Macht der Mensch von seinem Selbst- und Seinsverständnis Gebrauch, dann fragt er: Was ist das, Religion?, und er geht denkend der Frage nach. Solch fragendes Denken über das Sein der Sache der Religion ist aber philosophisches Denken. Aus diesem Grunde ist philosophisches Denken über die Religion immer möglich dort, wo Religion von Menschen, in welcher Weise auch immer, verstanden wird.

Dieser Zusammenhang ist auch der Grund, warum der Mensch Verantwortung hat gegenüber seinem eigenen Glauben, seinem eigenen Kult und seiner von ihm selbst gelebten Religion. Er sollte hier nicht blind und aufs Geratewohl und gedankenlos und ungeprüft sich überlassen. Er hat freilich die Religion nicht selbst zu produzieren. Aber er hat ihr gegenüber insoweit Verantwortung, als die Religion sich im Medium des menschlichen Selbst- und Seinsverständnisses als eine menschliche Daseinsform vollzieht[2].

Weil das menschliche Selbst- und Seinsverständnis in der Religion auf eine eigenartige Weise aktiviert ist, darum drückt sich die Religion in menschlicher Sprache aus, in menschlichen Kategorien und Denkmöglichkeiten, darum lebt sie in menschlichen Vollzugsformen. Nur von daher ist die offenkundige Tatsache zu erklären, daß die Religion auf ihre Weise auch am geschichtlichen Wandel des menschlichen Selbst- und Seinsverständnisses teilnimmt und daß die Religion also eine menschliche und bisweilen allzumenschliche Geschichte hat, obwohl Gott, von dem her Religion sich versteht, unveränderlich und oberhalb solcher Geschichte steht.

Eben darum kann und soll sich der Mensch immer wieder neu fragen: Was ist das eigentlich, Religion? Und vor allem: Was ist das: meine Religion, die ich als meine Lebensform vollziehe? Die Frage nach dem „Ist" ist die große Frage, die sich aus dem menschlichen Seinsverständnis erhebt. Sie ist ihrer Struktur nach eine philosophische Frage, wenn auch die Sache, der sie nachfragt, gerade das Andere der Philosophie ist und auf ihrer eigenen Wurzel steht.

Ist die Frage nach dem Sein der Religion also möglich, dann schließt sich die Frage nach dem Wesen der Religion an, und zwar als eine Frage des freien menschlichen Denkens. Auch Religion, sich erhebend im menschlichen Denken, ist nichts bloß Faktisches. Es erscheint, was die Religion angeht, der Weite des menschlichen Denkens durchaus etwas wie deren Wesen, das also erlaubt, das Faktische kritisch zu bemessen.

Dies sind die Umstände, um derentwillen Religionsphilosophie immer möglich ist.

3. *Die Zeit der philosophischen Reflexion über Religion*

Das Mögliche ist freilich nicht unter allen Umständen auch das Notwendige. Die ausdrückliche Frage des Denkens nach dem Wesen der Religion und ihre systematische Ausarbeitung ist gewiß nicht in jedem Falle notwendig oder angezeigt. Religion kann ohne ausdrückliche Philosophie ihr Leben ausbilden, und sie hat oft ohne diese Begleitung gelebt, vor allem in frühen und ursprungsstarken Phasen des religiösen Lebens.

Wo aber die Religion nicht mehr ihre anfängliche Ursprungsstärke hat, das Denken jedoch als Reflexion sich stark und autonom entwickelt hat, da ist Religionsphilosophie angezeigt und jedenfalls relativ auf einen solchen Zustand des geschichtlichen

Bewußtseins notwendig. Dann muß der Mensch versuchen, sich kritisch Rechenschaft zu geben von dem, was Religion ist. Dies ist in unserer Zeit der Fall. Religion und Christentum sind schon seit längerem keine allgemein menschlichen Phänomene mehr. Zwar gibt es immer noch Religion und Glauben im Osten wie im Westen, und es ist entgegengesetzt einer verbreiteten Vorstellung dem Marxisten Gardavsky zuzustimmen: „Gott ist nicht ganz tot."[3]

Aber freilich haben Religion, Glaube und Christentum ihre alte Selbstverständlichkeit verloren; ihre Stellung in der modernen Gesellschaft und im modernen kulturellen Bewußtsein ist im hohen Maße kritisch geworden.

Dies ist indes kein Grund, über solche Phänomene nicht oder nicht mehr nachzudenken. Im Gegenteil, gerade in dem Zeitalter, in dem viele Menschen das alte Gehäuse ihrer überlieferten religiösen Vorstellungen verlassen haben und in dem die Religion also kritisch geworden ist sowohl für die, die in ihrem Raume noch mehr oder weniger stehen, wie auch für die, die sich davon getrennt haben, gerade in solchen Zeiten muß verstärkt und mit gesteigerter kritischer Aufmerksamkeit die Frage gestellt und bedacht werden: Was ist das eigentlich, Religion?

In dieser besonderen zeitgeschichtlichen Situation muß es entscheidend sein, daß das philosophische Denken dem eigentlichen Sein und damit dem Wesen und damit auch dem Recht der zu bedenkenden Sache nachgehen kann und soll. Es muß heute mehr denn je um mehr und anderes gehen als um das bloße Faktum Religion. Es muß darum gehen, im Ausgang vom Faktum der Religion kritisch zum Sein und Wesen und Recht der Religion selbständig und umsichtig vorzudringen.

Wenn es gelingen sollte, den Blick auf das Wesentliche der Religion zu gewinnen, dann können und sollen daraus Maßstäbe gewonnen werden, an denen das Faktische gemessen werden kann und muß, und dies um so mehr in einer Zeit, in der Religion aufgehört hat, selbstverständlich zu sein. Dann muß es methodisch möglich werden, das Recht und den Sinn der Religion zu klären gegenüber dem auch in diesem Bereich möglichen Unrecht und Unsinn. Aber auch gegenüber dem gleichfalls möglichen Unrecht und Unsinn der Nichtreligion und des Nichtglaubens. Wir suchen also philosophisch eine kritische Basis zu gewinnen sowohl gegenüber der faktischen Religion wie auch gegenüber der verbreiteten faktischen Nichtreligion. Weder das eine noch das andere sollten wir ungeprüft hinnehmen.

In diesem Sinne geht es um das Recht der Religion vor dem Forum der Vernunft.

4. Gefahr und Nutzen der Religionsphilosophie für die Religion

Freilich gibt es auch Einwände gegen die Religionsphilosophie von seiten der Religion. Kann die Philosophie nicht der Religion gefährlich werden? Darf die Religion, auf ihrem eigenen Ursprung stehend, sich von der Vernunft und ihrer Philosophie dareinreden lassen?

Dazu ist zu sagen: Die Philosophie kann in der Tat der Religion gefährlich werden, wenn sie ihr ungebührlich, d. h. gegen den Sinn ihrer Sache, dareinredet. Aber sie wird nicht gefährlich dann, wenn sie gerade diese Sache als ihr Vorgegebenes achtet und sich bemüht, diese vorgegebene Sache aufzuklären hinsichtlich ihres Wesens. Die Vernunft und ihre Philosophie tun gewiß unrecht, wenn sie glauben, Religion nicht hinnehmen zu müssen, sondern sie aus der autonomen Kraft des menschlichen Denkens frei konstruieren oder auch destruieren zu können. Aber sie tun kein Unrecht, wenn sie die Religion als Vorgegebenes *nach*konstruieren im Blick auf die vorgegebene Sache der Religion und aus der Kraft des menschlichen Selbst- und Seinsverständnisses, welches Selbst- und Seinsverständnis das Element ist, in dem die Religion ja lebt. In diesem Sinne geht es um die kritische Rekonstruktion der vorgegebenen Religion im Blick auf das eigentliche Sein und Wesen eben dieser Religion.

Eine solche philosophische Rekonstruktion kann – wenn sie

recht gemacht wird – der Religion nur nützen, und sie will dies auch; sie will es sogar und besonders dann, wenn sie kritisch ist, was sie ja – wie wir sahen – sein soll. Denn sie hat ihren eigenen Blick auf die Wesenszüge der Religion und auf die kritische Unterscheidung zwischen Wesen und Unwesen. Und es gehört ja doch zum Selbst- und Seinsverständnis der Religion selber, vom Menschen kritisch verantwortet werden zu müssen. Gerade dies gehört mit zur Sache des religiösen Lebens, wie es gleicherweise auf der anderen Seite zur Kompetenz der Philosophie gehört, insofern diese das Seins- und Selbstverständnis begrifflich faßt und auslegt.

Darum darf man nicht vergessen, daß auch das *Unterlassen* der kritischen philosophischen Reflexion und der Versuch einer unreflektierten Unmittelbarkeit des religiösen Lebens gefährlich sind. Unterläßt man diese kritische philosophische Reflexion, dann kann es besonders in Zeiten geringer Ursprungskraft der Religion und hoher Reflexionskraft des Denkens leicht dazu kommen, daß die Religion unreflektiert und unkontrolliert auf Beliebigkeiten kommt, die ihrem Wesen nicht mehr gerecht werden.

Es dürfte damit klar sein, daß die Philosophie zwar die Religion und in unserem Zusammenhang vor allem das Christentum voraussetzt, aber doch nicht in der Form einer Prämisse. Für den philosophischen Blick ist die Religion nur als der Sachbereich, auf den dieser Blick sich denkend bezieht, vorgegeben. Aber sein Recht und sein Wesen für die Vernunft ist erst zu erweisen. Darum ist das Vorgegebene nicht die Basis, von der als selbstverständlicher auszugehen wäre. Würde dies gemacht werden, dann würde es sich um Theologie handeln, denn sie geht unmittelbar von theologischen Prämissen aus. Aber es wäre keine Philosophie mehr.

In der Religionsphilosophie als Philosophie muß also aus der Freiheit und Selbständigkeit des Denkens über die dem Denken vorgegebene Sache der Religion nachgedacht werden.

Natürlich kann dessenungeachtet die Religion und das Christentum die Prämisse des Denkenden selber sein. Er kann sehr wohl kraft des Glaubens die christliche Botschaft seinem Dasein zugrunde gelegt haben. Aber auch und gerade in diesem Fall wird der Denkende doch noch die freie Kraft des eigenen Denkens haben und auch gebrauchen dürfen und müssen. Auf diese freie Kraft des Denkens kommt es an: Daß sie auf eine angemessene Weise ins Spiel komme über die Sache der Religion.

§ 3. Vorbegriff der Religion

1. Religion als Beziehung des Menschen zu Gott

Um im angedeuteten Sinn eine Religionsphilosophie auszuarbeiten, müssen wir zunächst die Religion im Blick haben und im Blick auf sie einen *Vorbegriff* von Religion entwerfen. Dies zu dem Zweck, damit das philosophische Denken schon vom Ansatz her weiß, mit welchem Sachbereich es sich zu beschäftigen hat. Und damit gleich vom Anfang an die notwendigen Schritte des Denkens gedacht und planvoll geordnet werden können.

Unter Religion wird seit alters her die Beziehung des Menschen zu Gott oder auch zum Bereich des Göttlichen verstanden. Dieses Verständnis kann immer noch akzeptiert werden, jedenfalls als vorläufiges Verständnis von Religion. Es ist dabei selbstverständlich, daß für unser heutiges kritisches Bewußtsein alle seine Termini: der Mensch, die Beziehung und vor allem Gott oder der Bereich des Göttlichen, einer näheren Erläuterung bedürfen.

Alles ist also zu befragen: Was ist eigentlich der Mensch? Was ist eigentlich Gott? Was ist eigentlich der Zusammenhang zwischen Gott und Mensch? Was ist das Ganze, das wir Religion nennen? Was ist das eigentliche Wesen dieses Ganzen?

Zunächst soll in diesem Zusammenhang auf einen grundlegenden Umstand aufmerksam gemacht werden. Wenn in unserem Vorbegriff von der Beziehung des Menschen zu Gott oder zum Bereich des Göttlichen gesprochen wird, so wollen wir darunter primär eine bestimmte *menschliche Daseinsweise* im Auge haben. Menschliches Dasein und die Weise seines Vollzuges sind der *Ort*, an dem die Beziehung stattfindet und gelebt wird, die wir Religion nennen. Die Menschen verhalten sich in der religiösen Beziehung auf eine ganz bestimmte, nämlich religiöse Weise.

Die Menschen verhalten sich zu Gott oder zu dem, was sie darunter verstehen, zunächst so, daß sie vom Göttlichen sich angesprochen wissen und also primär Gott es ist, der sich zum Menschen verhält innerhalb des Verhältnisses des Menschen zu Gott. Wenn Gott sich primär zum Menschen verhält, so findet dies *innerhalb* des Sich-selbst-Verhaltens des Menschen statt, innerhalb des menschlichen Daseins und seines Selbstverständnisses. So haben wir auch in diesem wichtigen Fall von einer Form des menschlichen Daseins zu sprechen. Und vollends dann, wenn sich dieses Verhältnis auch umkehrt, wie es in der Religion zu geschehen pflegt. Dann geht der Mensch seinerseits auf den Zuspruch Gottes antwortend ein. Das eine wie das andere, der Zuspruch des Göttlichen wie die Antwort des Menschen, finden im Horizont des menschlichen Daseins statt. In diesem Sinne ist Religion auf jeden Fall eine Daseinsweise des Menschen. Es ist jene Daseinsweise, in der sich der Mensch bestimmt weiß von der Größe, welche Gott oder unbestimmter das Göttliche genannt wird. Der Mensch weiß sich also bestimmt in bezug auf etwas, das anders und größer und auch ursprünglicher ist als er selber. Wenn Religion eine menschliche Daseinsweise meint, dann doch so, daß sich diese Daseinsweise vom Über-Menschlichen, also vom Göttlichen, her in seiner Eigenart konstituiert. Diese Konstitution kann auf verschiedene Weise geschehen. Aber immer ist es so, daß innerhalb der religiösen Daseinsweise des Menschen Gott oder das Göttliche die primäre und fundierende Größe des ganzen Verhaltens ist.

Darum ist in der Religionsphilosophie, wiewohl oder vielmehr gerade weil es sich um den Menschen, nämlich um die religiöse

Daseinsweise des Menschen, handelt, von mehr zu reden als nur vom Menschen. Es ist sogar *zuerst* vom Anderen des Menschen, vom Göttlichen, zu sprechen. Eben deswegen, weil Gott das primär fundierende Moment der menschlichen Daseinsweise ist, die wir Religion nennen. Vom Göttlichen her bestimmt sich das Dasein des Menschen als ein religiöses.

Also haben wir zuerst von Gott zu sprechen. Wir müssen den Versuch machen, einen philosophischen Begriff von Gott zu entwerfen, der uns sagen kann, was das eigentlich ist, das Göttliche und Gott. Und dann werden wir auf die menschliche Seite der Religion einzugehen haben mit der Frage: Wie verhält sich der Mensch angemessen zu dem Geheimnis Gottes, sofern ihn dieses Geheimnis betrifft und angeht? Denn es ist offenbar, daß in der Religion das Verhalten des Menschen angefordert ist, daß es aber auch zu messen ist an der Angemessenheit zu dem, zu dem es sich verhält. Auf diese Weise besteht von Anfang an die Möglichkeit, wesentliche Religion von wesenloser Religion zu unterscheiden.

2. Innerlichkeit und Äußerlichkeit der Religion

Wir denken bei unserer Orientierung an der Religion in erster Linie an das Christentum. Aber wir wollen dabei auch die anderen Formen der Religion in Gedanken mit dabei haben, von denen die Religionsgeschichte zu berichten weiß. Wir wollen uns so umfassend wie möglich orientieren.

Das religiöse Verhältnis oder die religiöse Daseinsform des Menschen verstehen wir auch sonst umfassend. Das religiöse Dasein entfaltet sich in vielen Dimensionen. Dazu gehören Dimensionen der Innerlichkeit, wie etwa der Glaube oder die Meditation, und Dimensionen der Äußerlichkeit, wie etwa der Kult oder die Verkündigung und anderes.

Bisweilen wird in der Literatur das Wort Religion nur für das Äußere, für das, was man mit Paul Tillich das kulturelle Gewand der Religion nennen kann, gebraucht[1]. Dies mag seinen guten Sinn haben. Wir gehen aber hier vom weiteren Sinn dieses Wortes aus. Dann meint es alle Formen und alle Dimensionen des religiösen Verhaltens und des religiösen Verhältnisses.

Wir wollen uns auch nicht auf jenen Begriff von Religion festlegen, wie er vom frühen Karl Barth und von Dietrich Bonhoeffer entworfen wurde und nach welchem Religion als Versuch des Menschen zu gelten hat, aus eigener Kraft Gottes Gerechtigkeit zu erlangen[2]. Sofern bei diesen Theologen Religion aus theologischen Gründen kritisch behandelt wird, liegt offensichtlich ein ganz bestimmtes Verständnis von Religion zugrunde. In der vorliegenden Überlegung soll es aber darum gehen, jedenfalls im Ausgang sich von einem solchen bestimmten Verständnis zu enthalten und die hierher gehörigen Phänomene in möglichster Offenheit zu behandeln.

3. Die kritisch-reflektierte Religion

Sofern es gelingt, in einer solchen philosophischen Überlegung die Seinsweise der Religion und das Wesen der Religion zu entfalten, und insofern darin auch normative Gesichtspunkte enthalten sind, wird dies zur Folge haben, daß die Religion zwar einerseits das Zuvor der Religionsphilosophie ist, das, was zuerst gekommen ist und auf das das philosophische Denken als das ihm Zuvorgekommene zu blicken hat. Aber die Religion wird nicht nur das Zuvor der Religionsphilosophie sein können. Vom Vorgegebenen vielmehr ausgehend und in der philosophischen Reflexion sein Sein und Wesen klärend und Maßstäbe gewinnend, muß die Philosophie auch *Folgen* haben und auf Folgen dringen im Bereich der Religion. Im Hinblick darauf muß sie praxis- und also zukunftsorientiert sein. Dann kommt zwar einerseits die Philosophie nach der Religion, andererseits aber die kritisch reflektierte Religion nach der Philosophie.

Dies soll natürlich nicht heißen, daß aus der kritischen Funktion der Philosophie die einzigen Maßstäbe für die kritische Erneuerung der Religion zu gewinnen seien. Vor allem eine Religion wie das Christentum muß dafür auch noch auf ganz andere und seinem Wesen nähere Möglichkeiten zurückgreifen, die aus seinen eigenen inneren Prinzipien abzuleiten sind. Aber dies hindert nicht, daß auch die Vernunft aufgerufen ist, das Ihre zu dieser Sache zu sagen.

Diese Vorüberlegung hat also das Recht, den Sinn und die mögliche Bedeutung einer Religionsphilosophie deutlich machen wollen, die durchzuführen ist für ein Zeitalter, in dem zwar die Religion nicht mehr selbstverständlich ist, wohl aber die kritische Reflexion.

§ 4. Religion und Religionsphilosophie in der neuzeitlichen philosophischen Situation

Die Religionsphilosophie bewegt sich ebenso wie das, womit sie es zu tun hat, nämlich die Religion, nicht im Zeitlosen. Wir denken – sofern wir philosophisch denken – auf dem Hintergrund und im Zusammenhang unserer Zeit. Und die Religion selber, auch sofern sie vorreflektiert sein sollte, nimmt teil am zeitlichen Geschick alles Menschlichen.

Darum haben wir uns Rechenschaft zu geben über die zeitgeschichtliche Situation, in deren Zusammenhang wir die Religion betrachten und bedenken wollen.

1. Philosophie und Weltanschauung

Die philosophische Situation bildet sich regelmäßig auf zwei Ebenen, die mannigfaltig ineinanderspielen. Denn wir haben es dabei einmal zu tun mit den maßgeblichen philosophischen Gedanken, die in unserer Zeit geäußert worden sind. Aber maßgeblich können diese Gedanken nur werden, wenn sie für jemand ihre Maßgeblichkeit entfalten, in einem breiten Bereich. Und dies ist die andere Seite der philosophischen Situation. In den philosophischen Formulierungen werden Elemente des allgemein herrschenden Bewußtseins zur Schärfe des Begriffs ausgearbeitet. Und diese ausgearbeitete Begrifflichkeit hat ihrerseits wiederum ein Echo in der Breite des herrschenden Bewußtseins. Sie wird u. U. zur öffentlichen Weltanschauung. Darunter wollen wir *allgemein verbreitete Überzeugungsmuster* sehen, von denen das öffentliche Bewußtsein und die öffentliche Sprache bestimmt werden. Und wir wollen weiter darunter verstehen, daß diese verbreiteten Überzeugungsmuster mit dem Anspruch auftreten, eine Deutung des *gesamten* Daseins des Menschen in der Welt zu sein. Als Weltanschauung haben also die philosophischen Gedanken eine doppelte Allgemeinheit. Sie bestimmen das allgemeine Bewußtsein, und sie bestimmen es so, daß dieses sich im Hinblick auf die allgemeine Welt, in der es lebt, daran orientiert.

Diese beiden Formen der philosophischen Situation, die ausgearbeitete Philosophie und die Philosophie als verbreitete Weltanschauung, sind niemals ganz voneinander zu trennen, aber doch zu unterscheiden.

Auf beides haben wir also zu achten, wenn es uns darum geht, den zeitgeschichtlichen Hintergrund unserer philosophischen Beschäftigung mit der Religion um einiges genauer zu bestimmen.

Die heute wichtigen philosophischen Gedanken lassen sich in zwei Gruppen zusammenfassen. Die eine Gruppe der Gedanken ist an der neuzeitlichen exakten empirischen Wissenschaft orientiert. Sie ist also Philosophy of Science. Dazu gehört vor allem alles, was man Neopositivismus nennen kann, aber auch ein Großteil der philosophischen Linguistik und des kritischen Rationalismus. Die andere Gruppe von wichtigen philosophischen Gedanken beschäftigt sich mit der Kritik der Gesellschaft. Dazu gehört vor allem die Frankfurter Schule. Beide philosophischen Strömungen haben in starkem Maß das öffentliche

Bewußtsein im Hinblick auf eine Weltanschauungsbildung beeinflußt.

2. Philosophie der Wissenschaft und Religion: Wittgensteins Traktat

Wir besprechen zuerst die Philosophie der Wissenschaft. Wir erläutern sie an den Beispielen des frühen Wittgenstein, von Karl Popper und von Hans Albert. Wir achten dabei auf ihr weltanschauungsbildendes Element besonders. In der Philosophie der Wissenschaft kommen im allgemeinen Gott und die Religion oder gar die Religionsphilosophie nicht vor. Dies sind im typischen Fall keine interessierenden Gegenstände. Wir werden zusehen müssen, warum dies so ist. Warum also Religion in diesen Bereichen im typischen Fall nicht vorkommt und warum die Rede über derlei gar im Verdacht der Sinnlosigkeit steht.

Wir orientieren uns also zunächst an dem frühen Wittgenstein des Traktates[1]. Er darf immer noch als die klassische Formulierung der Philosophie der Wissenschaft gelten. Dies zeigt insbesondere die Wirkungsgeschichte des Traktats. Wenn Wittgenstein selber aus guten Gründen den Standpunkt des Traktats später überschritt und wesentlich erweiterte, nämlich in den Philosophischen Untersuchungen[2], so ist es doch vor allem der Traktat, mehr als die Philosophischen Untersuchungen, der führend geblieben ist für die Entwicklung dessen, was man nach Wittgenstein die Philosophie der Wissenschaft genannt hat. Es ist ein grundlegender und sozusagen klassischer Text geblieben.

Um was handelt es sich im Traktat, was will er? Im Satz 4.112 des Traktates wird als Zweck der Philosophie angegeben „die logische Klärung der Gedanken", und es wird fortgefahren: „Die Philosophie ist keine Lehre, sondern eine Tätigkeit. Ein philosophisches Werk besteht wesentlich aus Erläuterungen. Das Resultat der Philosophie sind nicht ‚philosophische Sätze', sondern das Klarwerden von Sätzen." Die Philosophie, wie sie hier verstanden wird, hat es also mit „Gedanken", d. h. mit Sätzen, zu tun³. Diese Sätze gehören nicht selber zur Philosophie, sondern sie sind ihre Voraussetzung und das Feld ihrer gedanklichen Operationen.

Die Sätze, mit deren Aufklärung es also die Philosophie zu tun hat, sind „die Beschreibung eines Sachverhalts"⁴. Der Satz stellt „das Bestehen und Nichtbestehen der Sachverhalte dar"⁵. Von den Sachverhalten aber wird gesagt: „Was der Fall ist, ist die Tatsache, ist das Bestehen von Sachverhalten."⁶ Die Gesamtheit der Tatsachen ist die Welt. Darum heißt es im Traktat 1.11: „Die Welt ist durch die Tatsachen bestimmt und dadurch, daß es *alle* Tatsachen sind." Die Sätze, mit denen es diese Philosophie zu tun hat, beschreiben aber die Sachverhalte. Und die Gesamtheit der wahren Sätze beschreibt die Gesamtheit der Tatsachen, d. h. die Welt. Von dieser Gesamtheit der wahren Sätze aber wird gesagt: „Die Gesamtheit der wahren Sätze ist die gesamte Naturwissenschaft (oder die Gesamtheit der Naturwissenschaften)."⁷

Die darin zum Ausdruck kommende Philosophie erkennt also als ihren einzigen Zweck die logische Klärung der Sätze der exakten Naturwissenschaft bzw. der Naturwissenschaften. Sie entwickelt keine eigenen Sätze im Sinne von eigenen Aussagen, welche Sachverhalte beschreiben. Wohl aber blickt sie auf die Gesamtheit der naturwissenschaftlichen Sätze, weil diese die Gesamtheit der Sachverhalte oder der Tatsachen oder der Welt beschreiben.

Von dieser Position aus ist es durchaus konsequent, von Gott und Religion nichts zu sagen und zu erklären; denn wenn die Tatsachen bzw. die Sachverhalte der einzige Gegenstand der Wissenschaft und durch die Vermittlung der Wissenschaft auch der einzige Gegenstand der so verstandenen Philosophie sind, dann muß gesagt werden: Sachverhalte sind faßbar, gar exakt faßbar, insofern sie in ihrer *Bestimmung* faßbar sind. Insbesondere sind sie in ihrer Bestimmung faßbar, sofern sie meßbar sind. Bestimmungen, insbesondere meßbare Bestimmungen bedeuten aber auf jeden Fall Grenzen. Damit bedeuten sie Endlichkeit. Ein

Sachverhalt ist faßbar und meßbar, insofern er umgrenzt ist. Das Grenzenlose oder das Apeiron des Aristoteles sind keine meßbaren Größen. Die dieser Philosophie zugrunde liegenden Sachverhalte sind also vom grundsätzlichen Ansatz her endliche Sachverhalte.

Sie sind auch insofern endliche Sachverhalte, als es sich um Tatsachen handelt. Tatsachen sind Sachverhalte, die sich tatsächlich vorfinden, die sich aber nicht vorfinden müssen. Sie sind nicht notwendig und können nicht notwendig abgeleitet werden. Deswegen haben die Naturwissenschaften, die Wittgenstein im Auge hatte, grundsätzlich einen empirischen Charakter. Die Tatsachen können nicht deduziert werden, sie müssen aus der Erfahrung hingenommen werden. Auch dies gehört zu den Grundeinstellungen der exakten Wissenschaft und jener Philosophie, durch die sie sich auf jene bezieht.

Von Gott aber wird geglaubt, daß er unendlich und notwendig sei. Das hat zur Folge, daß von der grundsätzlichen Einstellung der Wissenschaft und der auf sie gerichteten Philosophie her Gott gar nicht in den Blick kommen kann und die Religion also kein mögliches Gegenstandsfeld ist.

In der dem Traktat nahestehenden „Lecture on Ethics" aus dem Jahr 1929[8] unterstreicht Wittgenstein diesen Sachverhalt nachdrücklich. Er sagt dort: alle ethischen und religiösen Aussagen liegen „beyond significant language"[9].

Alles dies ist um so eindrucksvoller, als Wittgenstein sowohl im Traktat[10] als auch in der genannten Lecture[11] seinen religiösen Sinn und seinen tiefen Respekt vor der Religion klar ausspricht. Aber zur Philosophie im hier entwickelten Sinne gehört sie nicht, weil sie außerhalb sinnvoller Sprache liegt. Dies liegt durchaus in der Konsequenz des Ansatzes. Der Sinnlosigkeitsverdacht gegen Religion und Religionsphilosophie erscheint also von der Grundstellung der Philosophie her begründet, wenn auch die Möglichkeit der Religion oder – wie Wittgenstein an der genannten Stelle sagt – des Mystischen offenbleibt.

Der Sinnlosigkeitsverdacht erscheint darum auch in anderen

philosophischen Entwürfen, soweit sie die exakte Wissenschaft zum Feld ihrer Reflexion machen. Freilich mit im einzelnen unterschiedlicher Akzentuierung.

3. *Philosophie der Wissenschaft und Religion: Karl Popper*

Die an der modernen exakten Wissenschaft orientierte Philosophie hat sich über Wittgensteins Traktat hinaus weiterentwikkelt. Ein ausgezeichnetes Beispiel dafür ist Karl R. Popper mit seinem berühmten Buch „Logik der Forschung"[12]. Popper *wählt* das Wachstum oder den Fortschritt unseres Wissens zum Gegenstand seiner Untersuchung[13]. Die Wahl beruht, wie Popper ausdrücklich sagt, auf einer Vorliebe. Damit ist gesagt, daß auch andere Möglichkeiten offen sind und gewählt werden können. Der Horizont des Denkens bleibt grundsätzlich offen, wie dies auch bei Wittgenstein der Fall ist.

Unter den Wissenschaften, deren Fortschritt untersucht werden soll, werden die empirischen Wissenschaften verstanden, als deren Muster wieder die moderne Physik betrachtet wird. Insoweit haben wir dieselbe Zuordnung der Philosophie zur empirischen Wissenschaft, wie sie in Wittgensteins Traktat vorliegt.

Aber über Wittgensteins Traktat hinausgehend, entwickelt Popper seine Logik der (empirisch-wissenschaftlichen) Forschung als eine Theorie der Theorienbildung[14]. Der wichtigste Gedanke dieser Theorie der Theorienbildung ist der, daß für alle Theorien die Falsifizierbarkeit gefordert werden muß. Theorien als allgemeine Sätze oder Satzsysteme müssen nach Popper falsifizierbar sein, d. h., sie müssen durch intersubjektiv nachprüfbare Erfahrung widerlegt werden können[15].

Es muß besonders darauf geachtet werden, daß nach Popper solche möglicherweise falsifizierenden Sätze Erfahrungssätze sein müssen. Sie werden auch Basissätze genannt. Solche Basissätze, in denen eine nachprüfbare Erfahrung zur Aussage kommt, können aber nur dann eine Theorie oder eine Erfahrung von allgemeinen Sätzen falsifizieren, wenn sie mögliche logische Ableitungen dieser allgemeinen Sätze darstellen oder die Negation möglicher Ableitungen[16].

Von diesen Überlegungen ist für unsere Zwecke dies besonders wichtig: auch hier wird grundsätzlich wie im Wittgensteinschen Traktat Erkenntnis als Bestimmung des Bestimmten und also Begrenzten und überdies Faktischen vorausgesetzt. Die Theorien sind Sätze oder Satzsysteme, die sich auf solches und nur auf solches beziehen, sofern sie sinnvolle Theorien sein sollen.

Das Bestimmte und in seiner Bestimmung Begrenzte und das Faktische und also Nicht-Notwendige und also sozusagen Abzuwartende: dies sind Voraussetzungen, die grundsätzlich Gott außer Betracht lassen, der in der Religion immer als der Unendliche und in seiner Unendlichkeit Unbegreifliche und als der Absolute und in seiner Absolutheit mehr als nur Faktische gilt. Darum fällt auch eine Theorie über Gott und damit eine mögliche Religionsphilosophie nicht unter eine wissenschaftliche Theorie im Sinne Karl Poppers[17].

4. Der Kritische Rationalismus von Hans Albert

Eine andere Ausformung der an der exakten Wissenschaft orientierten Philosophie stellt der Kritische Rationalismus dar im Sinne von Hans Albert[18]. Der Kritische Rationalismus geht insofern über den Neopositivismus hinaus, als er sowohl die Empirie als auch die zugehörige Theorienbildung für grundsätzlich fehlbar und daher ständig kritisierbar hält. Es gibt also dieser Theorie nach an die Wahrheit nur beständige Annäherungen mit Hilfe der rationalen Kritik der als Wahrheit vorgelegten Sätze.

Diese Überlegung wird vor allem mit Hilfe des Arguments über das sogenannte Münchhausen-Trilemma gestützt[19]. Dabei handelt es sich um folgendes: Will man für alle Sätze eine Begründung fordern, um sie unbezweifelbar sicher zu machen, dann bleibt einem schließlich nur die Wahl zwischen einem infiniten Regreß der Begründungen, der praktisch nicht durchzuführen ist, oder einem logischen Zirkel, der logisch fehlerhaft ist, oder schließlich dem Abbruch des Verfahrens an einem bestimmten Punkt und der willkürlichen Erklärung, dieser bestimmte Punkt bilde die sichere Grundlage.

Besonders die dritte dieser drei Möglichkeiten, der sogenannte Dogmatismus oder die Fixierung mehr oder weniger willkürlicher Art einer bestimmten Position, wird kritisch untersucht. Es sei dies, so wird gesagt, der Hauptfehler aller religiösen oder religionsphilosophischen Systeme.

In der Tat gehört zur Religion und damit auch zur Religionsphilosophie der Glaube an ein Absolutes, das Gott genannt wird. Im Kritischen Rationalismus wird ein solches aus methodischen Gründen bezweifelt.

Dazu muß aber bemerkt werden: Die Forderung nach einer Begründung oder der Kausalsatz, wie man ihn nun auch verstehen will, ist nicht deswegen schon als unsinnig erwiesen, weil er u. U. in Schwierigkeiten führt bei der radikalen Durchführung. Die Schwierigkeiten ihrerseits, die bei dem zunächst verblüffenden Argument des Münchhausen-Trilemmas entstehen, könnten ihren Grund durchaus auch haben in den nicht erkannten Voraussetzungen der bei diesem Trilemma verwendeten Argumentation. Für die Argumentation ist Wahrheit ein Wert, der Aussagen zukommt. Die Aussagen und ihre Wahrheit bzw. Unwahrheit werden alle auf einer gleichmäßigen Ebene gesehen. Ebenso wird der Satz, der für alle Aussagen eine zulängliche Begründung fordert, immer auf der gleichen Ebene gesehen. Darum entsteht der Schein der Unausweichlichkeit einer unendlichen Reihe der Form nach gleicher Aussagen.

Es ist aber nicht nachgewiesen, daß die genannten Voraussetzungen stimmen. Es könnte auch Aussagen geben, die in ganz anderem Verhältnis zu dem von ihnen Ausgesagten stehen, als es hier vorausgesetzt wird. Und es könnte sein, daß der Ausdruck vom zureichenden Grund nicht immer den gleichen Sinn hat. Nimmt man beides als möglich an, dann ist die Argumentation, die Hans Albert vorlegt, nicht mehr zwingend. Doch muß dann gezeigt werden, welche Veränderungen qualitativer Art in Sätzen und auch im Satz vom zureichenden Grund vorgenommen werden müssen, wenn eine sinnvolle Religionsphilosophie betrieben werden soll. Wir hoffen, dies im folgenden zeigen zu können.

Dabei muß noch grundsätzlicher bemerkt werden, daß Aussagen im Sinne von Hans Albert ihr Modell haben in den Aussagen der empirischen Wissenschaften. Dabei handelt es sich immer grundsätzlich um Aussagen, die über begrenztes und faktisches Seiendes etwas sagen. Damit ist aber ebenso wie bei den vorher besprochenen Gedanken das Absolute vom Ansatz her schon außerhalb der Betrachtung.

Auch der Kritische Rationalismus beschränkt prinzipiell das Feld seiner Überlegungen und erweckt gleichwohl den Schein, daß diese Überlegungen alle möglichen Aussagen betreffen. Dies ist aber nicht der Fall.

Die bis jetzt genannten philosophischen Entwürfe haben also alle dies gemeinsam, daß sie einen Ausgangspunkt wählen, nämlich das wissenschaftlich, rational und kritisch erfaßbare Seiende, und anderes nicht ernstlich in Betracht ziehen. Zwar ist besonders bei Wittgenstein und Karl Popper deutlich, daß diesen Denkern bewußt ist, damit eine Wahl getroffen zu haben unter verschiedenen Möglichkeiten. Aber innerhalb des gedanklichen Entwurfes, der von diesen beiden Denkern vorgelegt wird, verschwindet dieser Gesichtspunkt.

Von den genannten Philosophien muß insbesondere bemerkt werden, daß sie eine große Breitenwirkung im Sinne der Bildung einer verbreiteten Weltanschauung haben. Dabei fallen dann die feineren Differenzierungen weg, und es bildet sich die verbreitete Überzeugung, was man methodisch-wissenschaftlich erfassen und beschreiben könne, sei das Ganze. Es gäbe nur faktisch Seiendes, und von allem anderen, auf das etwa hingewiesen werde, gäbe es keine sinnvollen Aussagen. Diese verbreitete weltanschauliche Vorstellung muß ernst genommen werden.

Die philosophischen Entwürfe des dargestellten Typs können

aber alle nicht beweisen, daß das, was sie behandeln, alles ist, was es zu behandeln gilt, und daß es nicht auch noch andere Dimensionen gebe. Damit ist Religion und Religionsphilosophie jedenfalls nicht unmöglich. Sie wird auf diesem Hintergrund allerdings genötigt sein, positiv zu zeigen, daß es auch noch eine völlig andere Dimension gibt, die schon vom Ansatz der besprochenen Philosophien aus nicht in Betracht kommen kann. In diesem Nachweis muß heute eine besonders wichtige Aufgabe der Religionsphilosophie liegen. Sie kann sich nicht positiv auf Philosophien der Wissenschaft stützen. Aber sie kann sich positiv von diesen Philosophien abheben, indem sie auf eigenen Wegen ihre eigene Dimension zum Vorschein bringt.

5. Die Kritische Theorie und die Religion

Wir gehen von hier zu einer kurzen Betrachtung der Kritischen Theorie über, wie sie vor allem in der sogenannten Frankfurter Schule, d. h. von Theodor W. Adorno, Max Horkheimer und Jürgen Habermas, neben anderem entwickelt worden ist. Diese Kritische Theorie setzt im Grunde das moderne Wissenschaftsbewußtsein voraus, gerade dort, wo sie sich polemisch von dessen Philosophie absetzt. Der sogenannte Positivismusstreit der sechziger Jahre[20] beweist ebenso die Zusammengehörigkeit der beiden Richtungen wie ihren Unterschied. Der Streit hätte nicht ausbrechen können, wenn Jürgen Habermas die Gedanken von Karl R. Popper nicht als die derzeit relevantesten für sein Anliegen betrachtet hätte.

Die Kritische Theorie ist in unserem Zusammenhang auch deswegen wichtig, weil sie die andere große Theorie ist, die weitgehend weltanschauungsbildend gewirkt hat. Sie ist über den Kreis der Fachleute hinaus ins Bewußtsein der Öffentlichkeit gedrungen und hat dort jene Orientierungen und Leitbilder hervorgerufen, die für viele Menschen fürs Ganze der Beurteilung unseres modernen Daseins maßgeblich wurden.

Die Kritische Theorie hat im ganzen ein praktisches Ziel. Es geht ihr um „Praxis, welche die Herstellung einer vernünftigen und mündigen Menschheit bezweckt"[21]. So ist die Kritische Theorie im ganzen praxisbezogen. Ihre Methode ist die der Analyse der konkreten geschichtlich-gesellschaftlichen Verhältnisse. Bei dieser Analyse wird der Gedanke zugrunde gelegt, daß die Gesellschaft das größere Ganze ist, in deren Rahmen die Bedeutung alles Einzelnen, insbesondere auch der Wissenschaft und ihrer Philosophie gesehen werden muß. Insofern geht die Kritische Theorie von vornherein von einem weiteren Horizont aus, nämlich dem des gesellschaftlichen Lebens, als dies der Neopositivismus in seinen verschiedenen Formen tun kann. Die Analyse des in diesem Sinne Ganzen, nämlich der gesellschaftlichen Zusammenhänge, hat den Zweck, das in diesen Zusammenhängen zu Überwindende und Negierende freizulegen. Mit dieser Freilegung des zu Negierenden und der daraus sich ableitenden negativen Dialektik weist diese Theorie über die Grenzen des jeweilig gegenwärtigen Status kritisch hinaus als über das zu Überwindende, und dies zugunsten einer erst in der Praxis zu erreichenden besseren Zukunft.

Was die Religion angeht, so sieht die Kritische Theorie entweder von der Religion überhaupt ab. Sie steht darin teilweise in der Gefolgschaft von Karl Marx und seinem Verhältnis zur Religionskritik von Ludwig Feuerbach. Oder aber Religion wird in die Betrachtung mit einbezogen als ein gleichfalls interessierendes Gebiet der gesellschaftlichen Analyse. Besonders Max Horkheimer hat sich öfters dafür interessiert. Aber der führende Gesichtspunkt der Behandlung der Religion ist dann wiederum der ihrer Rolle im gesellschaftlichen Gesamtkontext, welcher Kontext wiederum primär betrachtet wird unter dem leitenden Gesichtspunkt der Dialektik von Unterdrückung und Emanzipation.

Die Kritische Theorie samt ihrer weltanschaulichen Breitenwirkung hat also gegenüber dem neuen Positivismus zwar den weiteren Horizont. Aber auch diesem weiteren Horizont gegenüber muß gefragt werden, ob er wirklich das Ganze ist. Zwar sind alle menschlichen Verhältnisse gesellschaftlich bedingt. Aber ist diese Bedingung der einzige Gesichtspunkt, auf den aufmerksam zu machen ist? Ist er auch nicht nur wieder eine Seite in einem zunächst noch viel weiteren, ja vielleicht unbegrenzten größeren Ganzen? Hat nicht auch gerade die Kritische Theorie eine Wahl ihrer Gesichtspunkte vollzogen unter mehreren gegebenen Möglichkeiten? Und so wichtig die gesellschaftliche Verflochtenheit aller menschlichen Verhältnisse auch ist, so bleibt doch offen, ob nicht demgegenüber auch noch ganz andere Dimensionen mit ins Spiel der Reflexion eingebracht werden müssen.

Was also die Frage der Religion und der Religionsphilosophie angeht, so muß diese Frage auch und gerade im Blick auf die Kritische Theorie grundsätzlich offenbleiben.

Freilich haben uns die Kritische Theorie und die mit ihr verwandten Gedanken darauf aufmerksam gemacht, daß die Religion in jedem Falle auch eine gesellschaftliche Dimension hat und ein gesellschaftliches Faktum darstellt, das seinerseits der kritischen Prüfung bedarf. Die Religion ist in ihrer Erscheinung vielfältig bedingt von den gesellschaftlichen Verhältnissen, in denen sie jeweils erscheint, sie bildet selber Gesellschaften, z. B. als Kirchen, aus, und sie bestimmt die größeren Gesellschaften, in denen sie jeweils lebt, auf mannigfaltige Weise. Sie ist in der Tat gesellschaftlich relevant.

Darum darf gesagt werden, daß Religionsphilosophie heute Anlaß hat, im Blick auf diese gesellschaftliche Relevanz der Religion selber gesellschaftsanalytische und gesellschaftskritische Überlegungen anzustellen.

Aber andererseits muß darauf hingewiesen werden, daß für die Religion die gesellschaftliche Dimension doch nicht die einzige und auch nicht die primär entscheidende ist. Es gehört selber zur Philosophie der Religion, die These aufzustellen und zu begründen, Religion habe zwar eine gesellschaftliche Seite, aber sie sei doch nicht einfach diese gesellschaftliche Seite. Ihre primäre Seite ist vielmehr die eigentlich religiöse, nämlich das Verhältnis der Menschen zu Gott. Und davon abgeleitet die Weisen, wie dieses Verhältnis gelebt wird, als Glaube, als Gebet oder wie immer. Dies sind primär Existenzverhältnisse, um mit Kierkegaard zu reden, die in ihrem eigentlichen Grund und ihrer unmittelbaren Natur dem Zugriff der gesellschaftskritischen Analyse entzogen sind. Von diesem Zentrum der Religion her aber muß ihre gesellschaftliche Erscheinung in erster Linie kritisch geprüft werden.

Wir lassen es bei der Besprechung dieser zwei Grundformen bewenden. Zwar gibt es noch viele andere Philosophien, aber es gibt doch keine anderen, die im selben Maß das öffentliche Bewußtsein bestimmt haben. Daher bilden sie eine Art Hintergrund, vor dem eine heutige Religionsphilosophie sich entwickeln muß.

Es zeigt sich dabei im ganzen, daß die Religionsphilosophie zwar Grund hat, auf die Gedanken des Gegenwartbewußtseins zu blicken, aber keinen Grund, sich von ihnen einfach abhängig zu machen. Sie soll zwar von allen Gedanken lernen, von denen etwas zu lernen ist. Aber dann muß sie frei ihren eigenen Weg suchen und dabei dann freilich auf die Fragen eingehen, die sich vom Gegenwartsbewußtsein her stellen.

Wie dies geschehen kann, dies ist erst in der Durchführung selber zu klären.

Zweites Kapitel

Gott als Prinzip der Religion

§ 5. Entwurf eines ersten Weges zu Gott

In der Religion weiß sich der Mensch von Gott bestimmt und auf Gott bezogen. Daher ist Gott die Größe, von der her sich Religion primär konstituiert. Dies kann aber nur so der Fall sein, daß Gott für den Menschen auf irgendeine Weise gegeben ist. Indessen ist diese Gegebenheit nicht selbstverständlich, sonst könnten nicht so viele Menschen unserer Zeit nicht an Gott glauben. Wir müssen also den Versuch machen, auf diese nicht selbstverständliche Gegebenheit hinzuweisen und sie zu zeigen. Wir müssen Wege entwerfen, auf denen, entgegen dem ersten Anschein, Gott doch begegnen kann und wir ihn „sehen", d. h. erfahren können. Falls dies gelingen sollte, so können wir auf solchen Wegen und aufgrund solcher Erfahrungen vielleicht einen Begriff Gottes gewinnen. Und wir können dann darüber hinaus wohl auch das Recht des Gottesbegriffs aufzeigen. Dies sind zunächst unsere Ziele.

Dieses Vorhaben sieht nach dem Vorhaben von Gottesbeweisen aus. Aber wir vermeiden den Ausdruck Gottesbeweis, weil dieser unter heutigen Umständen den falschen Gedanken nahelegen kann, es handle sich um einen Beweis im Sinne der exakten modernen Wissenschaft. Seit Kant gelten aber solche Gottesbeweise mit Recht als widerlegt, und die verbreitete neopositivistische Gleichgültigkeit gegen Gott ebenso wie der in dieser Hinsicht kritische Gedanke des Kritischen Rationalismus von Hans Albert stehen in dieser Sache in der Nachfolge Kants. Es sind keine wissenschaftlichen Beweise im angedeuteten Sinn möglich.

Auch ist von Heidegger bemerkt worden, daß ein etwa durch solcherlei Beweise sichergestellter Gott kein göttlicher Gott sei[1]. Ein Grund mehr also, von Beweisen dieser Art abzusehen.

Wir allerdings haben aus diesen und anderen Gründen nicht vor, den Gott durch Beweise im Sinne der modernen Wissenschaft sicherzustellen. Unser Verfahren, auf Gott hinzuweisen und das Recht des Glaubens an Gott aufzuzeigen, wird einen ganz anderen Charakter haben als die Beweise im Bereiche des modernen Wissenschaftsbewußtseins.

Der Weg, den wir zunächst vorschlagen wollen, wird sich ebenso wie die folgenden Wege, von denen noch gesprochen werden soll, bemühen, einerseits ohne die überlieferten Voraussetzungen auszukommen. Auch ohne die Voraussetzung, das Wort Gott habe den und den Sinn.

Dieser wenigstens relativen Abstinenz gegenüber vorgegebenen Voraussetzungen steht ein positives methodisches Bewußtsein gegenüber. Es soll versucht werden, planmäßig und aufgrund von – wie mir scheint – aufweisbaren Tatsachen vorzugehen.

Ich schlage also für den Weg der ersten Bemühung folgendes Verfahren vor. Es sollen drei Grundtatsachen benannt und bedacht werden, die meiner Meinung nach nicht mit Grund zu leugnen sind, mag ihre Erfahrung auch nicht in allen Fällen einen zwingenden Charakter haben. Insbesondere sind diese drei Grundtatsachen unabhängig davon, welchen Stand oder Standpunkt das Bewußtsein eines Menschen oder einer Gesellschaft oder einer bestimmten Zeit, etwa der unsrigen, hat. Und es soll schließlich viertens über den logischen Zusammenhang dieser drei Grundtatsachen nachgedacht werden so, daß dieser Zusammenhang gleichfalls zu sehen oder zu erfahren ist.

1. Dasein

Als erste dieser unleugbaren Tatsache schlage ich vor, diese ins
Auge zu fassen: daß *wir da sind*, inmitten anderer Menschen, inmitten unserer Gesellschaft, inmitten unserer Welt. Dies ist
nicht zu leugnen. Sätze wie „Wir sind da in unserer Welt" haben
einen realen Sinn, unabhängig von den herrschenden Tendenzen
des öffentlichen Bewußtseins.

Wir knüpfen, indem wir auf diese Tatsache aufmerksam machen, ebenso an Descartes' fundamentale Überlegungen an[2] wie
an das, was Husserl mit der ersten Stufe der phänomenologischen
Reduktion erstrebte[3]: einen unbezweifelbaren Boden für unsere
weiteren Überlegungen.

Dies auch insofern, als wir mit diesem Ansatzpunkt – analog
den Gedanken Husserls – die möglichen Auslegungen unseres
Daseins in der Welt *einklammern* oder doch uns jedenfalls nicht
auf sie festlegen. Ob unser Dasein in unserer Welt auf die Weise
Platons oder auf die Weise des Thomas v. A. oder die Heideggers
oder die Sigmund Freuds oder auf welche immer ausgelegt werde:
diese Deutungsmöglichkeiten und alle vergleichbaren lassen die
Grundtatsache unberührt, die wir mit den Worten aussprechen:
wir sind da in unserer Welt. Sie bleibt auf jeden Fall bestehen.

Eines aber wollen und dürfen wir in dieser Ausklammerung
aller Deutungsmöglichkeiten doch nicht ausklammern, und zwar
deswegen nicht, weil dieses die Voraussetzung aller Deutungen
und auch aller Abstinenz von Deutungen ist. Nämlich die Tatsache, daß unser Dasein in der Welt so etwas ist wie ein offener
Raum von Erfahrungen. Damit bewegen wir uns auf dem Weg
der Husserlschen Erweiterungen des Descartischen Ansatzes.
Indem wir handelnd oder leidend oder wie immer da sind in unserer Gesellschaft und Welt, erfahren wir mancherlei außerhalb von
uns selbst oder an uns selbst. Es kommt etwas zum Vorschein
und zeigt sich. Für unsere Zwecke begnügen wir uns damit, von
einem offenen Raum oder von einer offenen Stätte der Erfahrung
zu sprechen. Wir meinen damit die schlichte Tatsache, daß zum

Dasein dieses gehört, daß wir etwas erfahren und daß es etwas für uns zu erfahren gibt. Zum menschlichen Dasein in der Welt gehört die Helle oder die Offenheit für viele mögliche Erfahrungen, die wir mit uns selbst und mit unserer Gesellschaft und mit unserer Welt machen können. Nur weil wir dies können, können wir von all diesen Dingen *sprechen*. Wir sprechen sagend einen Bestand von Erfahrungen aus. Und nur weil wir Erfahrungen machen, können wir diese auch deuten oder von Deutungen abstrahieren. Von unserem Dasein in der Welt zu sprechen hat also nur dann einen Sinn, wenn wir dabei mitverstehen, daß zu diesem Dasein die Offenheit der Erfahrungen gehört.

Der Satz „Wir sind da in unserer Welt" spricht also nicht von einer bloßen etwa physikalisch verstandenen Vorhandenheit, wie sehr er sonst auch mögliche Interpretationen einzuklammern sich bemüht. In der Klammer bleibt die Offenheit der Erfahrung. Eben deswegen hat der Satz auch einen anderen Sinn als z. B. der ähnlich klingende Satz: Die Jupitermonde sind da oder vorhanden.

Ich schlage vor, daß wir das, was dieser Satz sagt: „Wir sind da in unserer Welt", der Einfachheit halber *Dasein* nennen. Dieser Titel soll dann auch die angedeuteten Einklammerungen der Deutungen und die Erläuterung der Offenheit der Erfahrungen mit umfassen.

Dasein in diesem Sinne soll also die erste fundamentale Tatsache sein, auf die wir hinweisen wollen. Sie zeigt sich selbst, und zwar unausweichlich und in diesem Sinne zwingend, wie schon Descartes gezeigt hat.

2. Nicht-Dasein oder Nichts

Die zweite Tatsache, auf die in diesem Zusammenhang aufmerksam zu machen ist, kommt auf dem Boden der ersten, nämlich unseres Daseins in der Welt, in Sicht. Sie ist eine ausgezeichnete Erfahrung innerhalb jenes offenen Raumes von Erfahrungen, von dem wir gesprochen haben.

Diese zweite Tatsache kommt in Sätzen zum Ausdruck wie diesen: „Wir waren nicht immer da, und wir werden nicht immer dasein." Dies sind, wie man sieht, zwei negative Sätze. Wir müssen versuchen uns über den Sinn der negativen Sätze in einiger Hinsicht zu verständigen.

a) Wesen des Nichts

Zunächst ist sichtbar, daß in solchen negativen Sätzen eine unbezweifelbare Tatsache zum Ausdruck kommt, und zwar eine negative. Niemand zweifelt im Ernst an der Tatsache, daß wir einmal nicht da waren und wieder einmal nicht mehr dasein werden. Auch die Tatsächlichkeit dieser negativen Tatsache ist nicht abhängig von dieser oder jener Daseinsdeutung, die vorgeschlagen wurde oder wird.

Freilich ist die Erfahrung, durch die uns diese Tatsache gewiß wird, zunächst rätselhaft. Sie ist jedenfalls anders als die Erfahrung der positiven Tatsachen und Daten, die vor unseren Augen liegen. Davon wird noch zu sprechen sein. Daß aber diese Erfahrung von besonderer und zunächst rätselhafter Art ist, hindert nicht, daß niemand die Tatsache des einstigen und des kommenden Nicht-Daseins leugnet.

Das Nicht-Dasein im angedeuteten Blick stellt offenbar eine *bestimmte* Negation dar. Sie ist bestimmt durch ihren Bezug auf das jeweilige bestimmte menschliche Dasein. *Wir* sind es, die Daseienden, die einst nicht da waren und die einst wiederum nicht mehr dasein werden. Das Nicht-Dasein ist in diesem Sinn das unsere.

Es ist das unsere und auch das eines jeden menschlichen Daseins ohne Ausnahme. Zwar ist es wiederum schwierig zu sagen, worin eigentlich die Gewißheit dieses Satzes gründet. Aber doch ist nicht daran zu zweifeln: Es ist keiner, von dem nicht gesagt werden müßte: er war einmal nicht da, und er wird wieder einmal nicht dasein.

Dies gilt sogar auch von allen überindividuellen menschlichen Gebilden, von Institutionen, Gesellschaftsformen, Kulturen usw. Niemand und nichts, was menschlich ist, entrinnt dem Nicht-Dasein. Es ist die bestimmte und reale Negation alles menschlichen Daseins.

Bezieht es sich am Ende auch auf die Menschheit als Ganzes? Es ist nicht ernstlich daran zu zweifeln. Es sind viele Arten des Lebendigen gekommen und gegangen. Warum sollte nur der Mensch nur kommen und nicht gehen?

Bezieht es sich auch auf jene Bereiche der Welt, die wir als das andere des Menschen die Natur zu nennen pflegen? Wir wissen es nicht. Wohl aber wissen wir im Blick auf die Natur dies: Sie wird einmal nicht mehr Natur *für uns sein*. Was sie dann vielleicht *für sich* ist, darf auf sich beruhen bleiben. Da Natur vermutlich sich selbst nicht als Natur oder auch nur als seiend erfährt, würde in dem angenommenen Fall für sie der Unterschied zwischen Dasein und Nicht-Dasein nicht mehr *gemacht* werden. Und da wäre sie eigentlich nicht mehr *da*, vorausgesetzt, das Dasein heißt: sich präsentieren, den Unterschied merklich machen zwischen Dasein und Nicht-Dasein.

Insofern dürfen wir ohne Einschränkung sagen: Das Nicht-Dasein, das einstige und das künftige, bezieht sich primär auf das menschliche Dasein im ganzen, und von daher schließt es auch alles ein, was Welt für den Menschen ist oder sein kann.

Wir wollen dem Nicht-Dasein in dem angedeuteten Sinn den Titel *Nichts* geben.

b) Erfahrung des Nichts

Es bleibt nach der *Erfahrung* dieses Nicht-Daseins oder Nichts zu fragen.

Man kann natürlich auch rein formale Überlegungen über dieses Nichts anstellen. Dann ist es offenbar ein relationaler Ausdruck, der sich auf etwas im übrigen Seiendes und Daseiendes bezieht. Es ist die Negation dieses Daseienden, sei es des einzelnen oder sei es des Daseienden im ganzen. Als relationaler Ausdruck bezeichnet es dann die Negation und also das Nichts des Daseienden und damit das schlechthin Andere des Daseienden. Aber mit dieser Andeutung einer formalen Überlegung und auch mit allen ihren möglichen Fortsetzungen ist noch nicht viel erklärt. Vor allem ist nicht erklärt, warum wir überhaupt von ihm als von einer unleugbaren Tatsache reden können. Wir könnten dies nicht, wenn es nicht für uns, die wir da sind und solange wir da sind, auf irgendeine Weise zur *Gegebenheit* käme. Kommt es aber, sei es wie immer, zur Gegebenheit, dann wird es eine *Erfahrung*. Wird aber das Nicht-Dasein als das Gewesene oder als das Kommende erfahren, dann bedeutet es als Erfahrung etwas Positives gerade in seiner Negativität. Denn es bedeutet etwas und besagt etwas: zu erfahren, daß wir einmal nicht da waren und einmal nicht dasein werden. Es ist nicht nichts, das zu spüren. Denkt man daran, so erkennt man, daß dieses Nichts, von dem wir hier reden, nicht aufgeht in einer bloß formalen Negativität[4]. Natürlich ist die hier berührte Positivität der Erfahrung des Nicht-Daseins oder des Nichts von völlig anderer Art als das, was wir sonst, nämlich innerhalb des Bereiches des Daseins, das Positive nennen. Sie ist das Positive, d. h. das Gegebene und etwas Besagende, gerade als das Andere des Daseins und der zum Dasein gehörenden Positivität, als Negation dieser Positivität.

Es wird keinen Menschen geben, der diese Erfahrung nicht machte. Aber es gibt freilich viele Menschen, die auf sie nicht blicken. Darum mag es von einiger Bedeutung sein, auf einige wichtige Zeugen hinzuweisen, die (besonders in neuerer Zeit) dieser Erfahrung ihren Blick zuwandten und sie aussprachen. Wenn etwa Pascal vom Nichts sprach, so hat er offensichtlich von einer großen Erfahrung und ihrem Inhalt gesprochen[5]. Bei Heidegger ist es nicht anders. Heidegger weist gelegentlich auf einen auch von Schelling formulierten Satz zurück, der gleichfalls das Nichts enthält und voraussetzt: „[W]arum ist überhaupt etwas? warum ist nicht nichts?"[6] Auch Eugen Fink hat in seinem Buch „Metaphysik und Tod"[7] diese Erfahrung eingehend bedacht. Über das Abendland hinausblickend darf darauf hingewiesen werden, daß im Bereich des modernen ebenso wie des älteren Buddhismus es immer wieder um die Erfahrung des Nichts geht[8]. Dies sind immerhin einige qualifizierte Zeugen der positiven Gegebenheit des Negativen, des Nichts.

Wer aber – unabhängig von solchen Zeugen – etwa über den Tod nachdenkt, den eigenen Tod oder den Tod anderer Menschen, wer ein wenig dabei verweilt, daß in 100 Jahren oder in 1000 Jahren von ihm oder von allen Menschen, die er kennt oder von denen er hört, niemand übrig sein wird, wer den Rat Pablo Nerudas befolgt, „von Zeit zu Zeit ein Bad im Grabe zu nehmen"[9]: der wird kaum zu bestreiten wagen, daß das Nicht-mehr-Dasein, das Nicht-Dasein, das Nichts (in diesem Sinne) eine merkwürdige und große und unleugbare Erfahrung und Gegebenheit ist.

Diese Gegebenheit erscheint zunächst in zwei zeitlichen Modi. Als das vergangene Nicht-mehr-Dasein und als das künftige Nicht-mehr-Dasein. Wir orientieren uns für unsere weiteren Überlegungen zunächst an dem letzteren, dem künftigen Nicht-mehr-Dasein. Auf das andere wird später und in anderem Zusammenhang zurückzukommen sein.

c) Zweideutigkeit des Nichts

Wenn das Nichts als Erfahrung einen positiven Zug hat, lassen sich von ihm einige Aussagen machen. Denn wir erfahren etwas, wo wir Nichts erfahren. Das erste freilich, was wir von ihm sagen können und wissen, betrifft unser Verhältnis zu ihm. Dieses ist offensichtlich zweideutig. Und darin wird uns das Nichts selbst zweideutig. Wir wissen nicht, was es ist. Wer es erfährt und erfahrend sozusagen sieht: Wir alle werden nicht mehr sein, der kann diese Erfahrung entweder als Erfahrung eines bloßen nichtigen Nichts verstehen oder als die Erfahrung einer absoluten Verbergung. Im ersteren Fall wird er sagen: Hier ist überhaupt nichts. Im zweiten Fall aber: Hier sehe ich nichts. Was hier waltet, ist mir ganz entzogen und verborgen. Vom Gehalt der Erfahrung des

Nichts oder von seiner Phänomenalität her wird sich diese Zweideutigkeit nicht entscheiden. Wir wissen es nicht und erfahren es zunächst auch nicht: ob etwas Verborgenes dahintersteckt oder nicht. Diese unentscheidbare Zweideutigkeit gehört wesentlich für uns zur Erfahrung des Nichts.

Man kann dies an einem einfachen Modell deutlich machen. Wer in einen vollständig verdunkelten Raum eintritt, wird sagen: Ich sehe nichts. Er wird dies als Ausdruck seiner positiven Erfahrung sagen. Denn er *sieht* ja, daß hier nichts zu sehen ist. Er würde dies niemals sagen, wenn er überhaupt nichts sähe, z. B. im tiefen Schlaf. Hierin liegt das Positive der Erfahrung. Das Nichts erscheint als *gesehenes* Nichts. Es wird aber sofort klar, daß das Gesehene zweideutig ist. Unsere Versuchsperson kann von dem her, was sie hier sieht, also vom Nichts her, nicht entscheiden, ob sie in einen überhaupt leeren Raum eingetreten ist oder aber in einen Raum, der zwar nicht leer ist, in dem sich aber ihrer Erfahrung vollständig entzieht, was darin sein mag. Beide Möglichkeiten ergeben dasselbe Phänomen und haben darum denselben sprachlichen Ausdruck: Ich sehe nichts. Wegen dieser Zweideutigkeit des Nichts wird sich unser Mann ja vorsichtig bewegen. Er kann seiner Sache nicht ganz sicher sein.

Wir haben auch in unserem großen Fall des erfahrenen Nichts, das auf uns zukommt, zunächst die beiden Deutungsmöglichkeiten, und wir müssen sie, wenn wir redlich sein wollen, zunächst auch offenlassen. Es gibt von dem Punkte aus, auf dem jetzt unsere Überlegung steht, keine Möglichkeit, das nichtige Nichts und das Nichts der absoluten Verbergung zu unterscheiden. Diese Alternative muß zunächst offenbleiben.

Dies müssen wir im Auge behalten, wenn wir die weiteren Eigentümlichkeiten des Nichts erwägen. Was immer sie bringen werden, sie bleiben alle zunächst zweideutig. Ob diese Zweideutigkeit später zu entscheiden sein wird und, wenn ja, von woher, darüber muß später nachgedacht werden.

d) Das Abdrängende des Nichts

Sofern wir auf der bis jetzt erörterten Grundlage das Verhältnis des Nichts zu uns weiter bedenken, dann bemerken wir vor allem dieses: daß es unsere Aufmerksamkeit *abdrängt.* Es hat etwas an sich, das uns veranlaßt, nicht oder doch nicht gerne an es zu denken. Darum ist es keineswegs leicht, in seinen Dimensionen zu sehen und zu erkennen, wiewohl niemand an ihm zweifelt und für jeden Menschen seine Erfahrung bereitliegt.

Daher kommt es offenbar, daß wir beständig vor dem drohenden und kommenden sicheren Nichts fliehen, z. B. in die Geschäftigkeit des positiven Daseins und seine angebliche oder wirkliche Wichtigkeit: Denn wenn diese Flucht gelingt, dann ist, soweit wir schauen, überall bloß noch das Positive zu sehen und nicht das Nichts. Oder wir decken das Nichts in seinem Dunkel zu mit den Entwürfen und Utopien des künftigen und womöglich besseren Daseins. Dann entstehen überall wiederum nur positive Perspektiven, soweit wir blicken. Oder wenn auf das Nichts, etwa auf das Nichts des Todes, hingewiesen wird, und wir sehen, daß wir ihm nicht entgehen können, dann neutralisieren wir häufig dieses Bewußtsein zu einem Vorkommnis unter anderen und dadurch zu einem belanglosen. So wie die Todesanzeigen in der Zeitung Anzeigen unter anderen sind und einen Tarif haben, der vergleichbar ist mit dem der anderen Anzeigen. Oder endlich: wir denunzieren die Beschäftigung mit dem drohenden Nicht-Dasein als Flucht vor den Aufgaben des Tages und als unnütze Beschäftigung. Pascal hat die Dinge genau beschrieben: ,,Wir laufen ohne Sorge in den Abgrund, nachdem wir etwas vor uns hingestellt haben, was uns hindert, ihn zu sehen."[10]

Dies alles hindert freilich nicht, daß das Nicht-Dasein, vor allem das kommende und drohende Nicht-Dasein, eine unleugbare Tatsache ist. Wohl aber hat es die Folge, daß sie nicht leicht gesehen wird. Sie ist zwar unleugbar, aber sie ist nicht zwingend, insofern sie nicht zwingt, sie zu beachten. Es bedarf darum eines nie selbstverständlichen Entschlusses der intellektuellen Redlichkeit und einigen Aufwandes an Mut, sozusagen gegen die Strömung und erst recht gegen den Trend in voller Offenheit das Unleugbare anzublicken: daß wir alle nicht mehr dasein werden, und also sich dieser Erfahrung im Ernst auszusetzen.

e) Endlosigkeit und Unbedingtheit des Nichts

Überwinden wir diese starke emotionsgeladene Schranke, die uns vom Anblick des kommenden Nicht-Seins abhält, und blicken wir ihm ins Angesicht, dann können wir freilich darin einige merkwürdige und erstaunliche Dinge erkennen. Es sind nicht Eigenschaften eines Dings. Das Nichts ist kein Ding. Aber es sind so etwas wie Dimensionen des Nichts.

Hier ist z. B. dieses nur scheinbar Selbstverständliche: daß das Nichts kein Ende hat. Was ins Nicht-Dasein gesunken ist, kehrt niemals wieder. Das „Niemals" eines solchen Satzes ist der Ausdruck der *Endlosigkeit* des kommenden Nichts. Es ist der schweigende Abgrund, in den jeder Mensch immer tiefer fällt und doch nicht wiederkommt.

Mißt man vom Dasein und seinen Erfahrungen her dieses an dem kommenden Nicht-Dasein, so ist das Nicht-Dasein das ohne Maß Größere. Es verschlingt jeden und alle und dies für immer. Es ist in seiner Endlosigkeit das Ungeheuerliche. Kein Wunder, daß es eine abdrängende Macht hat.

Die ungeheuere Endlosigkeit des Nichts ist gleichsam seine extensive Dimension.

Zu dieser gehört auch eine intensive Dimension. Sie macht die Ungeheuerlichkeit des Nichts erst voll und scharf. Wir meinen seine *Unausweichlichkeit*. Niemand kann der Drohung des Nichts entrinnen. Es verschlingt alles Dasein und behält alles Dasein, und dies für immer. So groß und – wie man sagt – unvergeßlich die großen Gestalten des Daseins auch sein mögen: sie werden ebenso wie die kleinen verschlungen vom Nichts, und keine Macht der Welt kann sie diesem entreißen. Das Nichts ist in dieser seiner Unausweichlichkeit das Einzige, was allem

Dasein und seiner Macht gegenüber wirklich übermächtig ist, und dies laut- und mühelos. Offenbar darum hat Eugen Fink den Tod bzw. das Nichts den „absoluten Herrn" genannt[11]. Mit dem Wort Macht darf freilich in diesem Falle nicht eine zusätzliche Qualität oder Tätigkeit oder Eigenschaft eines mächtigen Dings oder einer mächtigen Substanz verstanden werden. Die Macht des Nichts ist nicht die Macht eines Dings. Das Nichts ist kein Ding. Und es braucht, um die hier angedeutete Macht auszuüben, nichts zu tun. Es braucht nur zu walten als Nichts. Deshalb ist die Macht des Nichts auch völlig lautlos.

Indem das Nichts das Unentrinnbare ist, kann man es auch das *Unbedingte* nennen. Nur muß man dieses Wort dann nicht in einem abstrakten Sinn verstehen wie gewöhnlich, vielmehr in einem konkreten Sinn. Das kommende Nichts ist unbedingt, denn man kann ihm nichts entreißen, und es hat keinen Sinn, mit ihm zu handeln. Es kommt, nimmt und behält, gefragt oder ungefragt, bedacht oder unbedacht. Man kann mit großem technischem Aufwand Steine vom Mond holen und einmal wohl auch von anderen Gestirnen. Aber man kann nichts zurückholen, was einmal ins Nichts gesunken ist. Hier ist aller menschlichen Macht eine Grenze gesetzt, die von ganz anderer als technischer Dimension ist. Darum darf die Erfahrung des Nichts eine unbedingte Erfahrung genannt werden in einem durchaus konkreten Sinne.

f) Das Nichts ist kein Ding oder Subjekt

Kommen wir so zu einigen dimensionalen Aussagen über das Nichts, nämlich zu der Aussage, die von der Endlosigkeit spricht, und zu der anderen, die von der konkreten Unbedingtheit spricht, so müssen wir auch hier noch einmal und verstärkt darauf hinweisen, daß es sich nicht um Prädikate oder Eigenschaften eines Dinges handeln kann. Zwar bringt unsere Sprache fast unvermeidlich diesen Schein hervor: wir fügen dem Nichts wie einem grammatikalischen Subjekt Prädikate hinzu. Aber der Schein trügt. Es handelt sich nicht um ein Subjekt oder ein Ding, das den Namen Nichts tragen würde. Es handelt sich um die Negation von alledem. Und es handelt sich nicht um Eigenschaften, Akzidenzien, Verhaltensweisen oder ähnliches. Das Nichts ist wiederum die Negation von alledem. Gleichwohl aber zeigt es sich selbst in seiner Erfahrung in Dimensionen, die man nennen kann, freilich so, daß man dabei die Sprache gegen ihren nächsten Sinn gebrauchen muß.

g) Das Nichts als das Andere des Daseins

Damit hängt es zusammen, daß das Nichts als das nicht bloß Äußere und im äußeren Sinn Andere gegenüber dem Dasein, nämlich unserem Dasein in unserer Welt, gedacht werden darf. Es ist nicht so, als berühre es dieses unser Dasein bloß äußerlich an seinen Grenzen. Auch diese leicht sich einschleichende Vorstellung verdankt sich dem schwer zu vermeidenden, aber falschen dinghaften Modell des Nichts. Zwar ist freilich das Nichts das Andere des Daseins, aber eben in der Weise, als es das Andere *des Daseins* ist. Es ist das Andere des Daseins so, daß es *im* Dasein erfahren wird. Das Dasein selber zeigt sich dabei als der *Ort* der Erfahrung oder der Gegebenheit des Nichts. Das Nichts ist gerade *im* Dasein als sein Anderes und keineswegs bloß an seinen Grenzen und außerhalb seiner. Das Dasein ist erfüllt von ihm, dort, wo es das Nichts erfährt, und doch wohl auch dort, wo es diese Erfahrung verweigert. Denn warum würde das Dasein sich sonst verweigern? Das Dasein in seiner Positivität zeigt sich als gerade dieses: von seinem ganz Anderen, von seiner Negation erfüllt zu sein. Das Nichts hört nicht am Etwas, d. h. am Dasein, auf. Es durchdringt und durchstimmt dieses vielmehr auf eine merkwürdige Weise. Dasein und Nichts sind also nicht als zwei auseinanderliegende Bereiche vorzustellen, sie liegen vielmehr ineinander.

Dieses Hineinreichen des Nichts ins Dasein hat darum Rückwirkungen für das Dasein selber. Von ihnen ist im folgenden zu sprechen.

3. Sinnfrage und Sinnpostulat

Die Erfahrung des Nichts als eine Erfahrung, welche unser Dasein macht, steht in diesem unserem Dasein und für es im Streit mit der Grundhaltung eben dieses Daseins. Aber gerade dieser Widerstreit macht auf diese Grundhaltung aufmerksam. Sie ist die dritte wichtige Tatsache, auf die wir aufmerksam machen müssen.

Die Grundhaltung unseres lebendigen Daseins beginnt sich darin zu zeigen, daß wir nach Sinn zu fragen pflegen bei all unseren Unternehmungen und Vorhaben. Die Frage nach Sinn, sei sie nun ausdrücklich gestellt oder sei sie nur unausdrücklich gelebt, begleitet unser ganzes Leben.

Was bedeutet das, nach Sinn zu fragen? Mit Sinn meinen wir regelmäßig das, was unser Leben im ganzen und in seinen einzelnen Vollzügen rechtfertigen und erfüllen kann. Nach solchem rechtfertigenden und erfüllenden Sinn fragen wir.

Die Sinnfrage ist aber nur der Anfang der Grundtendenz, auf die wir hier aufmerksam machen wollen.

Die Sinnfrage ist keine nur theoretische und abstrakte Frage. Sie ist erfüllt mit dem lebendigen *Interesse* unseres Daseins. Und da sie solchermaßen eine interessierte Frage ist, *fragen* wir auch nicht nur nach Sinn, sondern wir *setzen* solchen Sinn auch als gegeben *voraus* immer dann, wenn wir handeln.

Die Handlung selbst bejaht die zunächst offen scheinende Sinnfrage. Diese handelnde Bejahung der Sinnfrage hat die Form eines Postulats. Denn indem wir handeln, fordern wir, daß diese Handlung Sinn habe. Wir setzen handelnd den alles rechtfertigenden Sinn jeweils voraus, wir postulieren ihn.

Dieser elementare Befund verschwindet freilich aus dem Blick, wenn wir Dasein als bloß feststellbare Vorhandenheit interpretieren. So verbreitet diese Interpretation sein mag, so stellt sie doch eine Abstraktion dar, welche sich sofort aufhebt, sobald wir damit beginnen, unser Dasein konkret zu betrachten, was soviel heißt, als konkret und lebendig dazusein.

Es muß besonders darauf hingewiesen werden, daß dieses Sinnpostulat von unserem Dasein nicht ablösbar ist. Was immer wir tun oder unterlassen, wir sind dabei immer geleitet von der Voraussetzung, es habe dieses Tun oder diese Unterlassung einen Sinn. Von dieser Regel gibt es keine eigentliche Ausnahme. Darum kann die Sinnvoraussetzung als die leitende Dynamik des Vollzuges des Daseins im ganzen gelten. Als solche ist sie zugleich die Konsequenz unseres Daseins und auch die Voraussetzung: die Konsequenz, denn *weil* wir da sind, verlangen wir nach sinnvollem Dasein; und die Voraussetzung, denn ohne daß wir Sinn voraussetzen, könnten wir unser Dasein nicht lebendig und konkret handelnd vollziehen. Aus dieser Sinnvoraussetzung und der in ihr lebendigen Dynamik entspringen offenbar alle Entwürfe, alle Hoffnungen und alle Forderungen unseres Lebens. Sie treibt alle menschlichen, sozialen, gesellschaftlichen und kulturellen Bemühungen an. Denn alle diese Bemühungen kommen ja je und je in Gang, insofern sie sinnvoll erscheinen und wir an einen Sinn glauben. Soweit hat Ernst Bloch mit seinem berühmten Prinzip Hoffnung sicherlich recht gesehen.

Bei näherem Zusehen zeigen sich Unterschiede im Leben dieser Sinnvoraussetzung. Sie entfaltet sich zunächst in allen *einzelnen* und *endlichen* Zielen, die wir uns vorgeben können. Dieser Voraussetzung folgend, entwerfen wir also unser Dasein immer wieder auf einzelne endlich erreichbare oder erreichbar scheinende Sinngestalten hin. Wir denken an den sinnvollen Beruf, auf den hin wir arbeiten, an die sinnvolle Lebensgestaltung, um die wir uns bemühen, an die sinnvolle Gestaltung und Veränderung der öffentlichen Verhältnisse, für die wir uns einsetzen wollen usw. Diese und tausend andere Entwürfe sinnvollen Daseins sind uns natürlich und für die Gestaltung und Entfaltung des Daseins unentbehrlich. Blicken wir also nur auf diesen Zug, dann erscheint die Totalität der Sinnvoraussetzung als Versammlung der vollständigen Reihe unserer Handlungen und unserer Ziele.

Allein dies ist nicht alles. Schon deswegen nicht, weil in der Entfaltung der Sinnentwürfe sich beständig eine negative Dialektik geltend macht. Jede erreichbare oder erreichte Sinngestalt der angedeuteten Art zeigt sich immer wieder in wenigstens partieller Sinn-Negativität. Es zeigt sich immer wieder: Es ist gut und sinnvoll, dies erreicht zu haben, aber es genügt nicht. Das Aber als die partielle und weitertreibende Negativität ist immer mit dabei. Es bleibt immer etwas zu wünschen übrig. Es zeigt sich alles in der angedeuteten Weise Erreichte oder Erreichbare immer als teilweise mit dem Postulat des Sinnes nicht übereinstimmend und so ihm gegenüber negativ. Und dies sowohl im individuellen wie im gesellschaftlichen und sozialen Leben.

Dies ist der Grund, warum man sagen darf: Das Sinnpostulat umfaßt alle möglichen endlichen Einzelheiten unseres Lebens, aber es überschreitet auch alle. Es überschreitet alle Einzelmomente so, daß die Frage im Grunde lautet: Was hat dieses, daß ich da bin in meiner Welt *im ganzen* für einen Sinn? Und daß das dieser Frage folgende Sinnpostulat einen Sinn fordert, der wiederum das Ganze darstellt, aber das Ganze nun so, daß es alles Endliche und alle Sammlung des Endlichen übertrifft.

Sofern die negative Dialektik, von der wir gesprochen haben und die das konkrete Leben des Sinnpostulates charakterisiert, auf eine entscheidende Weise zur Erfahrung kommt, treibt sie den tiefsten Grund der Sinnfrage und des Sinnpostulates hervor, nämlich die Frage nach dem Sinn des Ganzen, die alles umfängt und alles übergreift. Wenn die Frage in diesem Sinne universal wird oder besser als universal sich enthüllt, erreicht sie erst ihre eigentliche Dimension. Und mit der Frage das ihr entsprechende Postulat. Was soll das überhaupt und im ganzen, dieser Umtrieb, den wir unser Leben nennen? Was soll es im Hinblick auf die Tatsache, daß wir in keiner endlichen Erfüllung absolute Befriedigung finden können? Worauf läuft es überhaupt und im ganzen hinaus? Dies sind totale Fragen. Sie artikulieren sich freilich zunächst in den partikularen Entwürfen und in ihrer Dialektik. Auf dem Grunde dieser Dialektik aber ruht die totale Frage, und bisweilen erwacht sie. Sie mag erwachend im irdischen Gang des Daseins spät, ja an letzter Stelle kommen. Aber dann enthüllt sich nur, was tatsächlich – wenn auch verborgenerweise – das Erste und der Anfang alles menschlichen Lebens ist. Es ist das Erste und der Anfang insofern, als alles Einzelne den totalen Sinn immer schon voraussetzt. In diesem Sinne ist das totale Sinnpostulat die Voraussetzung und der Anfang alles Lebens auf Sinn hin. Wenn wir nicht insgeheim wenigstens von der Idee geleitet werden, das Ganze sei sinnvoll überhaupt, dann würden wir vermutlich auch nichts Einzelnes entwerfen und unternehmen. Die letzte und radikale Frage ist früher noch die erste und als erste freilich zumeist verborgen. Sie ist als letzte und zugleich erste totale Frage erfüllt von dem totalen Interesse und der Voraussetzung vom totalen Sinn.

Endlich muß im Umkreis der Behandlung des Sinnpostulates noch auf einen besonderen Umstand aufmerksam gemacht werden.

Offensichtlich lebt der Entwurf und die Ausrichtung auf letzten Endes totalen Sinn in der Weise in unserem menschlichen Dasein, daß es diesem Dasein die Möglichkeiten verschiedener Interpretationen offenläßt. So entsteht eine Differenz und zugleich eine Zusammengehörigkeit von gelebter Sinnvoraussetzung und der Interpretation dieser gelebten Sinnvoraussetzung. Es ist eine offenbare Tatsache, daß im konkreten Gang des Lebens der Menschen und auch der Völker diese immer wieder andere Entwürfe gemacht haben, in denen sie den Sinn, gar den totalen Sinn ihres Lebens sehen wollten. Dies sind alles Interpretationen eines ursprünglichen Lebenstriebes, der ihnen zugrunde liegt. Dieser Trieb verlangt Interpretation und bringt sie hervor.

Man kann sagen, solche interpretierenden Sinnentwürfe mögen noch so fragwürdig sein, sie zeigen doch bei genauerer Untersuchung immer dieses: Sie würden überhaupt nicht interpretativ entwickelt, wenn nicht unausdrücklich wenigstens vorausgesetzt würde, unser Dasein habe überhaupt und im ganzen Sinn und also sei es sinnvoll, diesen Sinn in diesen und jenen Gestalten oder Interpretamenten zu erblicken. Mit anderen Worten: es zeigen sich die Differenz und die Zusammengehörigkeit des tatsächlich gelebten Sinnentwurfes einerseits und des ausdrücklich interpretierten und entworfenen Sinnentwurfes andererseits. Der aus primärer Wurzel gelebte Sinnentwurf ist die Voraussetzung für den jeweils interpretierten Sinnentwurf. Diese interpretierten Sinnentwürfe zeigen in concreto eine breite Variabilität durch die menschliche Geschichte hin. Aber ihre Wurzel scheint immer dieselbe zu sein: das Leben auf totalen Sinn hin.

Dieser Zusammenhang tritt am schärfsten und deutlichsten hervor, wenn wir den äußersten Fall mit in die Betrachtung hineinziehen, nämlich den Fall, daß Menschen erklären, es hätte alles überhaupt keinen Sinn und sie zögen es vor, im Sinnlosen zu leben. Es gibt in der Tat diese Möglichkeit, es gibt bedeutende menschliche Beispiele dieser Art, und sie verdienen jeden Respekt. Allein auch angesichts dieser großen und dunklen Möglichkeit muß darauf hingewiesen werden, daß Verzicht auf Sinn und der Entschluß zur Sinnlosigkeit nur deswegen möglich sind, weil solche Entscheidungen, insofern sie Handlungen sind, jeweils als die sinnvolleren erscheinen, etwa als die redlicheren und illusionsloseren oder ähnlich. Die gelebte Sinnvoraussetzung zeigt sich wiederum als die ermöglichende Grundlage selbst der äußersten negativen Interpretation, welche Sinn überhaupt hinweginterpretieren will.

Gerade das Durchdenken dieser wichtigen und großen Möglichkeit zeigt deutlich, daß Leben und auf Sinn hin Leben oder Sinn Voraussetzen synonyme Begriffe sind. Selbst wo das menschliche Leben sich entschließt, ausdrücklich auf Sinn zu verzichten, aber dies noch eine Gestalt des wirklichen und handelnden Lebens ist, da zeigt sich, daß es, insofern es Leben ist, wiederum Sinn voraussetzt.

Darum wäre die wirkliche Konsequenz des ernsten Verzichtes auf Sinn diese: aufzuhören, zu leben und dazusein. In diesem Sinn hat Albert Camus durchaus recht, wenn er darauf hinweist, der Selbstmord sei das wirklich einzige philosophische Problem[12]. Und wenn Maurice Blondel sein berühmtes Buch „L'Action" mit der Frage beginnt: Hat das Leben einen Sinn oder hat es keinen, ja oder nein?[13]; dann hat er damit die eigentliche Leitfrage des Lebens selbst klassisch artikuliert, eine Frage, die freilich in der Ausdrücklichkeit des Denkens und in der Interpretation vergessen oder verwechselt oder auch verneint werden kann.

Fragt man aber schließlich, ob diese Sinnvoraussetzung zu Recht besteht oder ob sie nicht vielleicht bloß eine nützliche Illusion sei, so muß dafür auf folgendes hingewiesen werden. Der eigentliche Ort der Entfaltung des Sinnpostulates ist das konkrete Leben, und zwar vor allem dort, wo es sich ethisch akzentuiert. Das konkrete ethisch akzentuierte Leben aber ist die Mitte des menschlichen Lebens überhaupt. In abstracto kann man freilich über den Sinn dies oder jenes denken. Aber in concreto und dort, wo unser konkretes Dasein ethisch engagiert ist, etwa in konkreten mitmenschlichen Verhältnissen, wo es um Treue und Freundschaft geht oder um den Einsatz von Freiheit und Gerechtigkeit anderer oder um irgend etwas Vergleichbares, dann zweifeln wir keinen Augenblick daran, daß dieses Sinn habe. Das Sinnpostulat samt seinem inneren Recht liegt dann am Tage. Denn es liegt dann am Tage, daß man solches Handeln als sinnvolles voraussetzen darf und soll. Es liegt als ein innerlich berechtigtes Postulat am Tage.

So können wir schließlich sagen: Der gelebte Hinblick auf Sinn im ganzen und das berechtigte Postulat von Sinn leben im Grunde und in der Wurzel des menschlichen Daseins. Solches lebt als ein lautloser, niemals zwingender, aber immer an die Freiheit appellierender Ruf: Glaube, daß das Leben einen Sinn hat! Wer dem Ruf sich wirklich öffnet, wird seine Wahrheit erkennen. Sie *zeigt* sich ihm. Von zwingenden Argumenten kann freilich keine Rede sein wie überall, wo sich der Gedanke im Horizont der Freiheit bewegt. Die Freiheit muß sich frei dem öffnen, was in ihrem Grunde lautlos, aber vernehmlich spricht, wie auch schon das ethische Handeln, in dem das Recht dieses Postulats offenbar wird, den Gebrauch der Freiheit voraussetzt, was niemals zwingend ist[14].

Dies ist der wichtige dritte Befund, die dritte Tatsache, auf die wir in unserem Zusammenhang aufmerksam machen müssen.

4. Die Konsequenz: Es gibt das Unendliche und Unbedingte

Wir machen nun schließlich den Versuch, die explizierten Momente in ihrem Zusammenhang zu sehen. Diese drei Momente nämlich: unser tatsächliches *Dasein* in der Welt, das tatsächlich auf uns zukommende *Nicht-mehr-Sein* und schließlich der im Grunde unbedingte und totale *Sinnentwurf*, der tatsächlich zu unserem Leben gehört und es bewegt und leitet. Suchen wir auf dem Boden unseres Daseins und seiner Erfahrungen das Nichts einerseits und die Frage und das Postulat des Sinnes andererseits zusammenzubringen, was zeigt sich dann?

Dann zeigt sich, daß, sofern alles Dasein unausweichlich vom endlosen Nichts als einem nichtigen verschlungen wird, eigentlich alles überhaupt keinen Sinn hat. Das Nichts, als nichtiges Nichts verstanden, zerstört jeden Sinn.

Dieses wird freilich nur dann offenbar, wenn wir uns dem tatsächlich auf uns zukommenden Nichts in aller Offenheit stellen, was – wie schon gesagt – keinesfalls selbstverständlich ist. Vielleicht gehört es zu den nützlichen Selbsttäuschungen des Menschen, daran nicht zu denken und munter daraufloszuleben, obwohl es bis auf den Grund fragwürdig bleibt, ob dies irgendeinen Sinn habe.

Wenn aber, wie es wirklich ist, alles einmal zunichte wird, sind dann die Verhältnisse, die eine kurze Zeit lang sinnvoll und gut erschienen, wirklich sinnvoll und gut? Und vor allem, wenn alles einmal und dann endlos nichts sein wird, kann dann der ethische Unterschied zwischen Gut und Böse ernstlich aufrechterhalten werden? Wenn alles, das Böse wie das Gute, der Freie wie der Knecht, schließlich zum alten Eisen des Nichts geworfen wird, unterschiedlos, und dort liegenbleibt für immer, hat es dann wirklich einen Sinn, zwischen Gerechtigkeit und Ungerechtigkeit zu unterscheiden und zwischen Wahrheit und Lüge und zwischen Freiheit und Knechtschaft, da doch alles auf dasselbe, nämlich auf nichts, hinausläuft? Dann ist im Grunde auch alles dasselbe, nämlich nichts. Dann ist nicht mehr einzusehen, warum es Sinn haben sollte, sich eher für Wahrheit und Gerechtigkeit zu engagieren als für Lüge und Ungerechtigkeit. Das Nichts, als bloßes nichtiges Nichts verstanden, zerstört jeden Sinnentwurf und vollends jedes Sinnpostulat.

Dieser Widerspruch zwischen dem wirklich drohenden Nichts und dem wirklichen Dasein mit seinem Sinnentwurf und Sinnpostulat ist – wie man sieht – nichts weniger als ein nur abstrakter und formaler Widerspruch. Das nichtige Nichts widerspricht dem wirklichen Leben in seinem innersten, alles bewegenden und letztlich unverzichtbaren Moment. Der Widerspruch kann und darf nicht aufrechterhalten werden. Wir dürfen auf den Sinn des Unterschiedes zwischen Wahrheit und Unwahrheit und auf den Sinn ähnlicher Unterschiede nicht verzichten. Die lautlose Stimme des innersten Gewissens unseres Daseins sagt uns dies; freilich nur sofern wir uns ihr öffnen und ihr in Freiheit das Ohr leihen. Wir dürfen nicht auf den Sinn verzichten. Daß die grundlegenden ethischen Unterscheidungen sinnvoll sind, dieses ist einsehbar, vorausgesetzt, daß diese Unterscheidungen konkret vorgeführt werden, d. h., wenn konkrete Formen des mitmenschlichen Lebens dafür in Betracht gezogen werden, etwa die konkrete Liebe zu anderen Menschen oder das konkrete Engagement für Gerechtigkeit und für Freiheit anderer Menschen und ähnliches. Dürfen wir in solchen Zusammenhängen etwa denken, solches habe keinen Sinn?

Oder andere Konkretionen. Sofern wir an die unglücklichen Menschen in dieser unserer Welt denken, die vielen unschuldig Leidenden, die vielen, die die Last der Ungerechtigkeit dieser Welt tragen müssen, dürfen wir dann denken: dies sei doch eigentlich alles gleichgültig, denn es läuft ja am Ende doch auf dasselbe hinaus, nämlich auf nichts?

Stellen wir die Frage so konkret, wie sie gestellt werden muß, dann scheint es mir einsichtig, daß auf Sinn nicht verzichtet werden darf. Man darf nicht denken, es sei gleichgültig, gut oder böse zu sein, gerecht oder ungerecht usw. Man darf nicht denken, das Leiden der Unschuldigen laufe auf dasselbe hinaus wie das jener Menschen, die dieses Leiden ungerecht verursachen.

Wenn dies recht gesehen ist, dann stehen wir aber nun vor folgender Alternative: entweder ist – wie vorhin vorausgesetzt – das Nichts ein bloßes nichtiges Nichts, dann hat, konsequent gedacht, alles keinen Sinn. Oder aber: alles hat einen Sinn, und dies ist die einsichtige ethische Grundforderung, der Ruf des Gewissens selbst, dann muß das Nichts anders als bloß nichtig interpretiert werden. Vom Nichts her ist es möglich, weil sich – wie wir früher sahen – das Nichts selbst in seiner dunklen Phänomenalität nicht interpretiert und also zwei grundsätzliche Möglichkeiten seines Verständnisses offenhält. Sofern wir also an dem Satz festhalten, es habe alles Sinn, und dieser Satz ist in concreto einsichtig, dann kann von diesem Satz her die Zweideutigkeit der Erfahrung des Nichts ins Eindeutige entschieden werden. Dann dürfen wir aus einsichtigen Gründen, nämlich um die Sinnforderung aufrechtzuerhalten und um der leisen, aber klaren Stimme des Gewissens und damit der Wahrheit zu gehorchen, das Nichts entscheiden. Sinnvolles menschliches Dasein, so müssen wir dann sagen, ist nur dann möglich, wenn das Nichts in seiner Unendlichkeit und in seiner unentrinnbaren Macht kein leeres Nichts ist, vielmehr Verbergung oder verborgene Anwesenheit unendlicher und unbedingter und allem sinngebender und sinnverwahrender Macht. *Verborgene* Anwesenheit: lautlos, gestaltlos, dunkel, schreckend vielleicht, aber doch Anwesenheit.

Daran darf man in Freiheit glauben aufgrund von realen Beobachtungen und vernünftigen Folgerungen, welche in ihren entscheidenden Momenten freilich nur der Freiheit zugänglich sind. Man darf glauben, die Ungeheuerlichkeit und die Unbedingtheit des Nichts seien die Zeichen und die Spuren einer ungeheuren und unbedingten, aber entzogenen und verborgenen Wirklichkeit, die allen Sinn wahrt, die insbesondere den Unterschied als unbedingten aufrechterhält, auch wenn ihn Menschen zu stürzen suchen, den Unterschied zwischen Gerechtigkeit und Ungerechtigkeit, zwischen Gut und Böse, zwischen Wahrheit und Lüge.

Die Macht, die dem unschuldig Leidenden den Sinn seines Daseins aufbewahrt auf eine unausdenkliche Weise.

Dabei zeigt sich, daß das Nichts trotz seiner Dunkelheit und seiner phänomenalen Negativität doch einen positiven Gehalt offenbart. Es zeigt die Dimensionen der *Unendlichkeit* und der *Unbedingtheit*. Und es bringt diese Dimensionen zur Geltung, indem es sie zeigt. Seine Unendlichkeit und Unbedingtheit erscheinen nun als *Macht*, eine Macht freilich, die ganz anderer Art ist als alles, was wir im endlichen Umtrieb als Macht zu bezeichnen pflegen. Und es zeigt in dieser seiner lautlosen Macht, daß es allem endlichen und insbesondere allem menschlichen Leben seinen *Sinn* gewährleistet und aufbewahrt. Das heißt, es ist das, was alles Leben rechtfertigen und erfüllen kann. Und endlich zeigt es alle diese positiven Züge auf die Weise des Geheimnisses. Denn Geheimnis können wir das nennen, was, indem es sich in unermeßlicher Bedeutsamkeit zeigt, doch zugleich aufs nachdrücklichste verbirgt in das Dunkel seiner Negativität.

So kann der Glaube an die unendliche und unbedingte und alles einfordernde geheimnisvolle Macht, die allen Sinn verwahrt und über allen Sinn entscheidet, ein vernünftig begründeter Glaube sein. Er ruht freilich in seinen entscheidenden Momenten auf Einsichten, die niemanden zwingen. Aber dies hindert doch nicht, daß es sich um wirkliche Einsichten handeln kann.

5. *Erläuterungen zum bisher Gesagten*

Zu dieser grundlegenden Überlegung müssen noch einige erläuternde Gedanken hinzugefügt werden.

a) Das Nichts selbst als Erscheinung des Unendlichen
und Unbedingten

Von dem entworfenen Ansatz her kann sich vielleicht die Vorstellung eingestellt haben, die unendliche Macht sei etwa *in* dem unendlichen Nichts so verborgen, daß das Nichts dieses wie einen Raum umgeben würde. Gerade das Modell des dunklen Raumes, in den ein Mensch eintreten kann, konnte zu diesem Gedanken verführen.

Allein in unserem Falle hat die Vorstellung des „Darin" keinen Sinn. Zwar kann man vielleicht nicht ausschließen, daß möglicherweise in dem Dunkel des Nichts, das auf uns zukommt und auf das wir zugehen, irgend etwas verborgen bleibt. Allein ein solches denkbares Etwas hätte dann seinerseits wiederum den grenzenlosen Raum des Nicht-Etwas und in diesem Sinne des Nichts um sich. Dieser Raum würde bleiben, auch wenn wir die Reihe der seienden Dinge über die Schwelle des Todes und des Nichts hinaus verlängert denken. Denn was immer wir so ausdenken mögen, es bliebe dann immer noch zu fragen, was dieses darüber hinaus entworfene Etwas für einen Sinn habe angesichts des immer noch gleich unendlichen und gleich unausweichlichen Nichts, das auf es zukommt und das es in Frage stellt.

Mit anderen Worten: Der konkrete Widerspruch zwischen der Sinnvoraussetzung unseres Daseins und dem unausweichlich drohenden unendlichen Nichts läßt sich nur dann sinnvoll lösen, wenn geglaubt wird, daß das Nichts *selber* – und nicht etwa *in* ihm – die sich entziehende Anwesenheit der unendlichen Macht sei. Das Nichts ist selber eben als Nichts das Antlitz, d.h. die Weise des sich Zeigens oder der Phänomenalität der unendlichen Macht. Nur dieser Gedanke gibt einen Sinn.

Damit löst sich zugleich das Argument des Münchhausen-Trilemmas von Hans Albert, von dem wir gesprochen haben, auf. Denn dieses Nichts und sein Geheimnis stellen sich selbst immer wieder her, auch wenn es eine Weile hinausgeschoben wurde. Es ist das Unüberschreitbare, und es ist weit davon entfernt, durch bloße menschliche Willentlichkeit festgehalten zu sein. Auch braucht es nicht durch Immunisierungsstrategien verteidigt zu werden. Es verteidigt sich selbst, indem es sich als das Unausweichliche erweist.

Allerdings stellt sich das Münchhausen-Trilemma immer wieder dann her, wenn das unendliche Geheimnis als ein bloß größeres Seiendes interpretiert wird. Denn dann muß gefragt werden: Was hat nun dieses für einen Sinn? Oder auch: Worauf ist nun dieses gegründet? Und dann kommt man in den unendlichen Regreß oder in den bloß willentlichen dogmatischen Abbruch dieses Regresses.

Dies hat schon *Kant* gemerkt an der Stelle in der „Kritik der reinen Vernunft", an der er den angeblich bewiesenen Gott sich selber fragen läßt: woher bin ich denn [15]?

Nur das reine Nicht-Etwas in seiner geheimnisvollen Mächtigkeit entgeht diesen Alternativen.

b) Jenseits des Seienden

Halten wir dies fest, so wird uns deutlich, daß die unendliche Macht kein Seiendes und kein Etwas und keine Substanz im strengen Sinn sein kann. Das Nichts als die Präsenz der unendlichen Macht ist als Nicht-Etwas das Andere des Etwas. Es ist ebenso als das Nicht-Seiende das Andere zu allem Seienden.

Ein Seiendes ist etwas, dem Sein zukommt und deswegen auch sprachlich zugesprochen werden kann. Wem aber Sein nur zukommt, dem kann es möglicherweise auch nicht zukommen. Es ist das Faktische und als das Faktische das nicht Notwendige und als nicht notwendig das Begrenzte. Das große Geheimnis, das im Nichts auf uns wartet, aber ist jenseits aller solcher Begrenztheit und Faktizität und damit jenseits alles dessen, was man im strengen Sinne ein Seiendes nennen kann. Darum hat Thomas von Aquin gesagt, Gott sei jenseits aller Kategorien des Seienden [16].

Dieser Sachverhalt bringt eine grundlegende Schwierigkeit für die religiöse Sprache mit sich. Denn wenn wir den Wegen und

Regeln unserer Sprache folgen wollen, dann müssen wir sagen: *das* Nichts. Es ist so, wie wenn wir sagten: *der* Berg; oder: *das* Tal; oder: *das* Auto; usf. Wir gebrauchen die nominalen Formen mit dem Artikel, wie wenn es sich um einen Gegenstand oder ein Ding unserer Welt handelte. Aber gerade dies ist da nicht der Fall, und der Inhalt der Aussage „das Nichts" überschreitet also seine Form. Der Ausdruck „das Nichts" ist seiner Form nach inadäquat seinem Inhalt. Er weist durch seinen Inhalt über seine eigene Aussageform hinaus ins schließlich überhaupt nicht mehr Aussagbare. Und es bleibt also für die Sprache keine Möglichkeit, dieses Unaussprechliche in einer sprachlichen Form adäquat zu fassen. Die Weisung über die Sprache hinaus bleibt so selber noch in der Form der Sprache, d.h. hier: der Aussage.

Das Analoge ist zu bemerken hinsichtlich der besonderen Züge, die wir der unendlichen Macht des Nichts zuzusprechen Anlaß fanden und die sich darin verborgen anzeigten. Wir müssen noch einmal darauf hinweisen.

Wir sagten, das Nichts sei in der negativen Erscheinung doch positiv zu verstehen. Um diese Positivität zu betonen, legt sich uns der Ausdruck „Macht" nahe. Wir fanden darüber hinaus Anlaß, von der Unendlichkeit und von der konkreten Unbedingtheit der Macht zu sprechen und schließlich davon, daß diese verborgene unendliche Macht allen Sinn für alles verwahrt und gewährt und darin alles richtet und entscheidet. Damit haben wir so etwas wie eine Reihe von scheinbaren Eigenschaften genannt. Sie kommen zur Sprache in einer Reihe von Prädikaten von solchen Urteilen, in denen die unendliche Macht als Urteilssubjekt auftritt. Allein diese Urteilsform kann vor dem Blick auf die Sache, um die es hier geht, nicht bestehen bleiben. Wo kein Etwas, d.h. kein Seiendes, ist, da hat es auch keinen Sinn, sich Eigenschaften dieses Etwas vorzustellen und als Prädikate auszusagen. Wenn die unendliche Macht jenseits aller Kategorien des Seienden liegt, dann liegt sie auch jenseits aller Urteile und Prädikationen, mit deren Hilfe wir zu sagen pflegen, was das Seiende ist. Die Aussagen sprengen also in unserem Fall durch das, was sie sagen und sagen wollen, wiederum ihre Aussageform. Sie können wiederum nur als Hinweise auf den Bereich jenseits aller Sagbarkeit verstanden werden.

Andererseits aber muß darauf hingewiesen werden, daß diese Aussagen über die Positivität, die Unendlichkeit, die Unbedingtheit und die Sinnmacht des großen Geheimnisses gleichwohl nicht sinnlos sind. Denn ihr Sinn hat sich phänomenal gezeigt im Gange unserer Überlegungen. Sie sagen etwas, aber das, was sie sagen, liegt jenseits dessen, was adäquat in eine sprachliche Aussageform eingehen könnte. Die Sprache weist immer wieder ins Geheimnis, das an sich selbst nicht mehr aussagbar ist.

So bleibt das Unendliche in seinem Geheimnis, jenseits von allem Etwas, jenseits auch von allem Urteil. Wir können darum nicht verfügend Bescheid wissen über es. Wir können noch weniger solches Bescheidwissen in fertigen Urteilen festlegen und gleichsam ablegen. Aber wir haben gleichwohl Grund, einiges zu sagen, was sich zeigt und was, indem es sich zeigt und das Wort rechtfertigt, dieses zugleich übertrifft.

c) Die phänomenologische Differenz

Es muß aber noch auf eine andere Grenze unserer Überlegung aufmerksam gemacht werden. Wir haben versucht mit einiger Genauigkeit, das geheimnisvolle Phänomen zu fassen in dem, was wir seine Macht, seine Unbedingtheit, seine Unendlichkeit nannten. Aber können wir, sofern wir nicht noch weiterzugehen vermögen, hier schon von einem Gott im religiösen Sinn sprechen? Sind wir schon im Bereich des Göttlichen und damit im spezifisch religiösen Bereich?

In der Tat besteht bis jetzt noch so etwas wie eine *phänomenologische Differenz* zwischen dem Ergebnis unserer Überlegungen einerseits und dem göttlichen Gott andererseits. Auf diesen Unterschied hat vor allem Martin Heidegger mit Nachdruck aufmerksam gemacht. Er schreibt, causa sui laute der fachgerechte Name für den Gott in der Philosophie. Und er fährt dann wörtlich so fort: „Zu diesem Gott kann der Mensch weder beten noch kann er ihm opfern. Vor der causa sui kann der Mensch weder aus Scheu aufs Knie fallen, noch kann er vor diesem Gott musizieren und tanzen."[17]

Wir bemerken diese Differenz hier ausdrücklich an. Sie soll nicht vergessen werden. Und es wird später Gelegenheit sein, auf diesen wichtigen Umstand zurückzukommen.

6. Die Kritik dieses Weges

Es bleibt schließlich übrig, diese ganze Überlegung noch einmal zu überprüfen angesichts der Kritik, die sowohl von theologischer wie von philosophischer Seite vorgebracht wurde und vorgebracht wird gegen die sogenannte natürliche Theologie.

a) Die theologische Kritik

Die theologische Kritik besteht zumeist auf dem Gedanken, ein vom Menschen aus gezeigtes oder erwiesenes Absolutes wäre vom Menschen abhängig und wäre als solches seiner Absolutheit beraubt und vollends seiner Göttlichkeit. So etwa hat Paul Tillich argumentiert im Blick auf die Gottesbeweise, soweit er sie kannte[18]. Nicht wenige andere Autoren haben ähnlich geurteilt.

Dazu ist zu sagen: Dieser Einwand ist richtig, soweit er Gedankengänge betrifft, die Gott als einen endlichen Bestand mit endlichen Denkbewegungen und aus dem endlichen Material des Denkens heraus konstruieren wollen.

Aber etwas ganz anderes ist es, vom endlichen menschlichen Dasein aus die Unendlichkeit in der Gestalt des unbedingt einfordernden Nichts zu *sehen*. Das heißt, darauf zu kommen, daß es sich selbst anzeigt und sehen läßt. Wenn es sich aber selbst anzeigt und sehen läßt, dann ist es keine menschliche Konstruktion. Dann ist es nicht von Menschen gemacht, sondern es nimmt von sich her den Menschen immer schon, wenn auch im Verborgenen, in Anspruch.

Dies gilt auch für den Sinnentwurf des menschlichen Daseins, der schließlich auf die unendliche Macht weist. Er gehört zwar zum menschlichen Dasein, wie wir sahen. Aber es ist offensichtlich nicht so, daß der Mensch darüber verfügen könnte. Der Mensch kann sich zwar dem Sinnentwurf entziehen oder ihn verfälschend uminterpretieren, aber immer wird er dann auch noch in diesen Bewegungen getragen von dem gelebten Sinnentwurf. Deswegen muß man eher sagen, der Sinnentwurf mache den Menschen und ermögliche sein Dasein, als umgekehrt: der Mensch mache den Sinnentwurf. Auch er ist keine subjektive Konstruktion. Das konkrete Postulat vom Sinn, ja zuletzt vom unbedingten Sinn ruft den Menschen an in der konkreten mitmenschlichen Situation. Nicht aber ruft der Mensch diesen durch seinen persönlichen Einfall hervor.

Unser Gedanke konnte also nur *aufdecken*, was uns als Unbedingtes immer schon von sich her in Anspruch genommen hat. Der Gedanke konstruiert nicht vom Menschen aus und von der Endlichkeit aus ein Unbedingtes. Daher steht er nicht unter dem theologischen Verdikt, von dem Paul Tillich und manche andere gesprochen haben.

b) Die philosophische Kritik

Wie steht es aber mit den philosophischen Einwänden gegen einen solchen Gedanken?

Diese beruhen einerseits auf der Eigentümlichkeit des positiven wissenschaftlichen Denkens, auf das bestimmbare endliche und faktische und daher empirische Seiende festgelegt zu sein. Faßt man gemäß dieser Festlegung nur Seiendes dieser Art ins Auge, dann fällt die Frage nach dem Unbedingten und Absoluten freilich konsequenterweise aus. Es ist aber nicht erwiesen, daß diese Begrenzung schlechthin im Recht sei. Das hat – wie wir sahen – schon der frühe Wittgenstein gemerkt. Freilich muß man, sofern man darauf eingehen will, *zeigen,* daß das unendliche Geheimnis sich selbst zeigt. Gerade dies aber war der Sinn unserer Überlegung. Damit führt sie prinzipiell über den Horizont alles positivistischen Denkens hinaus.

Darüber hinaus gibt es einen wichtigen und ernsthaften positiven Einwand gegen den Gedanken Gottes, nämlich den: der absolute Gott sei eine Projektion der menschlichen Subjektivität. Ludwig Feuerbach ist der Klassiker dieses religionskritischen Gedankens. Karl Marx hat ihn übernommen und auch Sigmund Freud ist auf seinen Wegen gegangen und hat ihn mit psychoanalytischen Erwägungen erläutert.

Die Projektionstheorie ist nicht leicht zu widerlegen. Wenn selbst die Realität der Außenwelt als Projektion gedeutet werden kann, so gewiß noch viel eher der Glauben an das Absolute oder an Gott.

Indes ist im Blick auf unsere Überlegungen darauf hinzuweisen, daß offensichtlich der Tod keine bloße Projektion ist. Wäre er dies, dann könnte er mit Aussicht auf Erfolg hinweggedacht werden. Ist aber der Tod keine Projektion, dann ist auch das mit dem Tod sich zeigende künftige Nicht-Sein keine Projektion. Man kann ihm deswegen nicht ausweichen, man kann nur den Blick wegwenden. Aber dann ist eher dieses Wegwenden des Blickes oder diese Flucht eine Projektion unserer Wünsche. Und überdies schafft die Wegwendung des Blickes die Sache selber nicht hinweg. Das kommende Nicht-Sein bleibt das kommende Nicht-Sein, unabhängig von unseren Wunschgedanken oder Projektionen.

Auch das Leben als Leben auf Sinn hin und das Glauben an Sinn im Zusammenhang konkreten mitmenschlichen Daseins ist keine Projektion. Wohl können die jeweiligen konkreten Interpretamente des Sinnes, die der Mensch sich entwerfen mag, Projektionen sein. Aber sie setzen alle Leben als Leben auf Sinn hin immer schon voraus. Auf Sinn hin zu leben und den Sinn mitmenschlichen Daseins zu vernehmen, dies gehört zu den elementaren Erfahrungen. Wir haben sie nicht subjektiv entworfen und

projektiert. Sie unterliegen darum auch nicht unserer Willkür.

Darauf hat auch Paul Tillich aufmerksam gemacht: „Wie stark
die psychologischen und soziologischen Elemente auch sein mögen, sie sind selbst bedingt, und es ist möglich, sich ihnen zu wi-
dersetzen und sich von ihnen zu befreien, z. B. vom ‚Vaterbild'
oder vom ‚Sozialgewissen'. Aber es ist nicht möglich, sich vom
unbedingten Charakter des moralischen Imperativs zu befreien.
Man kann zwar einen bestimmten Geistesinhalt mißachten zugunsten eines anderen, aber man kann nicht den moralischen
Imperativ selber außer acht lassen."[19]

§ 6. Entwurf eines zweiten Weges zu Gott

Es wurde oben[1] darauf hingewiesen, daß es gegenüber dem auf uns
zukommenden Nichts auch jenes andere Nichts gibt, aus dem
wir herkommen. Wir müssen uns nun diesem zuwenden und also
in umgekehrter Richtung blicken gegenüber der Richtung, die
uns bisher leitete, nämlich um zu sehen, ob sich in dieser Richtung auch so etwas wie die unendliche Macht Gottes zeige.

1. Das Nichts, das hinter uns liegt

Es gibt das unleugbare und banale Wissen, daß wir nicht immer
da waren. Es gibt also unser vergangenes Nicht-Dasein. Dies heißt
nicht, daß es nicht seit alters Voraussetzung unseres Daseins gab,
z. B. physikalische und biologische. Aber das, wovon wir sprechen
und was wir aussprechen, wenn wir sagen: Ich bin da, oder: Wir
sind da: dies gab es nicht vor unserer Geburt. Dieser konkrete
offene Raum von Erfahrung, dauernd in seiner Offenheit auf sich
selbst zurückbezogen (denn immer bin ich es, der ich meine
Erfahrungen mache) und dauernd in der Praxis des Lebens von

mir ausgehend und auf die Welt bezogen (denn immer bin ich es, der ich handelnd tätig bin in meiner Welt): dieses ist in jedem einzelnen Fall menschlichen Daseins etwas je durchaus Neues, das als neuer Aufbruch sein eigenes vollständiges Nicht-Sein hinter sich hat und gleichsam von sich abstößt.

Zwar ist nun dieses, daß ich bin, ein unvertretbar je Meiniges. Denn niemand anders kann ich sein. Und so ist auch mein ehemaliges Nicht-Sein oder Nichts das je meinige: diese bestimmte Negation als aufgehobene in der Position meines Daseins. Jeder von uns ist als er selber verklammert mit seinem eigenen ehemaligen Nicht-Sein, von dem er sich zugleich abstößt und das er zugleich in seinem Sein aufhebt.

Diese Je-meinigkeit darf aber nicht zu dem Gedanken verleiten, „ich" sei ein bloß isolierter Punkt. Vielmehr bin ich immer konkret mit anderen in der Welt, welterfahrend und mannigfaltig eingreifend in diese Welt. Ich bin Welt habend, mitmenschliche Welt, Welt der Natur, Welt überhaupt. Das bedeutet für unsere Frage: Meine oder unsere ganze Welt (insofern sie meine oder unsere ist) war einmal nicht da und ist also im ganzen ihrem eigenen Nichts entsprungen. Es gab vordem nicht, was als mitmenschliche Welt, als gesellschaftliche Welt, als geschichtliche Welt zu mir und zu uns gehört. Es gab vordem auch nicht unser Verständnis des kosmischen Prozesses, also jener größeren und älteren Welt, in die wir uns eingelassen und aus der wir uns zugleich entlassen finden.

Was aber die Welt als komisch-physikalischer Prozeß wäre, den niemand sieht und – so oder so – verstände, dies läßt sich schlechterdings nicht mehr sagen. Solange man noch *sagen* kann: es gab einmal eine lange Zeit, in der es keine fragenden Menschen gab: so lange gehört diese einstige menschen- und wortlose Welt noch (oder schon) zur Welt unserer Sprache, so lange ist sie also perspektivisch *unsere* Welt. Machen wir aber den – freilich immer vergeblichen – Versuch, auch dies ganz abzuziehen und die physikalischen Gebilde ganz unter sich zu lassen, dann bleiben nur noch Schweigen und Nacht, aber keine Welt mehr.

Im Blick darauf kann man sagen: Wir als Da-seiende mit unseresgleichen in unserer Welt, und damit unsere Welt in jeglichem Sinne: dies alles und dieses Ganze hat sein vergangenes Nichts als aufgehobenes und für immer zu ihm gehörendes hinter sich. Man wird sehen: Das ist kein Satz über die physikalische Dauer des physikalischen Weltprozesses, wohl aber ein Satz, der über die Dauer der Physik als Wissenschaft sagt.

Die Frage, ob der kosmische Prozeß schon unendlich lange dauere oder ob er vor einer endlichen Zeit angefangen habe, können wir von dieser Erwägung her auf sich beruhen lassen. Sie führt ohnehin in jene Schwierigkeiten, die Kant als ersten Widerstreit der transzendentalen Ideen dargestellt hat[2].

2. Das Nichts und die Erklärungsbedürftigkeit des Etwas

An der Stelle nun, wo unser Dasein oder irgendein Dasein seinem eigenen Nichts oder Nicht-sein entspringt und dieses zugleich von sich stößt und in sich aufhebt und also nun als neues da ist, entsteht eine eigentümliche Spannung im Sein des Seienden. Unser Denken nimmt sie wahr, sobald es diesen Zusammenhang im Sein des Seienden erblickt.

Es entsteht für das Denken folgende Situation: Das neue Dasein zeigt sich für das Denken als nicht in sich klar und nicht mit sich übereinstimmend. Es wird für unseren vernünftigen Blick zum Unerklärten, weil in sich Unklaren. Aus dieser Unerklärtheit und Unklarheit entspringt für das Denken das Bedürfnis nach einer Erklärung. Wir fragen: Warum oder woher ist dieses nun da, das doch vorher nicht da war? Oder wie ähnliche Fragen immer lauten mögen.

Wer oder was ist es, was in diesem Fall der Erklärung bedarf? Zunächst unser *Denken*. Das Denken stimmt nicht mit sich selber überein angesichts der Erscheinungen der Welt, solange sie ihm unerklärt und also rätselhaft sind. Das Denken bedarf aber der Übereinstimmung mit sich selbst. Es bedarf, um mit sich selbst übereinstimmen und in sich beruhigt sein zu können, der Erklärung des Woher aller Erscheinungen. Darum entwirft das Denken eine Erklärung fragend voraus: es fragt: wieso, warum, woher ist dieses nun da? Die Frage entwirft fragend das Warum oder den Grund. Sie entwirft das Warum zu dem, was ist, suchend voraus. Es sucht und entwirft dieses Warum, um mit sich selbst wieder in Übereinstimmung zu kommen.

Aber dieses Entwerfen der Bedürfnisse des Denkens, aus dem heraus dieses nach dem Warum fragt, ist nicht *nur* ein Bedürfnis des Denkens; es ist ebenso und früher ein Bedürfnis der bedachten Sache, des seinem Nichts entsprungenen Etwas. Denken denkt in unserem so wichtigen Fall nicht sich selbst, es denkt an seine Sache. Es sieht seine Sache, diese neue Sache, die vorher noch nicht war. Für dieses Sehen zeigt *die Sache selbst* ihre Unerklärtheit und ihre Erklärungsbedürftigkeit. Oder anders ausgedrückt: Die Sache zeigt, daß sie, nur in sich allein gesehen, nicht mit sich übereinstimmt, daß sie nicht in sich als seiende steht, vielmehr in sich selbst fragwürdig und schwankend und ungeklärt ist. Sie zeigt, indem sie diese Fragwürdigkeit und Ungeklärtheit zeigt, daß sie des Erklärenden bedarf, um als seiende Sache zu stehen und ständig und klar (anstatt fragwürdig und unklar) zu sein. Denn erst in diesem Erklärenden könnte sie mit sich übereinstimmen und in solcher Übereinstimmung in vollem Sinne *sein*.

Das so von der Sache her Geforderte (wenngleich noch nicht für das Denken Gefundene) zeigt sich als begründender Grund, d.h. als das, *von dem her* die Sache ihrem Nichts entsprungen und im Sein entschieden ist und steht. Die Erklärungsbedürftigkeit für das Denken ist also von der Sache her eine Grundbedürftigkeit. Sie zeigt sich von der Sache her für das Denken und wird sichtbar in der Erfahrung des je neuen Seins des Seienden. Darum, weil wir sehen, wie es ist, fragen wir, d. h. fordern wir den erklärenden, d. h. die Sache klarmachenden Grund für das Sein des Seienden.

Jeder, der sich seinen Erfahrungen unverstellt öffnet, wird dies sehen und erkennen.

Man kann diese Erfahrung nachträglich und sekundär verändern. Man kann etwa bloß auf bestimmte Momente im Sein des Seienden achten und also nicht mehr die ganze und unverstellte Erfahrung ganz zur Kenntnis nehmen. So wird es zum Teil und mit guten Gründen in den exakten Wissenschaften gemacht. Dort wird die Frage nach dem Grund (und damit implizit auch schon die ganze Grund-Folge-Relation) auf einen bloß formal-funktionalen Zusammenhang reduziert. Dies hat bedeutende methodische Vorteile. Aber diese hindern nicht, daß eine solche Reduktion eben eine Reduktion, d. h. eine Verkürzung dessen darstellt, was sich zunächst zeigt und was zunächst als Sich-Zeigendes im Denken erfahren wird, nämlich daß jede neue, ihrem Nichts entsprungene Sache als Ganzes für ihr Auftreten, d. h. für ihr neues Da-Sein, einer erklärenden Begründung bedarf, die ihr Dasein zugleich trägt und klarmacht, entscheidet und als Sein erfüllt.

Darum kann die Frage nach dem Grund nicht abgewiesen und schon gar nicht verboten werden deswegen, weil sie in letzter Konsequenz in Aporien führt etwa in jene, auf die Kant und neuerdings Hans Albert aufmerksam gemacht haben[3]. Unser Denken hat aber in den Fällen, die wir hier betrachten, wirklich ein Recht, die Frage „Warum" zu stellen, d. h. einen erklärenden und das neue Sein tragen könnenden Grund zu suchen.

Damit ist dieser Grund gewiß noch nicht gefunden. Aber wir haben Anlaß, vorauszusetzen, daß es einen solchen Grund gibt, und aufgrund dieser Voraussetzung zu handeln, d. h. nach dem vorausgesetzten Grund zu suchen. Wir reden in diesem Zusammenhang mit Bedacht nicht von einem Kausalsatz, wohl aber von dem in der Erfahrung ausgewiesenen Recht der Grund-(bzw. Kausal-)Voraussetzung. Diese ist als eine Voraussetzung zugleich eine Verpflichtung für das Denken, nämlich zum Suchen dessen, was vorausgesetzt werden darf. Ihr Recht erfließt aus dem, was die Sache selbst von sich zeigt[4].

3. Die Reihe der Gründe

Wenn wir aus dieser Grundvoraussetzung heraus den erfragten Grund suchen, dann finden wir ihn zunächst und zumeist. Der Entwurf bestätigt sich in der konkreten Erfahrung. Es finden sich in ihr immer wieder tatsächliche Gründe, welche erklären können, warum etwas so geschehen ist, und von denen her sichtbar wird, von woher dieses so Geschehene in sein Geschehen entlassen und zu ihm bestimmt wurde. Indem das Finden des Grundes in vielen Fällen das fragende und das suchende Denken bestätigt, erfüllt es zugleich dieses und damit die zu erklärende Sache selbst. Aber die Erfüllung ist ein zweites, sie wird geleistet nicht vom denkenden Entwurf allein her, sondern von dem, was aus neuer Erfahrung neu hervorgeht und den Entwurf bestätigt.

Findet sich ein solcher Grund, sei es nun in einem biologischen oder physikalischen Zusammenhang oder in welchem Zusammenhang immer, dann ist das Neue fürs nächste erklärt und steht dann als Erklärtes klar und fest da für unser Verständnis. Wir sehen: so ist es, so muß es sein aufgrund seiner Begründung.

Wir finden nicht nur da und dort einmal einen Grund. Wir finden regelmäßig, soweit wir nur beharrlich und planmäßig suchen, den erklärenden Grund. Wir finden die erklärenden Gründe so regelmäßig, daß es sich nahelegt, die Regel als einen allgemeinen Satz auszusprechen etwa in der Form: „Alles hat seinen Grund." Dies ist dann ein Kausalsatz. Er entsteht aufgrund des fragenden Entwurfs aus der Regelmäßigkeit der Erfahrung, daß sich das Entworfene auch findet. Der Satz hat sich *bewährt*, und er wird so am besten als eine bewährte Theorie etwa im Sinne von Karl Popper verstanden[5].

Der Kausalsatz hat sich sehr bewährt, so daß die ganze empirische Wissenschaft sich auf ihm aufbaut. Dies geschieht auch dann, wenn das Gründende des Grundes oder das Verursachende der Ursache fast ganz aus der Betrachtung verschwunden ist zugunsten eines reinen funktionalen Zusammenhangs: immer wenn a, dann auch b. So dürfte es in der Grundwissenschaft der

Physik tatsächlich sein. Aber dies ist nur eine methodisch nützliche Abstraktion aus dem tatsächlich sich Zeigenden im ganzen: daß immer wieder die Voraussetzung von Grund sich bestätigt.

Die Regelmäßigkeit dieses Zusammenhangs hat sich in dem Maße bestätigt und bewährt, daß es möglich geworden ist, den Grund-Folge-Zusammenhang so zu gebrauchen, daß aus ihm künftige Folgen vorausgesagt werden können. Und mehr noch: Soweit man die Gründe nicht nur erkennen, sondern auch beherrschen kann und also in der Hand hat, können sie zur Planung der Folgen benützt werden. Darauf beruht die ganze Technik. Der Grundgedanke ist: wenn wir es so machen, dann muß regelmäßig jenes erfolgen. Jedermann verläßt sich darauf und kann es auch. So selbstverständlich und gewiß erscheint die feste Regelmäßigkeit des erkannten Grund-Folge-Verhältnisses.

In dem ganzen, so sich andeutenden Spielbereich – das ist der der empirischen Wissenschaft und der ihr folgenden Technik – kommt die Größe „Gott" nicht vor und braucht sie auch nicht darin vorzukommen. Man braucht diese „Hypothese Gott" nicht, um die Welt und ihren Gang wissenschaftlich erklären und technisch beherrschen zu können. Dies geschieht immer noch „etiam si Deus non daretur"[6]. Wittgensteins Satz, daß sich Gott nicht in der Welt offenbare, hat sich soweit bestätigt[7].

Allein die Sache wird anders, sobald grundsätzlicher und nachdrücklicher gefragt wird.

Will man nämlich zu allem, was man vorfindet und beobachtet, einen erklärenden Grund finden, dann findet sich neuer Anlaß zu fragen, woher dieser erklärende Grund komme. Auch der Grund muß einen Grund haben, und auch er bedarf der Erklärung. So schiebt sich die Frage nach dem Grund von Stufe zu Stufe weiter zurück. Es entsteht eine Reihe von Gründen.

Es ist dann zunächst nicht einzusehen, warum eine so entstehende Reihe von Gründen ein Ende haben solle. Warum sollte man nicht immer weiterfragen können und fragen müssen: Warum nun dieses? Tatsächlich zeigt sich der wissenschaftliche Eros nie zufrieden; bei dem scheinbar nicht mehr zu übertreffenden Ende wird doch wieder weitergefragt – und auch wieder weitergefunden. Der Schritt der Physik von den Atomen, die lange als ein letzter Baustein galten, zu den Elementarteilchen hat dies wohl eindrucksvoll deutlich gemacht. Die Wissenschaft verhält sich tatsächlich so, als ob immer weitergefragt werden dürfe und müsse. Sie ist bewegt von der Unbegrenztheit der Kausalreihe sozusagen als einer regulativen Idee. Sie hütet sich zwar im allgemeinen, den Gedanken des Regresses in infinitum ausdrücklich zu formulieren. Aber sie handelt nach der Idee, welche durch diesen Gedanken definiert wird.

Freilich ist dieser Gedanke von der endlosen Reihe immer weiterer Gründe aus anderen Gründen unbefriedigend. Denn aus ihm folgt, konsequent gedacht, daß wir immer nur ein mittleres Stück erklärter Zusammenhänge in der Hand des Wissens oder der Technik haben. Aber die Voraussetzungen dieses mittleren Stückes, wenn es auch noch so umfangreich sein mag, kennen wir nie genau und vollständig. Zwar können wir immer weiterfragen und -forschen. Aber der durch solche Forschung erhellte und erhellbare Bereich erscheint jetzt klein gegenüber der möglicherweise unendlichen Folge ebenfalls möglicher und denkbarer Voraussetzungen, die wir nicht wissen und auch nie vollständig wissen werden. Pascal hat dieses Problem zum erstenmal deutlich gesehen und formuliert [8]. Es ist nicht auflösbar und kehrt z. B. in der Wissenschaftstheorie von Karl R. Popper in verwandelter Form wieder.

Die Sache wird nicht besser, wenn wir etwa annehmen wollen, wir könnten einmal an ein Ende der Reihe der Ursachen kommen; die Reihe sei endlich und so müsse sich einmal ein erstes Glied, eine causa prima, zeigen, sei diese nun eine Urformel oder ein Urzustand einer materia prima oder was immer.

So etwas kann man wohl hypothetisch entwerfen. Aber warum sollte man dann nicht wiederum fragen dürfen: Warum nun diese Urmaterie oder dieser Urzustand? Was dann natürlich heißen würde: Warum die ganze Welt? Die Welt, die ja dann von einem solchen Urzustand her bestimmt gedacht wäre. Eine solche Frage kann nicht mit verbalen Erklärungen abgewiesen werden: Hier dürfe man nicht mehr weiterfragen, dies habe keinen Sinn mehr. Dagegen ist immer wieder mit der Vernunft zu rebellieren: Wieso soll so etwas keinen Sinn haben? Fragen darf man immer. Fragen muß die Vernunft immer und immer wieder. Mag sein, daß die Vernunft einmal keine Antwort mehr auf ihre Fragen findet. Aber Gott behüte, daß sie aufhöre, je zu fragen. Man kann darum nicht sagen: Man dürfe nicht mehr fragen, die Welt sei letzten Endes einfach als Faktum brutum hinzunehmen.

Lassen wir aber eine solche Frage in dem angenommenen Falle zu, und nur dieses allein scheint vernünftig, dann stehen wir wiederum vor der Möglichkeit eines neuen unendlichen Regresses, einer neuen endlosen Flucht in weitere endlose mögliche Fragen. So scheint das Problem der unendlichen Reihe unlösbar zu sein. Der von Kant formulierte erste Widerstreit der transzendentalen Idee muß im Bereich unserer Überlegungen offenbleiben[9]. Es ist weder vernünftig, einfach aufzuhören, Gründe vorauszusetzen und nach ihnen zu fragen, noch auch scheint es vernünftig zu sein, nicht aufzuhören und also ins Unaufhörliche weiterzufragen.

Hält man sich diesen Umstand vor Augen, dann entzieht sich die Welt und unser Dasein in der Welt dem Anspruch eines absolut sein wollenden Begreifens. Sie ist letzten Endes und im Blick auf die letzten Gründe unbegreiflich. Zwar bleiben die Sätze der Wissenschaft wahr, auch im Rahmen einer solchen Überlegung. Im Binnenbereich des Wissens bleibt alles wie bisher. Aber wenn man über diesen Binnenbereich hinaus nach den Voraussetzungen, gar nach den letzten Voraussetzungen, nach der letzten tragenden Basis fragt, dann versagt sich die Antwort. Im Grunde ist es ein immer weiter sich entziehendes Geheimnis: daß die Welt ist, wie sie ist, so gut wie wir uns auch in ihrem Binnenbereich auskennen mögen.

4. Die entscheidende Grund-Frage

Angesichts dieser sich immer tiefer entziehenden Unbegreiflichkeit von Welt und Dasein legt es sich nahe, die Frage „Warum" samt dem hier enthaltenen Entwurf des erfragten Grundes in *grundsätzlich anderer Richtung* zu stellen. Diese Änderung der Richtung des Fragens ist qualitativer Art. Sie ist also nicht einfach eine Weiterbildung der bis jetzt erörterten Reihe von Fragen und Antworten. Sie ist ein Sprung, also eine diskontinuierliche Bewegung, die diese ganze Reihe verläßt und ihr gegenüber etwas durchaus Neues unternimmt.

Diese Wende in der Richtung der Fragen ist gewiß nicht erzwingbar. Aber sie ist möglich, und sie ist auch vernünftig. Möglich von der Sache her, weil sie sich als die durchaus unselbstverständliche und am höchsten fragwürdige erweist. Und vernünftig für die Vernunft oder das Denken, weil sich die Sache eben für das Denken in ihrer Fragwürdigkeit zeigt.

Diese Wendung besteht darin, daß die Frage sich nunmehr abwendet von den Gegenständen und Umständen *in* der Welt und ihrem Kommen und Gehen. Und daß sie sich zuwendet dem einen fundamentalen Faktum: *daß ist, was ist, im ganzen.* Daß also überhaupt etwas ist und nicht nichts. Dieses fundamentale Faktum ist nicht etwas *in* der Welt, es ist die Grundlage der Welt selbst und im ganzen. Geht das Denken darauf ein, dann kann die Frage lauten: „Warum ist überhaupt etwas und nicht nichts?" Diese Frage schließt ihrem Umfang nach die Frage ein: Warum ist gerade dieses? Warum ist, was ist, gerade so? Warum bin ich und sind wir? Sie umfaßt alle derartigen Fragen[10].

Ist die Frage, warum ist überhaupt etwas und nicht nichts, als Frage sinnvoll? Daß sie so spät erst im Denken entscheidend formuliert wurde, spricht nicht dagegen. Auch nicht – wie mir scheint – die Tatsache, daß sie nur relativ selten als sinnvolle oder gar notwendige Frage empfunden wird. Anscheinend werden nur selten jene Grunderfahrungen gemacht, in denen sich zeigt, daß dieses, daß überhaupt etwas ist, fragwürdig, ja das am meisten

Fragwürdige ist. Aber entscheidend ist, daß es sich überhaupt einmal gezeigt hat und zeigt.

Es genügt, daß gesehen werden kann und tatsächlich gesehen wird: die Unselbstverständlichkeit und Fragwürdigkeit dessen, daß ist, was ist, und daß überhaupt etwas ist. Daß dieses wirklich gesehen und erfahren werden kann und auch gesehen und erfahren wird, daran ist nicht zu zweifeln. Es zeigt sich durch solche entscheidenden Erfahrungen, daß dieses, daß überhaupt etwas ist, nicht selbstverständlich ist, sondern gerade in höchstem Maße fragwürdig. Dieses Sich-Zeigen des am höchsten Fragwürdigen wird freilich durch die Gewohnheit und die gewöhnliche Orientierung am je nahen und nächsten Sichtbaren oder Verfügbaren laufend zugedeckt[11].

Aber unter der Verdeckung wartet die Fragwürdigkeit überhaupt und im ganzen, und sie gibt sich von ihr selbst her dem Denken zu erfahren, sobald dieses radikal genug ist und sich nicht von der Vordergründigkeit vorschnell beruhigen läßt.

Darum dürfen wir daran festhalten; die Frage: Warum ist überhaupt etwas und nicht nichts, ist zumindest als Frage sinnvoll. Denn die ihr zugrunde liegende Fragwürdigkeit zeigt sich von der Sache her für das radikale Denken und seine immer mögliche Erfahrung.

Halten wir daran fest und verweilen wir also bei dieser Frage, dann wird es gut sein, zunächst die Dimensionen der Frage zu erörtern. Dies heißt dann näherhin, daß wir uns darüber klarwerden wollen: 1. Was diese Frage in Frage stellt oder was als der Frage bedürftig ihr entspricht; und 2. wonach diese Frage fragt, was sie also als mögliche Antwort vorentwirft, ohne freilich dessen schon sicher sein zu können.

a) Die Universalität des Befragten

Was befragt die Frage: Warum ist überhaupt etwas und nicht nichts? Sie befragt und stellt also in Frage, was überhaupt ist. Sie stellt das, was ist, im ganzen in Frage und damit schließlich die

Tatsache, daß überhaupt etwas ist. Sie spricht die erfahrene Fragwürdigkeit alles Seins alles Seienden aus. Unsere Frage zeigt sich also hinsichtlich der von ihr ausgesprochenen Fragwürdigkeit als schlechthin *universal*. Von ihr her gesehen, gibt es nichts und kann es nichts geben, was nicht von ihr betroffen wäre. Darum übergreift diese Frage hinsichtlich dessen, was sie befragt, alle anderen Fragen, die nur irgend gestellt werden können. Denn alle mögliche Fragwürdigkeit im einzelnen ist immer umfangen von dieser Grundfragwürdigkeit dessen, daß überhaupt etwas ist im ganzen. Darum gibt es nichts und kann es nichts geben, was von dieser Frage nicht von vornherein mit in Frage gestellt wäre, nichts kann sich aus ihrer alles betreffenden Macht heraushalten. Wir können, um diesen Umstand zu veranschaulichen, fragen: Könnte man das Gewicht alles dessen, was alle anderen möglichen Fragen befragen können, und damit das Gewicht dieser Fragen selbst (und das wäre z. B. das Gewicht der ganzen empirischen Wissenschaften) auf eine Waagschale legen und auf die andere Waagschale das Gewicht dieser unserer einzigen Frage, so wäre das Gewicht der letzteren Waagschale immer größer als das der ersteren, wieviel auch in ihre Schale gelegt sein mag.

Die Frage „Warum ist überhaupt etwas und nicht nichts" ist auch so radikal, daß von ihrem Sinn her die vorher erörterte Vexierfrage gleichgültig wird: ob die Reihe der endlichen Ursachen selber endlich oder unendlich sei. In jedem der denkbaren Fälle würde es sich um eine Reihe von *Seiendem* handeln. Und eben dies ist für jeden denkbaren Fall im ganzen in Frage gestellt von der Radikalität unserer großen Frage. Der Streit um die unendliche Reihe trägt in keinem Fall zu ihrer Lösung und Klärung bei. Er kann aber auch die radikale Frage in keinem Falle beeinträchtigen oder gar verhindern. Im Falle sowohl einer endlichen wie einer unendlichen Reihe von Seiendem bleibt immer noch zu fragen: Warum überhaupt etwas ist und nicht viel mehr nichts.

Zur Universalität unserer Frage hinsichtlich des befragten Sachbereichs gehört auch noch ein anderer Umstand. Die Frage umfaßt ihrem Sinne nach auch den *Fragenden* selbst. Sie umfaßt in einem sowohl das, was man als Objektwelt der Subjektwelt gegenüberstellen mag, wie alle mögliche oder denkbare Subjektivität. Auch wir selber, die wir die Frage stellen und formulieren, sind von ihr mitbetroffen, und wir gewahren es, sofern wir uns ihrem wirklichen Ernst stellen. Warum sind wir? Warum bin ich? Warum stelle ich Fragen und kann ich sie stellen? Warum ist überhaupt etwas? Alle diese Fragen sind in der einen Frage eingeschlossen. Wir können unser eigenes Dasein so wenig heraushalten wie irgendein anderes. Haben wir also noch nicht bemerkt, daß auch unser eigenes Dasein von einer solchen Frage entscheidend in Frage gestellt ist, dann haben wir den Ernst und die eigentlichen Dimensionen unserer Frage noch gar nicht erfahren.

b) Das Nicht-Seiende als das Erfragte

Noch merkwürdiger aber ist unsere in vieler Hinsicht einzigartige Frage, wenn man sie verfolgt in der Richtung dessen, *was sie wissen will* und was sie also *erfragt.* Nach was fragt unsere Frage, was will sie eigentlich wissen? Sie will zum Seienden im ganzen etwas wissen. Nämlich das, was dieses, das Seiende im ganzen, in seiner Fragwürdigkeit entscheidet und so erst mit sich identisch macht oder zum Stehen bringt. Wir können es den Grund des Seins alles Seienden nennen.

Aber wo sucht unsere Frage diesen Grund? Wohin entwirft sie ihn fragend? Was kommt für diese so außerordentliche Frage als Antwort in Frage? Darauf kann man zunächst nur negativ sagen: Nichts Seiendes. Denn da von vornherein *alles* Seiende in Frage gestellt ist und da also alles Seiende in seiner Fragwürdigkeit und Grundbedürftigkeit erfahren wurde, so kann auf diese Frage sinnvollerweise nicht mehr mit dem Hinweis auf irgendein Seiendes geantwortet werden. Denn auch dieses wäre dann von vornherein von unserer Frage erschüttert und befragt. Es gehörte damit zum Befragten, aber nicht zu dem, wo-nach gefragt wird.

Die Frage entwirft also fragend das *Andere* zu allem Seienden, das Nicht-Seiende, als den alles tragen könnenden Grund. Sofern man das Nicht-Seiende oder Nicht-Etwas Nichts nennt, kann man auch sagen: Die Frage entwirft den Grund des Seins alles Seienden ins Nichts hinein jenseits alles Seienden.

Man darf sich dabei darüber wundern, daß das Denken überhaupt diesen Horizont hat, der alles Seiende überschreitet und darum nicht aus diesem abgeleitet werden kann.

Hier entsteht die Dimension eines alles Endliche überschreitenden oder transzendierenden Grund-Folge-Zusammenhanges zunächst als Frage. Es entsteht damit die Dimension eines Grundes, der nicht ein erstes innerhalb der Reihe der Gründe wäre, sondern vielmehr dieser ganzen Reihe transzendierend gegenüberläge.

Eben das Nichts, das durchaus Andere gegenüber allem Seienden, der grenzenlose Abgrund jenseits alles dessen, was ist, soll dem Sinn der Frage gemäß das Sein alles Seienden entscheiden und gründen. So entwirft es unsere Frage. Die Frage entwirft fragend eine universale, eminent positive Funktion in dem, was vom Seienden und von den Formen seines Begreifens her als das schlechthin Negative, das Andere des Seienden im ganzen entworfen ist.

Wir sehen uns also hier in einer analogen Situation wie im vorhergehenden Abschnitt, in welchem wir die Sinnfrage erörterten angesichts des ungeheueren auf uns zukommenden Nichts. Die Warum-Frage, die jetzt zur Überlegung steht, läuft in ihrer radikalen Gestalt in der umgekehrten Richtung, nämlich dorthin, *von woher* Welt und Dasein kommen. Aber sie kommt nun auch in dieser Richtung schließlich an denselben Abgrund.

Sofern die Frage über alles Seiende hinausfragt, ins Abgründige des Nicht-Seienden hinein, dieser Umstand hat, sozusagen nach rückwärts, die Folge, daß unsere Frage für die empirische Wissenschaft und ihre Logik sinnlos erscheinen muß. Denn die empirischen Wissenschaften sind, wie wir schon früher erwogen haben, von ihrem prinzipiellen Ansatz her darauf aus, die Bestimmtheiten des Seienden festzustellen mit Hilfe ihres funktionalen Zusammenhangs mit anderen Bestimmtheiten des Seienden. Wo aber das Seiende als solches befragt wird und wo mit dieser Frage zugleich der Bereich des Seienden als solcher überschritten wird, da hört für die Wissenschaft alles auf.

Natürlich heißt dies nicht, daß unsere Frage nicht gleichwohl gestellt werden könne und von der Sache her auch gestellt werden müsse. Es folgt nur, daß wir hier den Kompetenzbereich der empirischen Wissenschaft zu überschreiten beginnen. Aber wir überschreiten nicht den Kompetenzbereich der Vernunft. Für das fragende Denken gibt es Fragen zu stellen, die von der Wissenschaft nicht mehr erreichbar sind. Die fragende Vernunft stellt sie aufgrund ihrer Erfahrungen, und so haben diese Fragen einen Sinn, d.h. einen Ausweis in der Erfahrung. Aber diese Erfahrung ist eine andere als jene, die die Wissenschaften methodisch in Betracht ziehen.

Damit haben wir die Dimensionen unserer Frage einigermaßen erwogen, sowohl hinsichtlich des Befragten, nämlich des Seienden als solchen wie hinsichtlich des Erfragten, nämlich des Grundes des Seienden im Abgrund des Nichts jenseits alles Seienden. Aber noch ist offen, ob die Frage *beantwortet* werden könne oder ob das, was von ihr her als Entworfenes in Frage kommt, auch von sich her als Wirklichkeit sich bekundet. Hierzu darf das Folgende zur Überlegung gegeben werden.

5. *Die Konsequenz*

Insofern die Frage: „Warum ist überhaupt etwas und nicht nichts?" sich dem Nicht-Etwas oder dem Nichts zuwendet, ist aufs neue zu sagen, was früher schon bemerkt wurde[12]: Entweder ist dieses Nichts ein bloßes und leeres und nichtiges Nichts, oder aber es ist nicht leer und nicht nichtig, aber so, daß es etwas entzieht und verbirgt. Beide Möglichkeiten müssen zunächst offengelassen werden.

Ist es ein leeres und nichtiges Nichts, dann läuft die Frage: Warum ist überhaupt etwas und nicht nichts? auf schlechthin und bloß nichts hinaus. Dies aber hieße dann: Dann ist dieses, daß überhaupt etwas ist, schlechterdings grund- und bodenlos. Dann aber ist *alles* grund- und bodenlos.

Da aber alles, was wir als seiend erfahren, sei es unsere Welt oder seien wir es selbst, für die Erfahrung sich als fragwürdig erwiesen hat und damit als grundbedürftig: so hätte dies wiederum die Folge, daß das Sein alles Seienden letzten Endes bodenlos fragwürdig bliebe. Bodenlos fragwürdig müßte bleiben sowohl das Sein dessen, was immer ist, wie auch unser Begreifen und Wissen dessen, was ist. Alle Wissenschaft und alle Erfahrung ständen letzten Endes im Bodenlosen und hoffnungslos Fragwürdigen. Alles, was sich als seiend erweist, bliebe abgründig in Frage gestellt. Darum aber auch anfällig für jeden möglichen Zweifel. Warum soll bestehen bleiben, was unendlich fragwürdig ist? Warum sollte immun sein gegen irgendeinen Zweifel, was offen ist und bleibt für das – in unserem Falle – niemals beantwortbare radikale Fragen?

Was aber so aus dem bodenlos abgründig offenen Fragen sich erhebt, was sich nicht wehren kann gegen alle, auch die äußersten Formen von Fragen und Zweifeln, kann dies überhaupt noch wirklich und im entschiedenen Sinn als seiend gelten? Denn seiend heißt doch, was immer es sonst heißen mag, auf jeden Fall: in seinem Sein entschieden und stehend und klar sein. Aber eben dieses könnte dann nicht mehr aufrechterhalten werden.

Gegen diesen Gedanken steht aber schlicht die Entschiedenheit des Seins alles dessen, was ist. Was ist, ist. Dies steht und wankt nicht. Zwar ist alles Seiende, das wir kennen, vergänglich und flüchtig in unterschiedlichem Grade. Es ist als Seiendes, soweit wir es kennen, nicht sehr beständig. Aber es bleibt doch wahr: insofern es ist, ist es. Und ein solcher Satz ist auch keine leere Tautologie und keineswegs eine bloß formale Abstraktion. In ihm spricht sich vielmehr eine elementare Grunderfahrung aus. Es ist die Erfahrung der Macht, der Entschiedenheit des Seins alles Seienden. Was immer ist, ist in seinem Sein so sehr entschieden, daß keine Macht der Welt es vermag, zu machen, daß nicht sei, was ist. Zwar kann man das, was ist, in den meisten Fällen zerstören. Aber man kann die Tatsache nicht zerstören oder sonst aus der Welt schaffen, daß ist, was ist, insofern und solange es ist. In bezug auf unser Denken heißt dies: man kann nicht zum Nicht-Wahren machen, was wahr ist. Man kann es verleugnen und vergessen, aber es bleibt wahr und damit schlechthin maßgebend für unser Denken.

Auch wir selber sind so in unserem Sein entschieden und finden uns in dieser Entschiedenheit. Menschen können es wie mit einem Schrecken entdecken: ich bin, also muß ich sein, dieses ist über mich entschieden. Ich kann zwar aus dem Leben entweichen, und ich werde eines Tages gewiß aus dem Leben hinweggenommen. Aber ich kann nicht wegbekommen, daß ich dieses bin, was ich bin, solange ich bin. Insofern finde ich auch mich selbst als absolut entschieden und – wie Sartre sagen würde – verurteilt zu sein.

Diese Entschiedenheit aber steht im scharfen Gegensatz zu dem, was die allumfassende Warum-Frage enthüllt, nämlich die zuletzt unendliche und bodenlose Fragwürdigkeit alles Seienden und aller Urteile über Seiendes. Was fragwürdig ist, bedarf der Antwort, und dies heißt: der Entscheidung. Was fragwürdig bleibt, bleibt fraglich und unentschieden, und es ist insoweit nicht auf entschiedene Weise seiend.

Dieser Gegensatz scheint nur auf eine vernünftige Weise auflösbar zu sein.

Das eine ist dieses: Alles, was ist, insbesondere auch ich selbst und alle meinesgleichen: alles dies zeigt sich letzten Endes als unendlich fragwürdig. Es zeigt sich so, daß es die bodenlose Frage ermöglicht und rechtfertigt: warum ist überhaupt etwas und nicht nichts?

Alles, was ist, zeigt sich aber andererseits, insofern es ist, in seinem Sein absolut entschieden. Die Entschiedenheit des Seins ruft uns an aus dem Seienden unserer Welt ebenso wie aus der

Tiefe dessen, was wir selber sind. Diese Entschiedenheit des Seins kann weder aus der Flüchtigkeit der bloß als ontisch verstandenen Existenz abgeleitet werden noch aus dem, was sich als das unendlich Fragwürdige erweist, dem Sein des Seienden, insofern es dessen eigenes Sein ist.

Dies berechtigt uns aber, vernünftigerweise zu denken, daß die Entschiedenheit des Seins aus jenem Bereich herkommt, in den hinein die große Frage tastend fragt: Warum ist überhaupt etwas und nicht nichts? Im Jenseits gegenüber allem Etwas, dem bodenlosen Abgrund, kündigt sich das Geheimnis an: jenes, was alles Sein trägt und entscheidet, das verborgene Warum, die verschwiegene Herkunft, der unbedingte Grund. Er kündigt sich an in der unbedingten Entschiedenheit des Seins, dann wenn wir diese Entschiedenheit betrachten im Lichte der Frage: Warum ist überhaupt etwas und nicht nichts? Wir haben allen Grund, an den abgründig unendlichen Grund zu glauben.

Wir haben einen neuen Grund gegenüber dem früher betrachteten, zu glauben an die grenzenlose Macht jenseits alles Seienden, die das Sein alles Seienden trägt und entscheidet und bewahrt. Und dies lautlos und ohne einen Finger zu rühren. Wir berühren also auch von diesem Gesichtspunkt das große Geheimnis, das sich verbirgt und zugleich offenbart im unendlichen Raum jenseits alles Seienden, den wir das Nichts nennen müssen. Wir spüren die Unbedingtheit dieser Macht im unbedingten Anspruch der Wahrheit des Seins alles Seienden, die dem Seienden gewährt ist und ihm bewahrt bleibt trotz seiner Fragwürdigkeit und Flüchtigkeit, und dies aus dem großen Geheimnis heraus, in dem alles ruht und aus dem alles sich erhebt. Wir haben einen vernünftigen Grund mehr zu glauben.

Wenn man diesen Grund Ursache nennen will, dann muß man sich klar sein, daß der Begriff Ursache hier einen durchaus anderen Sinn hat als in aller sonstigen Verwendung. Weil diese Ursache nicht ein immanent erstes in der Reihe der innerweltlichen Ursachen sein kann, von der das zweite und die weiteren immer weiter entfernt wären. Vielmehr ein transzendierendes Erstes, das die ganze Reihe begründet und trägt und jedem ihrer Glieder gleich nahe und innerlich ist, wie sie auch von jedem ganz unterschieden und entrückt bleibt in die Transzendenz ihres Geheimnisses.

6. Das Geheimnis als Grund

Hat sich durch diese Überlegung an dem Geheimnis ein neuer Zug gezeigt? Es hat sich gezeigt, daß das, was allem den letzten Sinn wahrt, zugleich auch allem den ersten Grund seines Seins und seiner Wahrheit gewährt. Beides zusammen ergibt das Neue und doch Uralte. Das Geheimnis des Absoluten ist das A und das O, der Anfang und das Ende alles Seienden und eben darum auch seine Mitte.

Es hat sich zugleich mit neuer Schärfe und Entschiedenheit gezeigt, was wir schon anfänglich zu erwägen Anlaß fanden: Daß dieses Geheimnis jenseits des Bereiches des Seienden ist, jenseits also aller Kategorien, darum eigentlich unaussprechlich, unberührbar und doch sich meldend. Diese Transzendenz des absoluten Geheimnisses ist grundlegend für den ganzen Bereich der Religion.

7. Die Logik dieses Gedankens

Es wird nützlich sein, abschließend zur Logik dieses dargelegten Gedankengangs einiges zu bemerken.

Daß wir von gegensätzlichen Bestimmungen ausgegangen sind, könnte zu dem Gedanken verleiten, es handle sich hier um eine Widerspruchslogik im Sinne der herkömmlichen Logik formaler Art. Dies ist aber nicht der Fall.

Die Erfahrung, die das große Warum der entscheidenden Frage ermöglicht und rechtfertigt, ist nicht logisch erzwingbar. Sie kann und darf gemacht werden, aber sie zu machen bedeutet etwas wie einen Sprung der Freiheit. Bewegen wir uns in den gewöhnlichen Wegen des Denkens und Forschens, dann bewegen wir uns – wie selbstverständlich – in den Zusammenhängen, welche endliche und faßbare Bestimmungen miteinander auf endliche Art verknüpfen. Aus der logischen Verknüpfung dieser Zusammenhänge ergeben sich immer nur weitere Zusammenhänge oder Zusammenhangsgrößen der gleichen Ordnung. Aber es ergibt sich aus der Fortsetzung dieses logischen Prozesses niemals als Resultat die Verwunderung über die Unselbstverständlichkeit dessen, daß überhaupt etwas ist und nicht nichts. Darum liegen diese Erfahrung und die Frage, in der sie sich artikuliert, nicht in der Fortsetzung endlicher Logik endlicher Wissenschaften.

Auch die grundlegende Erfahrung der absoluten Entschiedenheit des Seins ergibt formal logisch nur eine leere Tautologie. Daß in einem Satze wie: Was ist, ist, eine unbedingte Macht der Entschiedenheit sich offenbart, dies ist formal logisch überhaupt nicht zu fassen. Aber es ist zu erfahren, und darauf kommt es an.

Endlich muß darauf hingewiesen werden, daß das Nicht-Seiende, was herkommend vom Seienden nur als das Nichts erscheint, die endliche Logik kaum interessieren kann. Und so denn auch nicht die Erwägung, daß dieses Nicht-Seiende die Erscheinung des alles tragenden Absoluten sein könnte für unser endliches Denken. Das Nicht-Seiende begründet in seiner Negativität keinen zwingenden logischen Prozeß. Aber es zeigt sich und kündet sich an.

Obwohl wir uns also hier hinsichtlich der entscheidenden Schritte, die gemacht wurden, jenseits der endlichen Logik bewegen, sind die Schritte doch sachlich gerechtfertigt. Es ist sachlich gerechtfertigt zu glauben, daß alles, was ist, auf einem alles entscheidenden und tragenden Grund steht.

Man könnte allenfalls von einer transzendentalen Logik sprechen insofern, als die beobachteten Sachverhalte und Zusammenhänge in jenem Bereich liegen, in welchem die Gründe der Möglichkeiten für alles liegen. Freilich sollte dieser Ausdruck dann nicht dazu verleiten, eine solche Überlegung wieder nur als einen Formalismus anderer Art zu verstehen.

Hat man die entscheidende Überlegung mitgemacht, dann wird aber klar, daß in ihr die Voraussetzungen und der Grund für die Möglichkeit aller endlichen Logik erscheint. Denn wenn alles in einer leeren Grundlosigkeit stände und wenn alles infolgedessen endlos bezweifelt werden könnte, dann wäre auch eine endliche Logik nicht mehr sinnvoll möglich. Insofern darf gesagt werden, daß wir uns hier in einem Bereich bewegen, der zwar jenseits der endlichen Logik liegt, wohl aber die Möglichkeiten derselben trägt und begründet. Das unendliche Geheimnis, was alles trägt und entscheidet, trägt und entscheidet auch die Logik von allem.

Hinsichtlich der sprachlichen Schwierigkeiten, die das Nicht-Etwas als das unendliche alles tragende Geheimnis in sich birgt, dürfen wir hier auf die Überlegungen zurückverweisen, die wir zu dieser Sache schon am Ende des letzten Abschnitts zu machen Anlaß fanden. Denn wir sind, rückfragend nach dem Warum, an dasselbe unaussprechliche Geheimnis gekommen, das uns zuerst im Zusammenhang der Frage „Wozu" begegnet ist. Darum können wir hier zu den Bedingungen des Sprechens von diesem Geheimnis auf das frühere zurückverweisen[13].

In gleicher Weise muß hier wiederholt werden, was früher hinsichtlich der Frage nach der Göttlichkeit Gottes gesagt wurde[14]. Sie ist auch jetzt nicht phänomenal zureichend an den Tag gekommen. Wohl aber ist an den Tag gekommen der abgründige Grund, der alles, was ist, trägt und entscheidet, wie er andererseits auch allem, was ist, den einzigen und letzten Sinn wahrt, der abgründige Grund, der insofern die Wirklichkeit aller Wirklichkeit genannt werden darf.

§ 7. Die beiden Entwürfe im Spiegel älterer Gedanken

Von unseren Versuchen aus blicken wir zurück auf ältere Gedanken, die sich mit dieser Sache beschäftigt haben, der Sache Gottes. Dazu gehören insbesondere die überlieferten Gottesbeweise, und dazu gehört auch ihre Kritik. Die Überlieferung der Gottesbeweise samt ihrer kritischen Diskussion etwa durch Kant gehört zu den Voraussetzungen der von uns vorgeschlagenen Denkwege. Wir wählen zu diesem Rückblick drei Gedankenkomplexe, die den Ertrag der Überlieferung in zusammengefaßter Prägnanz ansprechen. Im Spiegel dieser drei Gedankenkomplexe wollen wir unseren Gedanken noch einmal überprüfen. Und wir wollen gleichzeitig sehen, wie sich die vergangenen Gedanken in unserem eigenen Gedanken spiegeln.

Die überlieferten Denkgestalten blicken uns immer noch fragend an. Wir müssen versuchen, uns mit ihnen auseinanderzusetzen und unser Verhältnis zu ihnen zu klären.

Es handelt sich zunächst um die zwei Grundgestalten der überlieferten Gottesbeweise. Die demonstratio per effectum ad causam bildet die eine Gestalt, deren wirkungsgeschichtlich mächtigstes Modell die sogenannten fünf Wege des Thomas von Aquin darstellen[1]. Die andere Gestalt haben wir im sogenannten ontologischen Gottesbeweis vor uns. Seine klassische Formulierung lesen wir bei Anselm von Canterbury in seinem ,,Proslogion''.

Der dritte Gedankenkomplex, mit dem wir uns in diesem Zusammenhang beschäftigen müssen, ist die klassische kritische Auseinandersetzung mit beiden Arten der Gottesbeweise, wie sie Immanuel Kant in der ,,Kritik der reinen Vernunft'' gegeben hat.

Was wurde eigentlich in diesen Gedanken gedacht, und wie verhält es sich zu dem, was wir zu denken versuchten?

1. Die demonstratio per effectum des Thomas von Aquin

Die Gottesbeweise des Thomas von Aquin, wie sie am deutlichsten im Text der fünf Wege vorliegen, sind vielfach interpretiert worden. Ihre Wirkungs- und Interpretationsgeschichte hat im ganzen zu einer immer stärkeren Formalisierung geführt, bis hin zu jenen späten Gestalten, die Kant vor sich sah und kritisierte. Um so mehr ist es geraten, sich an den ursprünglichen Text zu halten und nicht an seine späteren Formalisierungen.

Wir beziehen uns hier auf den dritten Weg, der mit Recht als die Mitte der ganzen Argumentationsreihe betrachtet wurde[2]. Dieser Weg geht von der Beobachtung aus, daß es unter den Dingen, die wir vorfinden, einige gibt, die der Möglichkeit nach sein und auch nicht sein können[3]. Diese ambivalente Möglichkeit, zu sein und auch nicht zu sein, wird am Entstehen und Vergehen der Dinge abgelesen[4]. Wir sehen in der Tat Dinge, die zu einer Zeit nicht waren, dann aber entstanden, um zu einer weiteren Zeit wiederum zu vergehen und wiederum nicht zu sein. Und da dieses Nichtsein, das Vergangene sowohl wie das Künftige, das Nichtsein desselben Seienden ist, das zu anderer Zeit ist oder war oder sein wird, kann man sagen: solche Dinge oder solche Seienden können sowohl sein als auch nicht sein. *Sind* solche Dinge, so haben sie doch die Möglichkeit ihres Nichtseins immer bei sich.

Diese Möglichkeit betrifft aber nach unserem Text den Modus ihres Seins. Dieses Sein ist ein hinfälliges oder nichtiges, d.h. dem Nichts preisgegebenes. Als nichtiges ist es *nicht notwendig*, d.h., es trägt und entscheidet sich selber nicht schlechthin in seinem Sein.

Aus diesem Ansatz wird nun in unserem Text ein Kausalsatz entwickelt und dies so: Es ist – so wird uns gesagt – unmöglich, daß *alles*, was ist, in der angegebenen Weise nichtig und nicht notwendig sei. Denn wenn alles von dieser Art wäre, d.h. nicht notwendig und auch nicht-sein könnend, dann gab es einmal *Nichts der Dinge*[5]. Dieser Schritt mag zunächst überraschen. Er entwirft zuerst „alle Dinge", d. h., er macht einen Entwurf des Seienden im ganzen, und dann geht er scheinbar unvermittelt von der Möglichkeit zur Wirklichkeit über, nämlich von dem möglichen Nicht-sein zum irgendwann wirklichen Nicht-sein. Formal könnte man einwenden: Warum sollte es unmöglich sein, daß alles, was möglicherweise ist, auch immer wirklich ist? Aber dieser Einwand ist nur formal. In unserem Text wird jedoch offenbar nicht nur formal gedacht. Es wird gesehen, daß alles faktisch Seiende über seinem möglichen Nicht-sein schwebt. Und dieses mögliche Nicht-Sein gewinnt als mögliches selber den Charakter der Wirklichkeit, denn es bedeutet etwas Wirkliches, wenn alle Dinge nicht gewesen sein können und wiederum nicht sein werden und also über ihrem – wenigstens möglichen – Nicht-sein frei schweben. Dieser Zug der Wirklichkeit des faktisch Seienden, nämlich über dem Nicht-sein frei zu schweben, kommt zur Anschauung am Entstehen und Vergehen. Wenn vieles entsteht und vergeht, dann kann und muß erwogen werden, ob alles so ist, daß es entstehen und vergehen kann. Dann *kann* zumindest alles einmal nicht gewesen sein. Mindestens dieser Satz ist festzuhalten. Er geht zwar nicht ganz so weit wie der assertorische thomasische Satz: aliquando nihil fuit in rebus. Aber er ist gleichen Umfangs mit ihm. Er betrifft alles, was sein und nicht sein kann.

Es muß also aufgrund dieser Beobachtung nach unserem Text damit gerechnet werden, daß alles einmal nicht war. Wenn alles einmal nicht war (oder wenigstens nicht gewesen sein kann, wie wir vorsichtigerweise sagen wollen), dann wäre auch jetzt nichts (oder es könnte doch jetzt sein, daß nichts wäre). Dann aber muß gefragt werden, wie das Seiende zu seinem Sein gekommen ist. Durch sich kann es nämlich dann nicht ins Sein gekommen sein, denn es war ja einmal gar nicht. Durch die bloße Möglichkeit kann es auch nicht ins Sein gekommen sein. Denn was nicht wirklich, sondern bloß möglich ist, fängt nicht an zu sein außer durch etwas, was wirklich ist. Wäre also einmal alles nichts gewesen oder wäre alles bloß eine leere Möglichkeit gewesen, dann würde nie etwas sein. Dies aber ist nach unserem Text offenbar falsch, denn es ist etwas. Man wird diesen Satz auch von dem bloß möglichen Nicht-sein sagen können. Also ist alles Seiende durch eine ursprüngliche Wirklichkeit ins Sein gekommen. Oder wie unser Text sagt: Nicht also sind alle Seienden mögliche, es muß vielmehr etwas sein, das notwendig ist in den Dingen. „Non ergo omnia entia sunt possibilia: sed oportet aliquid esse necessarium in rebus."[6] Was nicht ist oder nicht sein kann, kommt nicht ins Sein außer durch Wirkliches. Dies ist der Kausalsatz, der sich hier ergibt. Er sagt, daß das, was das Nicht-sein als Möglichkeit bei sich hat, durch sich selbst nicht schlechthin entschieden ist in seinem Sein, dieses Entschiedensein also, das ihm gleichwohl zukommt, von einem anderen her hat, und zwar von einem wirklichen Anderen. Der Satz der Kausalität entwickelt sich folgerichtig aus dem Begriff des Könnens oder der Möglichkeit im Spielraum von Sein und Nicht-sein und aus der intellektuellen Anschauung, die bestätigt, daß nur Wirkliches wirken kann.

Die Problemstellung ist also offenbar der äquivalent, die wir erörtert haben. Sie ist äquivalent der Frage: Warum ist überhaupt etwas und nicht nichts? Denn diese Frage fragt ja zu allem Seienden angesichts seines möglichen und erwogenen Nichtseins: Warum ist es dennoch? Sie setzt die Grundbedürftigkeit des möglicherweise Nicht-Seienden und doch faktisch Seienden voraus, und zwar alles faktisch Seienden im ganzen. Unser Text sagt gerade zu diesem Problem, es müsse zur Lösung der Frage auf ein positiv Wirkliches hingewiesen werden. Denn es gibt ja nun einmal etwas, und also ist über das Sein des Seienden tatsächlich entschieden.

Aber was ist das, was nach unserem Text das Sein des Seienden begründet? Um dies zu klären, wird in einem weiteren Schritt in unserem Text darauf hingewiesen, daß es offenbar etwas geben müsse, was *notwendig* sei (und also nicht in der Möglichkeit, zu sein oder nicht zu sein) – „Non ergo omnia entia sunt possibilia:

sed oportet aliquid esse necessarium in rebus" – und in diesem Notwendigen müsse dann der Grund dafür liegen, daß das Seiende, soweit es ist in seinem Sein, entschieden ist und also klar abgehoben vom Nicht-sein. Das Notwendige müsse also die Ursache alles möglichen Seienden sein. Dazu wird aber dann ergänzend bemerkt, diese notwendige Ursache könne vielleicht ihrerseits wieder eine Ursache ihres notwendigen Seins haben usw. Aber in dieser Reihe könne man nicht ins Unendliche fortschreiten, das sei schon bewiesen worden.

Die beiden Erwägungen über die Notwendigkeit und über die unendliche Reihe gehören offenbar zusammen. Wenn man fragen kann: Warum ist überhaupt etwas und nicht nichts?, dann kann man auch versuchen, diese Frage vorläufig mit dem Hinweis auf ein weiteres vielleicht notwendiges Seiendes zu beantworten. Und dann ergäbe sich in der Tat eine unendliche Reihe von notwendig Seienden. Man mag dafür etwa an die Notwendigkeit der Naturgesetze denken.

Aber die eigentliche Frage, nämlich warum überhaupt Seiendes ist, wäre ja durch eine solche Operation nicht eigentlich beantwortet, ja es wäre ihr ausgewichen. Denn es war ja gerade die Frage, warum überhaupt etwas ist. Sie schloß also auch das ein, was eventuell als notwendig Seiendes angeführt werden könnte.

Das heißt aber, wenn die Frage überhaupt einen Sinn hat und sinnvoll beantwortet werden kann, dann kann sie nicht beantwortet werden durch den Hinweis auf ein Seiendes oder mehrere notwendig *Seiende*. Denn alles notwendig Seiende müßte wiederum befragt werden, woher es dieses notwendige Sein habe. Als notwendig Seiendes wäre es ja wiederum zunächst bloß *faktisch notwendig*, d. h. aber wieder in der Möglichkeit, so, d. h. notwendig zu sein oder auch nicht so zu sein.

Mit anderen Worten: die notwendige Notwendigkeit, vor der alle Fragen verstummen müssen, erreichen wir erst, wenn wir sie außerhalb der ganzen kleineren oder größeren Reihe von bloß Seienden aufsuchen. Das wirklich Notwendige ist nur das, was außerhalb der ganzen Reihe des Seienden steht, sei diese Reihe so groß, wie sie wolle. Dies ist der Zusammenhang der Erörterung der unendlichen Reihe und der dazugehörigen Erörterung der Frage nach dem Notwendigen.

Die ganze Überlegung über die Unmöglichkeit der unendlichen Reihe, die ja bei Aristoteles vorgebildet ist[7] und die bei Kant in den Antinomien der reinen Vernunft dialektisch wiederkehrt[8], hat nur dann einen Sinn, wenn an dieser Stelle von einer immanenten Kausalität mit einem Sprung zu einer transzendenten übergegangen wird. Wenn also das Band der Kausalität nicht mehr nur Seiendes an Seiendes bindet und so unabsehbar weiter – und vielleicht sogar notwendig Seiendes an notwendig Seiendes –, vielmehr wenn überhaupt nicht mehr nach Seiendem (d. h. solchem, dem Sein de facto zukommt) gefragt wird, vielmehr nach dem Woher des Seins des Seienden im ganzen. Das Woher des Seins des Seienden im ganzen ist selber kein Seiendes mehr, vielmehr der Abgrund jenseits alles Seienden. Er allein ist schlechterdings nicht auszulöschen, er allein ist notwendig notwendig und begründet so aus seiner abgründigen Notwendigkeit die Entschiedenheit des Seins alles Seienden, wie klein oder wie groß dessen Reihe auch sein mag und wie stark oder wie schwach die seienden faktischen Notwendigkeiten sein mögen, die etwa als Naturgesetze innerhalb der Reihe auftauchen.

Es wird hier sichtbar, daß der Übergang von einer Art des Fragens zu der anderen ein diskontinuierlicher ist. Denn es wird überhaupt nicht mehr in derselben Richtung weitergefragt.

Die Entschiedenheit des Seins des Seienden, das doch durch sich selbst nicht entschieden ist, sondern nur sein oder auch nicht sein kann und so über seinem Nicht-sein schwebt, bezeugt für das besinnliche Denken den Abgrund der Notwendigkeit jenseits alles Seienden als Wirklichkeit aller Wirklichkeit. Dies zu sehen, ist für die ganze Sache, um die es hier geht, von entscheidender Bedeutung.

Diese bedeutungsvolle Differenz des Seienden gegen den jenseits alles Seienden liegenden Abgrund der notwendigen Notwendigkeit ist zwar in unserem Text nicht ausdrücklich gemacht, und dementsprechend ist die Differenz zwischen immanenter Kausalität und transzendenter Kausalität, die über das Seiende im ganzen hinausführt, nicht eigens thematisiert. Es darf aber angenommen werden, daß dieser Unterschied gleichwohl im Sinne des thomasischen Textes liegt. Es ist nicht nur so, daß der Text nur unter dieser Voraussetzung einen kohärenten Sinn gibt. Es gibt andere Texte, die dies klar zeigen.

Man darf z. B. darauf hinweisen, daß Thomas das Absolute, nämlich Gott, prinzipiell außerhalb aller Genera ansetzt. Davon hatten wir schon Anlaß zu sprechen. Wir müssen hier darauf zurückkommen. „Deus non est in aliquo genere", dies ist ein Grundsatz für ihn[9]. Das heißt, Gott fällt nicht unter eine der möglichen Weisen zu urteilen. Die Genera sind die möglichen Weisen des Urteilens. Und da geurteilt wird gemäß den Weisen, wie etwas ist, so fällt Gott diesem Satze gemäß auch nicht mehr unter eine der möglichen Weisen, wie Seiendes ist oder wie Seiendem Sein zukommt. D. h. aber, konsequent gedacht: Gott ist überhaupt kein Seiendes, er ist das Geheimnis jenseits alles Seienden. Er ist deswegen auch in keinem Urteil faßbar. Mit der These „Deus non est in aliquo genere" wird die Differenz Gottes gegenüber allem Seienden klar durchgeführt. Damit ist dann aber auch klar, daß Thomas, wenn er im Zusammenhang eines Gedankens, der von den Dingen der Welt zu Gott führt, von Ursachen spricht, dann im Entscheidenden nicht mehr von immanenten Ursachen, sondern von der transzendenten und transzendierenden Ursache spricht.

Thomas formuliert bisweilen auch ausdrücklich einen transzendenten und transzendierenden Kausalsatz. Man darf dafür vor allem auf das fünfte Kapitel der frühen Schrift des Thomas von Aquin „De ente et essentia" hinweisen[10]. Dort ist der später weiterentfaltete Gedanke der fünf Wege in höchst konzentrierter Form ausgesprochen.

In diesem Text begegnet uns nun in der Tat eine Art Kausalsatz. Wir lesen: „Ergo oportet, quod omnis talis res, cuius esse est aliud quam natura sua, habeat esse ab alio."[11] Was ist aber das, eine Sache, deren Sein verschieden ist von ihrer Natur? Es ist eine Sache, der dieses, zu sein, *zukommt*, sofern sie ist. Dies heißt zugleich: sie muß nicht sein. Sie ist denkbar auch so, daß das Sein ihr nicht zukommt. Sie ist also denkbar unter Offenlassung der Frage, ob sie wirklich existiere oder nicht. Darum kann gesagt werden, daß dieses, zu sein oder zu existieren als zweites zu der Natur dieser Sache dazukommt und aus dieser Natur nicht direkt ableitbar ist. Eine Sache, der Sein in diesem Sinne zu-kommt, ist aber ein *Seiendes* schlechthin. Denn was heißt dies: seiend? Es heißt: etwas ist, etwas hat Sein, einem Etwas kommt Sein zu. Das prädikativisch gebrauchte „Ist" sagt das Zukommen des Seins aus. Also kann unser Satz auch so wiedergegeben werden: Alles „Seiende" hat das Sein von einem anderen.

Was aber ist dieses: das andere des Seienden? Mit dem Hinweis auf dieses „andere" überschreitet unser Satz das Seiende im ganzen. Er ist also ein transzendierender Kausalsatz. Er spricht nicht mehr davon, daß und wie ein Seiendes in einem anderen Seienden begründet sein müsse. Vielmehr davon, daß das Seiende im ganzen vom anderen alles Seienden her sein Sein und damit seinen Grund hat.

Darum läßt sich unser Satz auch durch den nachfolgenden äquivalent zum Ausdruck bringen: „oportet, quod sit aliqua res, quae sit causa essendi omnibus rebus, eo quod ipsa est esse tantum."[12] Es geht in diesem Satz offenbar nicht um das Verhältnis eines Dings zu einem anderen Ding, vielmehr um das *aller* Dinge oder alles Seiendem zu dem, was esse tantum genannt wird und was als solches das andere zu allem ens ist. Dabei wird das Paradox hingenommen, daß auch vom esse tantum einleitend als aliqua res gesprochen wird. Der Ausdruck res ist hier nicht zu pressen, wie der Kontext zeigt.

Diese Beobachtung stützt noch einmal unsere Interpretation der fünf Wege und insbesondere des dritten Weges. Wiewohl dieses an jener Stelle nicht eigens thematisiert wird, ist es doch klar aus dem engeren und weiteren Zusammenhang, daß es sich auch dort nicht um eine immanente Kausalität handeln kann, die Seiendes mit Seiendem verknüpft, vielmehr um eine transzendente und transzendierende, d.h. alles Seiende überschreitende Kausalität.

Dies sind die wichtigsten Gründe, die es uns erlauben zu sagen: die thomasischen sogenannten Gottesbeweise sind der Sache nach äquivalent mit dem von uns dargelegten Gedankengang. Es geht auch in ihnen um das Warum, das alles Seiende in Frage stellt und das über alles Seiende hinausfragt und dessen Wirklichkeit durch die Entschiedenheit des Seins des Seienden bestätigt wird. Zwar sprechen diese Texte eine andere Begriffssprache, aber sie sprechen von derselben Sache.

Indem wir rückblickend auf unseren Entwurf reflektieren in der Auseinandersetzung mit diesem wichtigsten mittelalterlichen Entwurf, wurde zudem die wichtige Unterscheidung noch einmal deutlich zwischen immanenter und transzendenter Kausalität. Sie ist entscheidend für das rechte Verständnis aller in diesen Zusammenhang gehöriger Erwägungen.

Demgegenüber ist es von geringerer Bedeutung, daß die Sinnfrage im Text der fünf Wege keine entscheidende Rolle spielt, daß vielmehr die Frage „Warum", die nach dem Grunde zurückfragt, das ganze Gedankengefüge beherrscht. Dies ist für den mittelalterlichen Denker ebenso charakteristisch, wie es für unser modernes Denken kennzeichnend ist, die Sinnfrage in den Vordergrund zu rücken. Dieser Unterschied ist interessant, aber nicht entscheidend. Dies kann man schon daran erkennen, daß in anderen Zusammenhängen die Sinnfrage auch bei Thomas wohl erörtert wird, wie umgekehrt auch wir, wenngleich an zweiter Stelle, die Warum-Frage zu erörtern suchten.

Entscheidend fürs Ganze ist, daß der Weg zum unendlichen und unbedingten Geheimnis in beiden Fällen sich im Spielraum zwischen dem Seienden als solchen und im ganzen und dem anderen des Seienden entfaltet[13].

2. Das ontologische Argument des Anselm von Canterbury

Wir wenden uns dem zweiten großen Typ der überlieferten Gottesbeweise zu, dem sogenannten ontologischen Beweis, dessen berühmteste und wichtigste Formulierung von Anselm von Canterbury stammt[14]. Um was handelt es sich dabei? Unser Text sagt zunächst, es handle sich um den Gedanken „aliquid quo maius nihil cogitari potest"[15]. Dies sei zumindest etwas „in intellectu", also etwas, was in der Kraft des Denkens gedacht wird und insofern ist. Es könne aber, was nicht größer gedacht werden kann, nicht *nur* in intellectu sein („non potest esse in solo intellectu")[16]. Das nur kraft des Denkens für das Denken Seiende wird offenbar als ein nichtiges Seiendes betrachtet, als eines, das nicht ist im eigentlichen und vollen Sinn des Wortes „ist". Es ist als nur Gedachtes nichtig.

„Esse" also heißt für unseren Text: Durch sich selbst und kraft seiner selbst sein und also unabhängig davon, ob mein Denken sich ihm zuwendet oder nicht.

Darum ist ein *nur* kraft des Denkens und für das Denken Seiendes zwar etwas, denn das Denken denkt ja etwas, aber doch ein Etwas, das als nur gedachtes nichtig und defizient ist hinsichtlich seines Seins.

Aber der Gedanke „quo maius cogitari nequit" schließt nach unserem Text Defizienz und Nichtigkeit des Seins gerade aus. Darum ergäbe sich ein Widerspruch, wenn das Gedachte des Gedankens „quo maius cogitari nequit" nur kraft des Denkens wäre und also an sich nichtig. Der Gedanke höbe sich selbst auf. Folglich schließt das Gedachte des Gedankens „quo maius cogitari nequit" das volle An-sich-Sein des absolut Größten, d. h. absolut Vollkommensten ein.

Bekanntlich sind von Anfang an viele Einwände gegen diesen Gedanken erhoben worden. Die gründlichste Kritik des ontologischen Gottesbeweises und seiner formalen Argumentation hat Kant durchgeführt. Er machte darauf aufmerksam, daß Sein kein reales Prädikat sei und daß hundert wirkliche Taler, denen also Sein zukommt, nicht mehr als hundert gedachte Taler (denen kein Sein zukommt) sind. Also folge nichts hinsichtlich des Seins aus den „realen Prädikaten". Dieser kritische Gedanke hat durchaus recht, solange man das Argument nur formal betrachtet und für die formale Betrachtung und für den Unterschied zwischen sachhaltigen (realen) Prädikaten und dem Sein (An-sich-Sein) des Prädikats entsprechend formal scharf durchführt. Es muß auch zugegeben werden, daß die anselmische Formulierung ein solches formales Verständnis nahelegen kann[17].

Allein es muß doch gefragt werden, was der Gedanke des Anselm „quo maius cogitari nequit" eigentlich bedeute und wie er ins Denken komme und schließlich wie er seine Wirklichkeit erweise.

a) id quo maius cogitari nequit

Was bedeutet der Gedanke „quo maius cogitari nequit"? Solange man im Bereich des endlichen Seienden bleibt, kann man immer noch Größeres denken, und es entsteht eine endlose Progression von Größerem zu Größerem. Diese aber erweist sich ihrerseits als unbefriedigend. Also weist dieser Gedanke auch über die entwerfbare endlose Progression hinaus. Er transzendiert von seinem eigenen Sinn her grundsätzlich die mögliche Summierung des endlichen Seienden, sei sie klein oder groß oder gar endlos. Er transzendiert jede endliche Größe und jede endliche Reihe. Er weist damit auch über alles hinaus, was man aussagen und zu Ende denken kann. Das „quo maius cogitari nequit" ist auch das, von dem man sagen muß: excogitari nequit.

Freilich hat Anselm diese transzendierende Seite seines Gedankens zwar nicht übersehen, aber doch nicht eigens thematisiert. Es liegt bei ihm eine frühe Fassung dieses Gedankens vor, in der manches nur impliziert, aber nicht voll expliziert ist. Um so mehr ergab sich für uns Anlaß zu zeigen, und zwar explizit, daß die Explikation der Transzendenz des Gedankens „quo maius cogitari nequit" sich aus diesem selbst ergibt und nicht durch einen Zusatz zustande kommt.

b) Wie dieser Gedanke ins Denken kommt

Wie kommt aber ein so großer und merkwürdiger Gedanke überhaupt ins menschliche und also endliche Denken? Gewiß nicht aus Willkür und Belieben des Menschen. Und gewiß auch nicht aus einer Berechnung bloß endlicher Größen. Denn daraus könnte ja nie das Unendliche sich ergeben. Kommt dieser Gedanke nicht vielmehr durch das Sich-selbst-Zeigen des in ihm Gedachten in unser Denken?

Denn was läßt uns im Gange der Warum-Frage etwa keine Ruhe, bei keiner noch so großen Ursache, bei keiner noch so langen Ursachenreihe stehenzubleiben, bis wir schließlich in die unüberbietbare Frage einbiegen: Warum ist überhaupt etwas und nicht nichts?

Was rückt uns dann jenes in den Blick, das jenseits alles Seienden liegt und doch alles Seiende trägt und begründet? Das ungeheure „Nichts", von dem man wirklich sagen kann: Größeres ist nicht zu denken?

Das „quo maius cogitari nequit" war immer schon da im Denken, wenn auch zumeist und zunächst unbemerkt. Es selbst erweist sich als das „Größte", es setzt sich durch in der nie beendbaren Unruhe unseres Fragens, und am Ende in der Eröffnung des Abgrundes, der alles trägt und entscheidet und der, obwohl er zuerst als „Nichts" erscheint, die Wirklichkeit aller Wirklichkeit ist. Der „Beweis" fängt wesentlich nicht irgendwo an, mag er auch empirisch beliebig einsetzen. Er fängt vielmehr wesentlich mit seinem Resultat an, dieses ist es, was schon bei seinen ersten tastenden Schritten im Denken arbeitete, dieses leitete und trieb und ihm keine Ruhe ließ, bis es sich selber in der befremdlichen Gestalt des Nichts zeigte. Dies wird also nicht aus irgendeinem Seienden heraus bewiesen, es erweist sich vielmehr selber und durch sich selber im Denken als das Ungeheure und Unendliche, das zugleich und im selben Zuge des Sich-Durchsetzens als das absolut Wirkliche, nämlich als das alle Wirklichkeit Tragende erscheint.

c) Der Erweis der Wirklichkeit

Wie aber erweist schließlich das unendliche Geheimnis für unser Denken seine Wirklichkeit? Wie tritt es zutage, daß das erscheinende Nichts kein nichtiges Nichts ist, vielmehr die verborgene Erscheinung der unendlichen Macht selbst?

Auch in dieser Hinsicht muß betont werden, daß der Übergang zur Wirklichkeit nicht durch einen bloßen Gedanken gemacht wird, vielmehr wiederum durch die Sache selbst, so wie sie sich im Denken als es anfordernd und in Bewegung setzend als wirksam erweist, allerdings in der dialektischen Auseinandersetzung mit der Bestimmtheit des Seienden im ganzen. Darauf einzugehen legt Anselm freilich keinen besonderen Wert. Aber im Blick auf ihn muß doch betont werden: Das Denken hat das Absolute nicht erst irgendwoher herbeizuschaffen oder zu konstruieren, es hat dessen Wirklichkeit nicht erst aus seiner gedanklichen Konstruktion zu entwickeln, es hat vielmehr seinem Sich-selber-Durchsetzen nur Raum zu geben und Aufmerksamkeit zu schenken im Gesamtraum des Seins alles Seienden. Insofern der Anselmische Gedanke dies ausdrückt, drückt er jenseits aller leeren Formalisation eine große Wahrheit aus.

Dasselbe läßt sich auch aus unserem Rückblick auf unseren ersten Gedanken sagen, dessen Nerv – wir erinnern daran – das Sinn-Postulat des Menschen war. Warum setzen wir in all unseren Lebensvollzügen Sinn voraus? Warum zeigt sich die Sinnvoraussetzung in den entscheidenden Vollzügen, nämlich den konkret ethischen als einsichtig gebotene? Warum läßt das, was also sich selber zeigt und keineswegs nur von uns gedacht ist und was uns immer in Anspruch nimmt, warum läßt es uns keine Ruhe bei irgendeiner endlichen Sinngestalt und treibt uns schließlich in die abgründige Frage: Was Sein und Dasein überhaupt und im

ganzen für einen Sinn haben? Rückt nicht das „Nichts" jenseits
alles Seienden schließlich in die Bahn unseres Blickes, und zeigt
es dann nicht selber, daß es als nichtiges Nichts keinen Sinn habe
und keinen Sinn geben könne? „Id quo maius cogitari nequit"
setzt sich auf diesem Wege selber durch und erweist selbst seine
Wirklichkeit aus der Einsicht, daß ein nichtiges Nichts weder uns
noch allem, was ist, Sinn geben könne.

Allerdings darf uns auffallen, daß in dem Anselmischen Gedankengang diese „Vermittlung" der Wirklichkeit des unendlichen
Geheimnisses durch die Entschiedenheit des Seins des endlichen
Seienden keine besondere und betonte Rolle spielt und schon gar
nicht dessen „Vermittlung" durch das Sinnpostulat. Dies zeigt
noch einmal, daß bei Anselm eine Frühform des Gedankens vorliegt, in der wichtige Züge noch impliziert, aber noch nicht expliziert sind.

Und zudem muß dazu bemerkt werden, daß diese „Vermittlung" das Sich-selber-Zeigen des ewigen Geheimnisses nicht aufhebt. Dieses eröffnet vielmehr einerseits selbst seine unendliche
und unbedingte Dimension, und diese wird also nicht aus dem
Endlichen herausgerechnet. Und wenn das Erscheinen des
Geheimnisses zunächst in der Zweideutigkeit des Nichts begegnet, die erst entschieden werden muß dadurch, daß sich bei der
negativen Deutung des Nichts ein Widerspruch mit dem Endlichen ergab, so ist daran zu erinnern, daß auch dieser Widerspruch
sich selbst zeigt und daß in ihm sich das Geheimnis selbst als
Wirklichkeit aller Wirklichkeit anzeigt.

Dieser Charakter des Sich-selbst-Zeigens ist im Anselmischen
Beweis mit Recht festgehalten, und es erscheint ja auch in ihm
der Widerspruch, der sich bei negativer Deutung der Erscheinung
des Unendlichen (nämlich als „id quo maius cogitari nequit" bloß
„in intellectu" nicht „in re") ergibt. Er soll nicht als ein bloß formaler Widerspruch betrachtet werden.

Gewiß macht der Anselmische Gedanke diese Unterscheidungen nicht explizit, die wir heute in dieser Hinsicht hervorheben
müssen. Aber er hat die entscheidenden Momente schon gesehen.

Er macht uns insbesondere mit Nachdruck darauf aufmerksam, daß der Gedanke an das, was größer nicht gedacht werden kann, sich selbst erweist. Dies ist von großer und bleibender Bedeutung, wie sich noch zeigen wird.

So kann das Anselmische Argument, formal verschlüsselt, wie es ist, doch als ein Ausdruck der einzigartigen Logik der Überlegungen verstanden werden, mit denen wir uns beschäftigt haben. Es weist, so verstanden, auf sie zurück, und es läßt an ihnen diesen wichtigen Zug deutlich hervortreten: daß das Unendliche kein bloß Ausgedachtes, kein Menschengemächte ist, daß es vielmehr sich selbst im Denken der Menschen durchsetzt, vorausgesetzt, daß dieses ihm Raum und Aufmerksamkeit gewährt[18].

So fällt auf große überlieferte Gedanken Licht von unseren Gedanken her, und umgekehrt werden unsere Gedanken in entscheidenden Zügen deutlicher, indem sie sich in der Überlieferung spiegeln und in Verwandlung wiedererkennen.

Wenn es aber so ist, daß sich das ewige Geheimnis selber anzeigt in unserem endlichen Gedanken, dann wird das Faktum des tatsächlich verbreiteten Unglaubens zu einem Problem. Wenn das Absolute von Anfang an und von sich aus das Denken in Anspruch nimmt und sich schließlich in ihm durchsetzt, wieso gibt es dann viele Menschen, die nicht an das Unbedingte glauben? Der Unglaube ist dann ein dringenderes Problem als der Glaube. Wir stellen es für den Augenblick zurück, um später wieder darauf zurückzukommen.

3. Kants Kritik der Gottesbeweise

Von allen Gedanken, die unserer Sache, der Erkenntnis Gottes gewidmet sind, ist der von Immanuel Kant einer der wichtigsten. Er hat auch eine ungeheure Wirkungsgeschichte für das ganze neuere Bewußtsein heraufgerufen. Darum müssen wir uns schließlich fragen, wie unsere eigenen Versuche sich im Spiegel der Strenge und Größe des Kantischen Gedankens ausnehmen. Es geht bei Kant in der „Kritik der reinen Vernunft", an die wir uns hier vor allem halten, um die Möglichkeit der Metaphysik als Wissenschaft. Dabei wird vorausgesetzt, daß Gott der wichtigste Gegenstand dessen ist, was Kant Metaphysik nennt. Nach der Möglichkeit der Metaphysik als Wissenschaft fragen heißt also: nach der Möglichkeit einer wissenschaftlichen Gotteserkenntnis fragen. Was aber ist Wissenschaft und wissenschaftlich? In der Vorrede zur zweiten Auflage[19] ist davon die Rede, daß es sich um Erkenntnisse handle, die zum Vernunftgeschäft gehören, und darum, ob sie den sicheren Gang einer Wissenschaft gehen oder nicht. Die Wissenschaft ist gekennzeichnet durch den sicheren Gang der Erkenntnisse, und zwar der objektiven Erkenntnisse, die – weil sie sicher gehen – Erfolg versprechen. Das Modell solcher Wissenschaften sind für Kant die Mathematik und die Naturwissenschaften. Es geht also darum, ob eine Gotteserkenntnis möglich ist nach dem sicheren Modell von Mathematik und Naturwissenschaften. Dabei erkennt Kant wohl, daß die neuere Entwicklung von Mathematik und Naturwissenschaften etwas revolutionär Neues im geschichtlichen Gang der menschlichen Vernunft gebracht hat. Er sagt von ihnen: Sie seien „durch eine auf einmal zu Stande gebrachte Revolution das geworden [...], was sie jetzt sind"[20]. Das Unternehmen Kants weiß sich also dem spezifisch neuzeitlichen Ideal der Wissenschaft zugeordnet, und gerade auch dort, wo es sich um die Möglichkeit der Metaphysik, d.h. der sicheren objektiven Gotteserkenntnis, handelt.

Innerhalb einer solchen Grundorientierung erscheint Gott durchaus konsequent für die Vernunft als das Ideal der reinen Vernunft. Das Ideal ist nach Kant die Idee „in individuo, d.i. als einzelnes, durch die Idee allein bestimmbares oder gar bestimmtes Ding"[21]. Damit ist gesagt, daß der Begriff Gottes vor allem als der Begriff eines Dings angesetzt ist. Wir würden heute sagen als der Begriff eines Seienden. Das Ding oder das Seiende ist bei

Kant, wie alles Seiende und wie seit alters, bestimmt durch eine Wesenheit oder ein Was. Durch diese Bestimmung läßt sich an ihm wie an allem Seienden unterscheiden zwischen dem Daß und dem Was, der Existenz und der Wesenheit. Aus diesem Grundriß eines Dings ergibt sich die Forderung nach einer sicheren objektiven Erkenntnis. Die Erkenntnis muß die Existenz und das Wesen zum Vorschein bringen.

Daß Kant den Begriff Gottes und im Zusammenhang damit den Gang der Gotteserkenntnis wie selbstverständlich so ansetzt, ist kein Zufall. Dieser Ansatz hängt vielmehr mit der genannten Revolution des Denkens zusammen und mit den von ihr hervorgebrachten geschichtlichen Notwendigkeiten des neueren Seinsverständnisses, demgemäß alles, von dem man etwas wissen und sagen kann, den Charakter eines Seienden trägt, das man in seiner Existenz und in seiner wißbaren Wesenheit oder Bestimmung fassen kann aufgrund einer objektiven und allgemeingültigen Methode.

Dinge sind nach Kant sogar durchgängig bestimmt durch Prädikate. Die Prädikate kommen den Dingen zu, und in ihnen werden die Eigentümlichkeiten ausgesagt, die ihnen wiederum zukommen[22].

Durch diese Bemerkung wird die zusammengesetzte Natur der Dingvorstellung und damit auch der Gottesvorstellung verstärkt. Alle Dinge und auch Gott werden betrachtet, insofern sie zusammengesetzt sind aus Existenz und Essenz, aus Subjekt und Prädikat. Damit sind Voraussetzungen gegeben für das, was auch „ens summum" genannt wird[23] und die für seine mögliche oder unmögliche objektive Erkenntnis die größten Konsequenzen haben.

Will nun die Vernunft sich eines so verstandenen Gottes versichern, so kann sie dies nur tun mit Hilfe sicherer allgemeingültiger Prinzipien. So geht die Vernunft ja auch in den übrigen Wissenschaften vor.

Das allgemeingültige Prinzip, das in unserem Falle zur Anwendung kommen kann und soll, kann aber nicht das des Widerspruchs sein. Denn dies würde zur Folge haben, daß der Satz:

„Gott existiert" nur eine „elende Tautologie"²⁴ darstellt. Er würde also nichts aussagen, was den bloßen Gedanken überschreitet. Er würde über die wirkliche Existenz Gottes überhaupt nichts sagen. Unter dieser Voraussetzung und im Rahmen dieses Verständnisses ist also ein ontologischer Beweis vom Dasein eines höchsten Wesens aus bloßen Begriffen und mit Hilfe des bloßen Prinzips des Widerspruchs eine verlorene Arbeit²⁵. Benützt man aber unter den vorliegenden Voraussetzungen den Kausalsatz, so ist man nur zum Schein besser daran. Man benützt auch ihn im Sinne eines allgemeingültigen transzendental begründbaren Prinzips, eines Prinzips also, das den Kontext möglicher Erfahrung erst möglich macht und darum nur für diesen Kontext gilt. Das Prinzip gibt somit auch nur die geregelte Folge der Erscheinungen an.

Dies führt aber dazu, daß man dann, wenn von einem Ding gezeigt werden soll, daß es hinsichtlich seiner Existenz notwendig sei und hinsichtlich seiner Wesenheit allvollkommen, und wenn man dazu den so verstandenen Kausalsatz benützt, nur zu einer faktischen Notwendigkeit kommt. Das solchermaßen als notwendig am Anfang der Kausalreihe gedachte Wesen ist in der Tat nur faktisch notwendig. Das Faktische ist das, dessen Notwendigkeit man hinzudenken oder auch wegdenken kann. Darum müßte sich ein solches Wesen nach Kant selber fragen: „Aber woher bin ich denn?" Kant fügt hinzu: „Hier sinkt alles unter uns, und die größte Vollkommenheit, wie die kleinste, schwebt ohne Haltung bloß vor der spekulativen Vernunft, der es nichts kostet, die eine so wie die andere ohne die mindeste Hindernis verschwinden zu lassen."²⁶

Diese Überlegung zeigt aber auch, daß auch die Wesenheit und ihre Bestimmung, nämlich die Allvollkommenheit, zwar ein berechtigtes Ideal darstellt, aber dessen Zusammenhang mit der Notwendigkeit der Existenz aufgrund der gegebenen Voraussetzungen nicht darzutun ist. Auch gilt für die Allvollkommenheit, daß sie deswegen nicht aus der Welt erschlossen werden kann, weil es sich um einen bloß formalen Kausalsatz handelt und weil seine inhaltliche Voraussetzung, nämlich die Welt, höchstens eine proportionale Ursache fordert, d. h. eine, die allenfalls so groß ist wie die Welt, aber deswegen noch lange nicht unendlich groß. Deswegen sagt Kant mit Recht, daß man aufgrund eines solchen Beweises höchstens auf einen Weltbaumeister, aber nicht auf einen Weltschöpfer schließen könnte[27].

Aber Kant sagt noch radikaler und wiederum durchaus konsequent, daß der Begriff der Ursache ebenso wie der des Zufälligen in solchem bloß spekulativen Gebrauch, der also über alle Erfahrung im Sinne Kants hinausgeht, alle Bedeutung verliert[28].

Darum ist auch auf eine objektive Weise und unter den Voraussetzungen Kants in der Tat der Schluß zur absoluten Totalität (d. h. zur Allvollkommenheit) ebensowenig möglich wie der Schluß zur notwendigen Notwendigkeit der Existenz.

Es gibt unter diesen Umständen keine objektive und objektiv sicherbare und wissenschaftliche Gotteserkenntnis. Und da man hier die Bedingungen des in der Neuzeit vorherrschenden Denkens und Seinsverständnisses auf eine programmatische Weise vor sich hat, muß man sagen: In der nun vorherrschenden Denkweise gibt es keine Gotteserkenntnis. Und falls die Gottesbeweise doch im Rahmen dieser Denkweise versucht werden, wie es doch wohl nicht selten geschehen ist, so müssen sie sich auch heute noch die Kritik Kants gefallen lassen.

Gerade durch diese Überlegung fällt aber neues Licht auf unsere Gedankengänge. Denn sie führen ja von vornherein über das objektivierbare Sichern von Seiendem hinaus. Sie stützen sich im Entscheidenden auf eine Erfahrung, wie Kant sie noch gar nicht in Betracht ziehen konnte und wie die ganze moderne Wissenschaft sie nicht in Betracht ziehen kann, nämlich auf eine nicht sinnlich versicherbare Erfahrung, die Erfahrung der Selbstgegebenheit des unendlichen und uns unbedingt in Anspruch nehmenden Geheimnisses. Und es zeigte sich ja auch in dieser entscheidenden Erfahrung, daß dieses Geheimnis jenseits des Seienden und seiner Objektivierbarkeit liegt.

Es zeigte sich desgleichen, daß die Warum-Frage ebenso wie

die Frage „Wozu" nicht nur einen immanenten Gebrauch haben, sondern gerade auch einen transzendierenden und transzendenten, dessen Recht sich ausweist durch das moralisch-evidente Sinnpostulat, das ja auch Kant anerkennt und durch die transzendentale Entschiedenheit des Seins des Seienden, die jenseits der faktischen Zufälligkeit des Seienden liegt, jener Zufälligkeit, die Kant ebenso wie die moderne Wissenschaft allein in Betracht zieht.

Darum kam in unseren Überlegungen die transzendente und transzendierende Kausalität zusammen mit der entsprechenden Finalität und in grundsätzlicher Differenz gegen alle immanente und ontische Kausalität und Finalität in den Blick, etwas, was Kant von seinen Voraussetzungen aus nicht in Betracht ziehen konnte.

Unsere Gedankengänge bewegen sich also jenseits der Kantischen Kritik und damit auch jenseits des Kompetenzbereiches der modernen Wissenschaft. Gott wird nicht bewiesen etwa so, wie man ein bisher unbekanntes Elementarteilchen oder ein bisher unbekanntes Gravitationszentrum beweisen könnte.

Kants Gedanke verpflichtet uns, diese Abgrenzung, diese Bewegung des Gedankens jenseits des Ontischen und des Objektivierbaren deutlich durchzuführen. Die Auseinandersetzung mit Kant muß also unser Methodenbewußtsein, das unsere Überlegungen leitete, verschärfen. Und sie bestätigt kritisch die Weise unseres Vorgehens gerade in ihren entscheidenden Grundzügen. So hilft sie indirekt und kritisch, unsere Sache noch klarer zu machen.

§ 8. Der personale Zug des absoluten Geheimnisses

Darf man das absolute und unendliche Geheimnis personal verstehen? Darf man zu ihm „Du" sagen? Darf man, „Du" sagend, es anreden und also zu ihm beten? Anrufung und Gebet gehören offenbar zum Grundbestand religiösen Verhaltens. Indem wir also den personalen Zug des absoluten Geheimnisses erörtern, erörtern wir auch den Grund der Möglichkeit der religiösen Vollzüge, vor allem des Gebetes, und wir erörtern so das große Geheimnis selber als ein religiöses Geheimnis.

Wenn wir aber über den personalen Zug des unendlichen Geheimnisses nachdenken, versuchen wir dann nicht, einen Grundzug unseres menschlichen und mitmenschlichen Verhaltens auf dieses zu übertragen und anzuwenden? Darf man das? Ist diese Analogie zulässig? Wir werden im Zusammenhang unserer Überlegungen über diese Frage nachdenken müssen. Aber zunächst müssen wir uns über diesen Grundzug überhaupt klarwerden. Was heißt Personalität? Wir müssen ja zunächst wissen, wovon wir überhaupt reden, wenn wir von dem personalen Zug reden. Um diese einführende Erörterung durchzuführen, müssen wir allerdings notwendig auf unsere menschlichen und mit-menschlichen Lebensformen blicken und uns an ihnen orientieren. Wir tun dies also, um über die Frage nach der Berechtigung der Übertragung solcher personaler Kategorien auf das Absolute später nachzudenken.

1. Was heißt personal?

Was meinen wir, wenn wir vom personalen Zug des Verhaltens sprechen? Wir können dies am besten sagen, indem wir auf die Handlungen, vor allem die menschlichen Sprachhandlungen, eingehen, in denen der personale Zug hervortritt. Wenn wir z.B. einen anderen Mitmenschen mit Du anreden, dann bewegt sich diese anredende Handlung offenbar im personalen Bereich, vielleicht eröffnet sie gar den personalen Bereich. Die Du-Anrede ist die Sprachhandlung, in der der personale Zug mit Vorzug sich zeigt. Wir können sagen: Personen sind solche Seiende, die wir sinnvollerweise mit Du anreden können. Im Vollzug der Du-Anrede erscheint das Personale.

Diese Handlung, die Du-Anrede, ist ein elementares und einfaches Geschehen. Es setzt nichts voraus und beginnt mit sich selbst. Und es ist auch nicht zusammengesetzt, obwohl es mehrere Aspekte und mehrere Momente umfaßt. Geschieht es, so ist es durchaus einfach.

Wir wollen trotzdem versuchen, die phänomenalen Gehalte der Du-Anrede begrifflich auseinanderzulegen, damit der Gehalt dieser Anrede deutlich wird. Nur wollen wir uns darüber klar sein, daß dies eine indirekte Methode ist. Sie drückt notwendig das Elementare und Einfache, was geschieht, wenn ein Mensch einen anderen mit Du anredet, auf die Seite, um die darin enthaltenen Momente einzeln herauszuheben. Im Geschehen selber aber sind sie nicht einzeln herausgehoben, sondern es geschieht das Ganze ganz einfach. Wir nehmen diesen Umstand hin, um über die Zusammenhänge klarer zu werden. Aber wir müssen am Ende alles wieder ins Einfache und Unmittelbare des Geschehens, des Ereignisses, des Erlebens selber zurückübersetzen.

a) Selbstvollzug

Die Du-Anrede redet den Angeredeten als *ihn selbst* an. Sie bezieht sich auf das Selbst des Angeredeten und vollzieht auf ihre Weise dieses Selbst: Du selbst.

Das Selbst ist darin verstanden als ein rückbezügliches. Es wird vollzogen als eines, das sich auf sich selbst zurückbezieht, indem es für sich da ist und in sich gelichtet ist und weiter, indem es sich auch vollzieht und sich aus sich selber als es selbst bewegt. Du meinst ein Selbst, das sich selbst besitzt und sich selbst vollzieht.

b) Anfangen können

Von Menschen, die man mit Du anreden kann, d. h. als sich selbst helle und sich selbst vollziehende, von denen erwartet man, daß sie *antworten* können. Die Anrede Du hat nur einen Sinn, wenn sie mit der Möglichkeit einer Antwort rechnet. D.h., sie versteht ihren Partner als einen, der von sich selber aufbrechen und als er selbst sich uns gegenüber äußern kann.

Zu dem, was das Wort Du als wirklich gesprochenes also meint, gehört also auch die Fähigkeit der Antwort und damit die Fähigkeit des Aufbruchs, des Anfangenkönnens, der Ursprünglichkeit. Es gehört dazu der antwortende Ur-sprung, der nichts voraussetzt als das frei sich selbst gehörende Selbst und der aus dieser Freiheit aufbricht und aufspringt und antwortend zu mir spricht. Es ist wichtig zu sehen, daß das Antwortenkönnen, das zum Du gehört, nichts voraussetzt und also nicht verstanden werden kann und nicht verstanden wird als Folge eines vorliegenden und feststellbaren Zustandes. Es ist freier Anfang oder freier Ursprung aus dem Selbst.

Man mag dabei wohl daran denken, daß ein solcher antwortender Anfang in einen Komplex von vorausliegenden Bedingungen eingewoben ist, z.B. solchen psychologischer oder sozialer Art. Dann legt sich freilich einiges über bestimmte Züge der zu erwartenden Antwort nahe und läßt sich sogar vielleicht voraussagen. Entscheidend aber ist es auch dann und gerade dann für das Verständnis des personalen Du, daß im Rahmen solcher Komplexe doch *Du selbst* anfängst und antwortest und damit doch wieder ein reiner Ursprung, wie sehr dieser Anfang auch eingebettet sein mag in determinierende Zusammenhänge.

Dies wird vor allem deutlich daran sichtbar, daß in dem Falle, in dem wir nur mit solchen psychologischen oder sozialen Determinanten zu tun haben und mit sonst nichts, das Du als personale Kategorie gar nicht erscheint und auch nicht am Platze ist. Denn dann geht es nur um sachliche Feststellbarkeit: es ist so und so; es ist dies und jenes zu erwarten. Sobald in solchen Es-Aussagen aber das Du auftritt, überschreitet es diese sachlichen Zusammenhänge, wie sehr es mit ihnen auch rechnen mag, in einen qualitativ neuen Horizont hinein: den der freien Ursprünglichkeit des Personalen.

So können wir sagen: Das personale Du meint sich selbst besitzende und aus sich selbst aufbrechen könnende Ursprünglichkeit.

c) Kommunikation

Das Personale hat darüber hinaus den eigens ihm zugehörigen *Ort*; es gehört in den Zusammenhang von Person und Person, in das Geschehen der personalen Begegnung, in die lebendige Kopersonalität. Schon die einfache Anrede Du ist eine Rede, in der *ich zu dir* Du sage und sich also eine Begegnung zwischen zwei Personen ereignet. Es wird aus diesem Zusammenhang sichtbar, daß nur in einer solchen ko-personalen Begegnung sich das Du ereignen kann. Sie ist der spezifisch zugehörige Ort, der es ermöglicht, daß das Du und damit die Personalität sich ereignet und in Erscheinung tritt. Das personale Selbst ist wesentlich dialogisch konstituiert.

Findet sich also eine Person bloßen Sachen gegenüber und ohne die Möglichkeit einer dialogischen Kommunikation, dann ist sie ortlos, und als ortlose ist sie sie selbst nur in einem defizienten Modus. Ihrer Personalität fehlt in diesem Fall ein integrierendes Moment, nämlich die Möglichkeit der personalen Antwort. Die Dinge der Welt stehen dann nur so herum, und keines von ihnen berührt mich, keines von ihnen ruft mich an. Ich bin zwar auch in diesem Falle ich selbst, ich bin es aber wie in einem leeren Raum, es fehlt mir der spezifisch zu mir gehörige Ort oder die zu mir gehörende Gegend: der Dialog.

Darum müssen wir sagen: Person ist ein sich selbst besitzender Ursprung, der wesentlich in einen dialogischen Zusammenhang gehört, in den Zusammenhang der Begegnung von Ursprung mit Ursprung.

d) Welthorizont

Personen haben aber darüber hinaus auch noch einen zu ihnen gehörigen *Horizont*. Das Du und auch der Zusammenhang von

Ich und Du sind keine isolierten Punkte oder isolierten Pole. Indem ich dich anrede, rede ich dich ja an *wegen etwas im Bezugsgefüge meiner Welt.* Ich sage nicht Du allein. Ich sage vielleicht: Du, ich will dir etwas zeigen. Oder: Du, gib acht und hüte Dich vor jenem. Oder ähnliches. Indem ich das Du ausspreche, spreche ich es in einem Horizont von Welt aus, in dem ich mich bewege dir gegenüber. Und ich verstehe auch dich als welthabend, sonst könnte ich nicht so zu dir sprechen. Das personale und das ko-personale Leben stehen von vornherein in einem Weltzusammenhang. Das Sagen des Du ist eine Bewegung in meiner Welt, und das Antworten oder Antwortenkönnen von dir her ist eine Bewegung in deiner Welt, und indem Anrede und Antwort geschehen, wird aus deiner Welt und meiner Welt eine einzige Welt, unsere Welt. In ihr bewegen sich Anrede und Antwort, in ihr geschieht das personale Geschehen.

Der Welthorizont, der im personalen Geschehen je und je mitvollzogen wird, ist also der Horizont meiner und deiner und schließlich unserer Welt. Ich nehme an deiner Welt teil, und du nimmst an meiner Welt teil. Gerade in solcher gegenseitigen Teilnahme wird die Welt unsere Welt. Im Geschehen der dialogischen Begegnung bleiben wir bezogen auf die Welt, und die Welt bleibt bezogen auf uns. Und gerade so sind wir auch jeweils auf uns selbst und zugleich aufeinander bezogen.

Der Welthorizont, der zu allen personalen Bezügen dazugehört, ist grundsätzlich unbegrenzt. Er erscheint zwar zunächst in seinen Grenzen. Aber wir könnten ja nicht miteinander über die Grenzen etwa unseres Wissens oder unseres Könnens sprechen, wenn wir nicht diese Grenzen ziehen würden in einen Bereich, der je weiter ist als die Grenzen und der sie überschreitet. Der zum Personalen gehörende Horizont ist grundsätzlich unbegrenzt, sonst könnte überhaupt nicht von Grenze gesprochen werden. Und darum können Personen miteinander über alles Denkbare und sogar auch über alles Undenkbare miteinander sprechen.

In diesem Zusammenhang ist es besonders wichtig zu sehen,

daß im Welthorizont das personale und dialogische Leben eine besonders intensive und ausgezeichnete Form des Lebens und damit des Seins des Seienden darstellt. Das Gespräch zwischen dir und mir, dieses Hinüber und Herüber und Zwischen *ist* etwas, ist also Sein des Seienden, und zwar u. u. von der größten und dichtesten Bedeutsamkeit: von der Bedeutsamkeit von Freundschaft oder Liebe oder auch Streit oder Schicksal und vielem anderen. Gerade im personalen Leben glüht und leuchtet das Sein des Seienden.

Und was den Welthorizont des Seins des Seienden angeht, so muß gesagt werden, daß der ganze Welthorizont seine entscheidende Bedeutsamkeit vom personalen Leben und vom Geflecht der personalen Bezüge erhält. Das Personale strahlt sozusagen das Licht und die Farbe der Bedeutsamkeit übers Ganze der Welt aus. Von ihm her und auf es hin erschließt sich erst die Bedeutsamkeit des Seins des Seienden der Welt zusammen mit der Bedeutsamkeit von Du und Ich und Wir.

Als bloß materiell Vorhandenes ist das Sein des Seienden leer und blind und ohne Bedeutsamkeit, solange es nur für sich ist und nur für sich betrachtet wird. Sobald aber Personen auftauchen und personale Bezüge, dann kann die eine Person der anderen Person alles Vorhandene und alles Denkbare der Welt *zeigen*. Und dann erscheint gerade im Lichte solches ko-personalen Zeigens das Ganze der Welt in der Helle, Bestimmtheit und Bedeutsamkeit seines Seins. Erst jetzt kann gesagt werden: Siehe, alles dies ist da; und in diesem „siehe" liegt zugleich der Sinn: wie merkwürdig, wie wichtig, wie bedeutsam ist das.

In diesem Sinne kann gesagt werden: Die personalen Vollzüge entfalten mit ihrem eigenen Sein auch das Sein der ganzen Welt oder des Seins des Seienden im ganzen und dies vor allem hinsichtlich der Bedeutsamkeit. Personen haben einen Welthorizont, und sie erschließen allererst den Sinn und die Bedeutsamkeit der Welt und damit des Seienden im ganzen.

Personen sind also sich selbst gehörende Ursprünge, die in einen Zusammenhang von Ursprung und Ursprung gehören und als solcher zugleich das Sein des Seienden im ganzen hinsichtlich seiner Bedeutsamkeit erschließen.

Wenn man dies so sagt, erscheint dies sehr kompliziert. Aber alles dies geschieht in dem einfachen Geschehen, in dem ein Mensch einen anderen mit Du anspricht. Die Personalität ist so zugleich das Einfachste und das Reichste, was es gibt.

Auf diese Zusammenhänge ist in neuerer Zeit öfters aufmerksam gemacht worden, vor allem von Franz Rosenzweig[1], von Ferdinand Ebner[2] und von Martin Buber[3] und ihnen folgend neuerdings von Bernhard Casper[4] und von Michael Theunissen[5]. Es ist auch in dieser Zeit von eminenter Bedeutung, darauf aufmerksam zu machen. Denn mit der Objektivität der wissenschaftlichen Welt und mit ihrer Erscheinung als Weltanschauung wird weitgehend ein rein sachliches und funktionales Modell des Seinsverständnisses über das Ganze ausgebreitet, so daß alles nur als das Vorhandene und in seiner Feststellbarkeit erscheint. Aber dies ist eine Täuschung, die schon daraus hervorgeht, daß auch die Wissenschaft den größten Wert darauf legen muß, sich mitzuteilen. Damit bewegt sie sich oft, ohne es zu merken und eigens darauf einzugehen, im ko-personalen Raum. Dieser ist also für das Weltverständnis im ganzen unentbehrlich und grundlegend.

Er ist damit grundlegend auch für das religiöse Verständnis des Absoluten. Darüber wollen wir im Folgenden sprechen, anknüpfend an unsere früheren Gedanken.

2. Sinnfrage und Personalität

Um die Frage zu untersuchen, ob wir Grund haben, das unendliche und unbedingte Geheimnis personal zu verstehen, blicken wir unter diesem neuen Gesichtspunkt noch einmal auf die beiden Wege zurück, die uns schließlich zu diesem Geheimnis führten.

Da war zuerst die Frage nach dem Wozu oder dem Sinn unseres Daseins in der Welt. Diese Frage war schon als Frage von einem personalen Horizont bestimmt, darauf gilt es jetzt zu achten. Sie geht von unserem Leben aus, das wir miteinander in personaler Kommunikation und Solidarität führen. Darum fragt die große Frage eigentlich: Was hat *unser* Leben für einen Sinn?

Und wo es um die absolute Geltung des Sinnpostulates geht, die in diesem Zusammenhang so wichtig ist, ist es gewiß nicht zufällig, daß dieses Postulat gerade dann in seiner absoluten Geltung erscheint, wenn es um Verantwortung gegenüber Mitmenschen und also Mitpersonen geht.

Insofern kann man sagen: Schon der Weg und der Ansatz, der zum absoluten Geheimnis führt, fangen im personalen Bereich an.

Zwar denken wir oft nicht daran, aber dies hindert doch nicht, daß dieser so wichtige Ansatz in einen personalen und ko-personalen Horizont gehört.

Auch muß zugegeben werden, daß dieser Horizont oft nicht erfüllt ist und wir uns also allein und verlassen fühlen. Aber auch dann ist der Horizont da, wenn auch als unerfüllter, und die Mitmenschen sind da, wenn auch als entbehrte. Und also ist die Frage, die sich ja auch dann stellt, wenn wir alleine sind, wiederum personal mitbestimmt, die Frage: Was hat mein Leben eigentlich für einen Sinn? Der Ausgangspunkt unserer ganzen Überlegung hat schon eine personale Struktur. Dieser personale Ausgangspunkt entscheidet zwar die Frage nach der Personalität des Absoluten und Unbedingten noch nicht, aber er ist doch in diesem Zusammenhang bedeutsam genug.

Entscheidend aber ist, daß wir von diesem Ausgangspunkt aus schließlich nach dem Absoluten und Unbedingten fragen und dort die Antwort finden wollen. Sie findet sich, wie wir sahen, auch, und zwar letzten Endes in dem unendlichen und unbedingten Nichts, das auf uns zukommt. In ihm fanden wir ja Grund, die verborgene Erscheinung der unendlichen und unbedingten Macht zu vermuten, die allen Sinn unseres Daseins gewährleistet und verwahrt.

Dann müssen wir aber fragen: Könnte jene Macht unserem

Dasein wirklich Sinn geben und Sinn verwahren, wenn sie a-personal verstanden werden müßte, also etwa als ein absolutes Prinzip, das um sich selbst nicht wüßte, oder als ein starrer Fels von Sein, der gleichfalls um sich selbst nicht wüßte? Könnte etwas für uns von absoluter Bedeutsamkeit sein, das für sich selbst nichts wäre so wie ein lebloses Ding oder ein sich selbst nicht wissender Satz? So etwas könnte und müßte auch für uns als Nichts genommen werden, und zwar vor allem dort, wo es um die ethische Entscheidung geht, d.h. aber, es müßte deren ethische Substanz zunichte machen. Dies aber geht aus einsichtigen Gründen, wie wir sahen, nicht an. Sinn gewähren kann also in der Tat nur eine Macht, die sich selbst hell ist und sich selbst vollzieht und für die auch wir hell sind. Eine Macht, die auch aufbrechen kann, uns zu antworten, sofern wir zu ihr rufen. Die Frage nach Sinn setzt die personale Antwort voraus, und das Postulat von Sinn, das, wie wir sahen, zu unserem Leben gehört, ist selber nur sinnvoll, wenn es eine personale Sinnmacht postuliert und voraussetzt. Die personale Struktur gehört also nicht nur zur Frage nach Sinn, sie gehört auch zur Antwort.

Ja man darf und muß in diesem Zusammenhang sogar sagen: Sie gehört mit zur apriorischen Gegebenheit des Sinnes im Sinnpostulat angesichts des unendlichen und unbedingten Geheimnisses. Denn nur so verstanden ergibt es einen Sinn. Alles andere aber ergibt keinen Sinn.

In diesem Zusammenhang braucht also die Personalität der unendlichen und unbedingten Macht auch nicht als eine Übertragung irgendeiner menschlichen Kategorie auf das Außerirdische und Übermenschliche verstanden zu werden, sie taucht vielmehr aus dem Zusammenhang selbst auf, von dem zu reden war, ja eigentlich geht sie unmittelbar aus der Gegebenheit jenes Geheimnisses hervor, wie dieses uns begegnet.

Was allerdings die dialogische Natur des Personalen angeht, die wir im mitmenschlichen Modell gefunden haben, und auch den Welthorizont, den wir gleichfalls an diesem Modell ablesen, so kommen wir damit in Schwierigkeiten, wenn wir diese beiden

Kategorien auf das unbedingte Geheimnis anzuwenden versuchen. Denn da wir Grund haben, es als Unbedingtes zu verstehen, so können wir es nicht von der Bedingung anderer und schon gar nicht von der Bedingung endlicher Personen abhängig sein lassen. Wir können es auch nicht von der Bedingung der endlichen und bloß faktischen Welt abhängig denken, die zu uns Menschen gehört. Die dialogische Struktur der Personalität ebenso wie ihr Welthorizont gehören, das sehen wir nun, zur endlichen Erscheinung der Personalität. Sie kann also nicht ohne weiteres geltend gemacht werden dort, wo es um das Unbedingte und Unendliche geht.

Aber dem muß freilich hinzugefügt werden, daß die Dialogizität und der Welthorizont nur als faktische bedingt und endlich sind, nicht aber, sofern sie im Modus der Möglichkeit gedacht werden. Denn es war immer möglich, daß es eine Mehrzahl von endlichen aufeinander bezogenen Personen gab mit einer dazugehörigen endlichen Welt. Diese Möglichkeit ist als Möglichkeit nicht von weiteren endlichen Bedingungen abhängig.

Wohl aber ist sie gerade als Möglichkeit vom Unbedingten abhängig, wenn anders dies wirklich als das Unbedingte waltet. Die Möglichkeit ist aber die mögliche Wirklichkeit. Und also ist das auf jeden Fall Mögliche ebenso wie das Wirkliche für den Fall, als es als Wirkliches gesetzt wurde, vom Unbedingten gesetzt und vom Unbedingten abhängig. Dann aber darf und muß man denken: Das unendliche Geheimnis ist zwar unbedingt und darum von nichts abhängig. Aber es ist durch sich selbst offen für jedes mögliche Du und für jede mögliche Welt, und darum auch für jedes wirkliche Du und auch für jede wirkliche Welt, sofern diese von ihm ins Dasein gerufen wurde. Also sind wir, die endlichen Personen, mit unserer endlichen Welt für das große Geheimnis da. Wir dürfen also unsererseits zu ihm Du sagen und es anrufen. Und das Geheimnis selber, zu dem wir Du sagen dürfen, kann jederzeit aufbrechen, um uns aus seiner unbedingten Geheimnistiefe heraus anzurufen und zu antworten, nachdem es zuerst aufbrach, aus seiner unbedingten Freiheit heraus uns mit unserer Welt ins Dasein zu rufen.

In diesem Sinne gehört also auch und gerade das Dialogische samt der Weltstruktur des Dialogischen zum unbedingten Geheimnis. Darum darf und muß es in jedem Sinne personal verstanden werden. Alles andere ergibt, wie wir sahen, keinen sinnvollen Zusammenhang.

3. Der Grund und die personale Grundstruktur des Seienden

Zu einem analogen Ergebnis kommen wir, wenn wir das unendliche Geheimnis als das Woher oder den Grund alles dessen, was ist, betrachten, als das, was die Frage beantworten kann: Warum ist überhaupt etwas und nicht nichts?

Dies tritt dann hervor, wenn wir genauer darüber nachdenken, was es heißt: es ist überhaupt etwas; und ferner darüber, was es heißt: daß dieses irgendwoher sei, also etwas von einem Grund Gegründetes sei.

Das Verständnis dessen, was überhaupt ist, ist jeweils geprägt von dem, was wir als Modell oder Leitbild des Seins des Seienden verstehen und was uns also sozusagen das Maß gibt für das Verständnis des Seins alles Seienden.

Verstehen wir als Leitbild und Maß des Seins des Seienden, wie es vor allem im Positivismus und in den vom Positivismus beeinflußten Verständnishorizonten geschieht, die bloße Vorhandenheit, die bloße Tatsache, und orientiert sich dieser Gedanke außerdem noch an der greifbaren, empirischen, materiellen Vorhandenheit, dann heißt „es ist etwas" mit Vorzug: „es ist etwas greifbar vorhanden und kann empirisch festgestellt werden".

Demgegenüber muß aber darauf hingewiesen werden, daß das personale und ko-personale Dasein nicht nur völlig anders ist gegenüber dem angedeuteten Modell, sondern daß es in dieser seiner eigenen Natur zugleich beanspruchen kann, die intensivste und fürs Ganze des Seinsverständnisses bedeutendste Form des Seins des Seienden überhaupt zu sein.

Das Personale im eigentlichen Sinn ist freilich kein greifbares

Ding. Die Attrappe eines menschlichen Antlitzes könnte genau gleich aussehen wie ein wirkliches menschliches Antlitz. Der feststellbare theoretische Bestand könnte in beiden Fällen derselbe sein. Aber das Entscheidende, das personale „Ich bin" und „Du bist", ist doch etwas ganz anderes. Etwas, was jenseits der bloßen Vorhandenheit liegt. Es *ist*, und zwar auf eine ausgezeichnete und intensive Weise. Davon wurde oben schon gesprochen.

Es wurde auch schon darauf hingewiesen, daß gerade die personalen Bezüge es sind, von denen her auch *alles andere* hell wird und Bedeutsamkeit gewinnt. Sie sind nicht einfach vereinzelte Bezüge, nur da und dort auftauchend unter anderem und ihnen gleichgeordnet. Sie sind vielmehr die lebendigen Zentren, von denen das ganze und damit das außerpersonale Sein erst hell und sinnvoll wird. Sie sind entscheidend fürs Ganze des Seins. Von den Zentren der Personalität aus entfaltet sich also allererst die Bedeutsamkeit der Welt oder des Seienden im ganzen. Was soll Vorhandenheit, nacktes materielles Dasein bedeuten, was für einen Sinn haben, wenn ich nicht jemandem davon Kunde geben, jemandem damit einen Nutzen, eine Freude bereiten kann? Erst im Rahmen personaler Bezüge können Weltbezüge, welcher Art immer, ihre Bedeutsamkeit entfalten.

Um dieser Gründe willen kann gesagt werden: Im Rahmen unserer irdischen Erfahrungen kann das Sein des Personalen und seiner Bezüge beanspruchen, als das eigentlich führende Modell für das Verständnis des Seins des Seienden im ganzen zu gelten. Das Sein des Seienden im ganzen heißt es von daher und darauf hin zu verstehen, denn das personale Sein ist für den ganzen Bereich unserer Seins- und Welterfahrung das durchaus Entscheidende[6].

Wird also gefragt: Warum ist überhaupt etwas und nicht nichts?, dann fragen wir offenbar nach dem Warum des Seienden im ganzen. Der jetzt sichtbar gewordenen Logik der Sache nach heißt dies aber vor allem in die Richtung des personalen Seins fragen. Es heißt fragen: Warum gibt es Du und Ich, warum gibt es den personalen Bereich und seine welteröffnende Kraft? Denn nur von daher läßt sich überhaupt vom Sein des Seienden reden und dieses befragen.

Fragen wir also demnach vom personalen Sein aus: Warum ist überhaupt etwas und nicht nichts, und tasten wir uns nun dieser neu artikulierten Frage entlang hin zu dem unendlichen und unbedingten Grund des Seins alles Seienden, was ergibt sich dann hinsichtlich des Verständnisses dieses Grundes?

Man darf, wie wir früher schon sahen, denken, das Geheimnis, das alles trägt und entscheidet in seinem Sinn, ist der *Ursprung* alles Seins des Seienden, es trägt und entscheidet alles Seiende. Ursprung sein bedeutet aber auf jeden Fall ein Verhältnis des Entspringenlassenden zu dem, was aus ihm entspringt und also aus ihm seine Bestimmung empfängt.

Wenn aber dies stimmt, dann ist das Entsprungene zuerst in dem, *woraus* es entsprang. Sonst könnte dieses dessen Entspringen, dessen Neubeginn nicht aus sich gewähren und wäre also nicht dessen Ursprung. Was aus dem Ursprung entsprang und entspringt, lebt zuerst und waltet zuerst *in* diesem, damit es dann *aus ihm* hervortreten könne. Es lebt in diesem Ursprung gerade auch im Geschehen des Entspringenlassens. Der Ursprung, indem er entspringen läßt, entfaltet sich selbst, sein eigenes Leben, indem er als das Geschehen des Entspringenlassens und des Bestimmens sich entfaltet. Man kann dieses Geschehen also mit Aristoteles epídosis eìs autó, als Zugabe ins Selbe bezeichnen. (Es wird etwas dazugegeben, aber es bleibt ein Selbes, gesehen vom Ursprung aus [7].)

Es ergibt sich, wie immer man diese Beziehung des Gründens und des Entspringenlassens im übrigen auch denken mag, eine Kontinuität vom Gründenden zum Begründeten hin. Es ergibt, daß das Gründende hinreicht in alle Bereiche des Gegründeten, aber doch mit Vorzug in jenen Bereich, von dem aus sich erst alles endlich begründete Sein erschließt, dem Personalen. Daß jenes Geheimnis also jene Gelichtetheit und Spontaneität und dialogische Bezüglichkeit trägt und gründend entfaltet, die wir im personalen Bereich wahrgenommen haben. Trägt und gründet es aber gerade diese dialogische personale Seinsweise, dann darf um der genannten Kontinuität willen gedacht werden, es kann dann offenbar selbst nicht weniger sein als solches.

Um die genannte Kontinuität des Gründens zu erläutern, darf man die Analogie des menschlichen Sprechens heranziehen. Sprechend begründen wir das Verlauten der Worte, die wir sprechen, und so diese selbst. Die Worte ihrerseits, von der Seite ihres Begründetseins betrachtet, sind nichts anderes als die lebendige Entfaltung des Seins des Sprechenden. Das Sprechen und in ihm das Sprechende erreicht die Worte, trägt die Worte, erfüllt die Worte, ja *ist* die Worte. Doch können wir die ausgesprochenen Worte auch für sich betrachten, etwa hinsichtlich ihrer Struktur, ihres Zusammenhangs, ihres Vokabulars usw.?

Darf man das personale Sein gemäß dieser Analogie als ,,ausgesprochenes Wort" des unendlichen Grundes betrachten? Bonaventura jedenfalls – und er ist nicht der einzige – hat diese Analogie ohne Scheu herangezogen. ,,Pater [...] dixit se et similitudinem suam similem sibi – et cum hoc totum posse suum; dixit quae posset facere, et maxime quae voluit facere, et omnia in eo expressit."[8] Aus der Kontinuität des Gründens mit dem Begründeten vollzieht sich also in jedem Fall ein Verhältnis der Analogie, das den Grund mit dem Gegründeten verbindet. Der Begriff der Analogie ist freilich seit langem abgewertet und verdächtigt worden. Es ist aber nicht einzusehen, wie man ihm entgehen kann, wenn man an dem Gedanken festhält, das Absolute sei der Ursprung des Nichtabsoluten.

Er gewinnt zudem etwas von seiner ursprünglichen Lebendigkeit zurück, wenn er gemäß seiner vermutlich ursprünglichen griechischen Bedeutung verstanden wird.

Der Begriff der Analogie ist schon bei Aristoteles formalisiert worden, und er ist in dieser Formalisierung in die Geschichte des abendländischen Denkens übergegangen. Es ist aber eine ursprünglichere Bedeutung des Wortes Analogie in einigen griechischen Texten greifbar. In ihnen bedeutet Logos einen Bereich, und die Präposition Ana weist auf eine Bewegung durch diesen Bereich des Logos hin. Anà tòn autòn lógon[9] sagt also: durch denselben Sinnbereich hin[10]. Analog ist also dieser älteren Bedeutung nach, was sich durch denselben Sinnbereich hin von einem zu einem anderen hinbewegt.

Wendet man diesen Begriff der Analogie auf den Fall an, den wir vor Augen haben, dann ist der Logos der Sinnbereich, der derselbe bleibt und durch den hin der Ursprung die Gründung seines anderen vollzieht, so daß dieses andere als das andere seinem Sinne nach doch mit ihm verbunden bleibt: Es wird in diesem Sinne das Analoge sein.

Diese Analogik und Kontinuität, die der Bewegung des Gründens eigentümlich ist, erlaubt es, vom Begründeten her durch denselben Sinnbereich (Logos) hindurch auf das Gründende zu blicken. Vom personalen Leben her also, bleibend im Sinnbereich des personalen Lebens, auf den unendlichen Grund hin. Dies ist deswegen möglich, weil das Unbedingte selber erst Ursprung alles Bedingten sein wollte und also aus seinem abgründigen Grunde heraus den Logos entspringen ließ, in dessen Spielbereich das Seiende der Welt ist, was es ist. Das Absolute hat demgemäß selber zuerst die Analogie – im angedeuteten Sinne – gestiftet, und *deswegen* ist es für unser endliches Denken möglich und geboten, den Grundzug des Personalen im Sein des Seienden zu beachten und von ihm aus durch denselben Logos hin auf das ewige Geheimnis zu blicken. Diesem Blick gemäß darf dann gesagt werden: das Personale muß schon im Grunde walten, wenn es aus ihm als schöpferische Entfaltung seines Lebens hervortreten soll. Das Absolute kann nicht geringeren Ranges sein als das, was aus ihm hervorgeht.

4. Transzendierende Personalität

Wohl aber kann es und muß es die besonderen endlichen Bedingungen der Personalität übersteigen, die wir in unserem menschlichen Leben antreffen. Es wird nicht zerstreut sein ins Viele, und es wird die Welt nicht als eine Bedingung seines personalen Lebens brauchen. Davon wurde schon gesprochen.

Aber das Entscheidende, worin das unendliche Geheimnis alle Endlichkeit, auch alle Endlichkeit des Personalen übersteigt, liegt noch in einem anderen und grundsätzlicheren Punkt. In unserem endlichen ko-personalen Kontext ist das Personale ein Grundzug des endlichen Seienden, wie wir sahen. Das Seiende ist aber solches, dem sein Sein zukommt. Auch und gerade das personale Sein kommt uns Menschen zu. Darum sind wir faktisch Personen, aber nicht notwendig. Das Zukommen des Seins oder die Eigentümlichkeit, ein Seiendes zu sein, ist der tiefste Zug der Endlichkeit auch des personalen Seienden, das wir sind. Das Unbedingte aber ist strenggenommen kein Seiendes und also auch kein personal Seiendes. Personalität kommt ihm nicht zu. Woher sollte sie denn kommen? Es waltet schlechthin durch sich selber als das, als was es waltet. Wir dürfen es gewiß mit Martin Buber und nach dem Gesagten das ewige Du nennen. Aber es bleibt doch in seiner schlechthinnigen Transzendenz und in seinem Geheimnis. Es bleibt das Unaussprechliche und Unausdenkbare, das unter keinen Begriff fällt. Es bleibt der thomasische Satz: Deus non est in genere. Auch kein personaler Begriff, insofern er ein Gattungsbegriff ist, kann Gott fassen. Er bleibt jenseits des Begreifens, weil jenseits der Seiendheit. Er ist zwar Quelle und Ursprung alles personalen Lebens und infolgedessen erfüllt von ursprünglicher Personalität. Aber so, daß diese das unergründliche Geheimnis bleibt.

Gemäß unseren Überlegungen kann das ewige Geheimnis gewiß nicht weniger als personal sein, wohl aber kann es unergründlich mehr sein. Es bleibt auch als personal verstandenes, mit Du gerufenes das unendliche und unaussprechliche Geheimnis jenseits alles dessen, was man durch die Abwandlungen des Wortes Sein sagen kann: jenseits des „Es ist", aber auch jenseits des „Du bist". In einem Jenseits, das zwar den wesentlichen Gehalt dieser Worte und zumal des personalen „Du bist" in sich birgt, aber in einer Weise, die allem Sagen, die allem Ausdenken entzogen bleibt ins Geheimnis hinein. Es bleibt die schlechthinnige Transzendenz des ewigen Du.

Diese Überlegung muß uns vor aller falschen Vertraulichkeit im Rahmen des Personalen und beim Gebrauch des großen Wortes Du in diesem Zusammenhang bewahren. Auch durch dieses Wort vermögen wir das Geheimnis nicht zu begreifen, und wir bekommen es nicht in die Hand, und es trifft nicht auf jene unmittelbare Weise zu, die wir sonst von ihm gewöhnt sind.

Um so wunderbarer ist es, daß wir trotz dieser Transzendenz Gottes wirklich Du sagen dürfen. Und damit fängt das Absolute an, eine, ja die religiöse Größe für uns zu werden. Denn die Religion fängt an mit dem Du des Gebetes, das, indem es betend aus-gesprochen wird, dabei gleichzeitig durchdrungen ist von dem Bewußtsein, damit das Unberührbare zu berühren und das Unaussprechliche anrufend auszusprechen.

§ 9. Die Göttlichkeit des absoluten Geheimnisses

Dürfen wir das Geheimnis, das absolute und unendliche, das ewige Du auch als göttlich und Gott verstehen? Dies ist weiter zu bedenken. Es darf nicht als selbstverständlich übergangen werden, bloß weil die Sprachgewohnheit uns das Wort „Gott" in diesem Zusammenhang nahelegt. Diese Gewohnheit sollte uns nicht gedankenlos machen. Nach der Phänomenologie, nach Heideggers behutsamen und kritischen Fragen[1] und auch im Gefolge einer recht verstandenen Sprachphilosophie ist zu fragen: Was sagt eigentlich das Wort „Gott" oder das Wort „Gottheit"? Und worin weist sich aus, was solche Worte sagen? Gibt es Gründe, das ewige Du göttlich und Gott zu nennen?

Zu dieser Frage sei zunächst eine Hypothese entworfen. Sie soll ein Doppeltes besagen: 1. Das unendliche Geheimnis wird Gott, indem es *Gestalt* wird; 2. Es konstituiert sich primär als Gestalt in *Offenbarungsereignissen*. Nach dieser Hypothese ist also Gott eine epiphanische, d. h. auf Offenbarung bezogene, Bestimmung.

1. *Gestalt und Offenbarung im menschlichen Modell*

Wir erläutern zunächst diese Hypothese an einem menschlichen Modell. Wir wagen noch einmal die Analogie des Menschlichen. Sie ist in diesem Zusammenhang sogar von besonderer Bedeutung. Denn wenn sinnvoll überhaupt von Offenbarung gesprochen werden soll, dann muß das heißen, daß das Absolute in den menschlichen Erfahrungshorizont eintrete oder eingetreten sei. Dies heißt aber, daß es selber die Analogie mit dem Menschlichen auf eine besondere und ausgezeichnete Weise stifte oder gestiftet habe.

Rechnen wir also mit einer solchen Möglichkeit, wie unsere Hypothese es tut, dann haben wir darin einen neuen und zusätzlichen Grund, auch von uns aus menschliche Analogien zu entwerfen, um einem möglichen Offenbarungsereignis entgegen zu denken. Wir kommen also mit diesem neuen Ziel nun ein weiteres Mal auf das menschlich-personale Modell zurück, und wir machen in seinem Rahmen über das bisher Erwogene hinaus auf einige weitere Züge aufmerksam.

Zunächst dieses: Jedes menschliche und mitmenschliche Selbstsein ist eine für sich selbst helle Quelle des Lebens. Es ist als solches unteilbar und auch unmitteilbar. Denn nur ich selbst bin ich selbst, nur ich selbst kann ich sein, so wie auch nur du selbst du sein kannst. Niemand anders kann wissen, wie dies ist, ich selbst zu sein oder du selbst zu sein. Niemand anders kann in diesen innersten Kreis des Selbstseins eintreten. Gäbe es also nur dies, dann wäre das menschliche Selbstsein für andere ohne Antlitz und Gestalt.

Aber das menschliche Selbstsein ist nicht nur eine verschlossene Innerlichkeit. Jedes Selbstsein tritt vielmehr ständig aus seinem inneren Kreis heraus in das Offene der anderen. Es ist offenbar so, daß jedes Sich-selbst-Gehören gerade das Vollziehen dieses Sich-Öffnens zu den anderen hin ist. Wir können sagen: das Vollziehen seiner Offenbarung. Blickend, sprechend, handelnd und reagierend geht jeder Mensch auf für andere, jeder erscheint und offenbart darin sich als sich selbst für andere, jeder bewährt sich oder versagt sich in diesem dialogisch handelnden Umgang mit den Mitmenschen.

Was erscheint des näheren in diesem Geschehen? Eine *Mannigfaltigkeit* von Gesten, Worten und Handlungen. Aber in und mit dieser Mannigfaltigkeit erscheint zuerst deren *Einheit*, in der Form zunächst eines einheitlichen Grundzuges und Charakters, einer einheitlichen Bestimmtheit, die die ganze Mannigfaltigkeit einheitlich durchstimmt und die in ihr als Einheitlichkeit hervortritt.

In dieser einheitlich gestimmten Mannigfaltigkeit seiner Offenbarung wird die Person für ihre Mitpersonen zur *Gestalt:* Sie wird deutlich in ihrer Kontur, sie bekommt ihr Profil, es kommt dazu, daß man mit Hilfe der Kontur oder des Profils, also mit Hilfe der Gestalt, weiß, mit wem man es zu tun hat.

In dieser gestimmten Mannigfaltigkeit als Einheit oder als Gestalt meldet sich zugleich immer mit an, was auch ganz entzogen bleibt: das Selbst, das nur dem sich offenbarenden Selbst gehört. Es ist der entscheidendste und äußerste Punkt der Einheit des Mannigfaltigen. Und es ist das Paradox, daß dieses innerste Selbst berührt wird gerade in seiner Entzogenheit. Nähert sich der sich Äußernde in der Gestalt, die er in der Äußerung gewinnt, so läßt er doch darin auch seine Ferne spüren: Niemand als du selbst kannst du selbst sein, aber ich spüre es gerade dann, wenn du dich äußerst und in der Äußerung mir entgegenkommst.

Zu der sich äußernden Offenbarung des Personalen gehört daher eine doppelte Dialektik: die der Einheit, der Mannigfaltigkeit in der Äußerung, d. h. der Gestalt, und die der Äußerung im ganzen und der darin sich mitmeldenden, aber sich vorbehaltenden Mitte der Personalität.

2. Göttliche Epiphanie als Möglichkeit

Versuchen wir also von dieser Analogie aus nun den möglichen Fall zu entwerfen, daß das Absolute als das ewige Du sich für sterbliche Menschen in ihrer Geschichte melde und sich offenbare. Was ist in diesem Fall zu erwarten? Das unausdenkliche Geheimnis ist – wie wir sahen – zunächst jenseits aller Gestalt und insofern nur sich selbst vorbehalten. Auch dies sagt der nun schon öfters zitierte thomasische Satz: Deus non est in genere[2]. Das Geheimnis begegnete uns darum zunächst als das Gestaltlose, als der reine Entzug, als das Nichts. Auch· daß wir das Du-hafte in ihm vermuten dürfen, hebt zunächst diese Übergestalthaftigkeit und Gestaltlosigkeit nicht auf.

Aber es kann nicht ausgeschlossen werden, gerade von seinem du-haften Charakter aus nicht, zu dem ja personale Begegnung gehört, daß sich das große Geheimnis für die menschliche Erfahrung auch positiv anzeige oder sich eröffne. Dies aber meinen wir mit Epiphanie, das positiv Werden und sich positiv Eröffnen des zunächst in seiner Negativität Entzogenen. Wir gebrauchen dabei Begriffe wie Offenbarung oder Epiphanie im weiteren Sinne und beschränken uns also nicht auf jene Bedeutung, die diese Begriffe im Rahmen der christlichen Theologie haben.

Es läßt sich durch bloßes Denken nicht beweisen, daß solches geschehen sei, aber man kann es durch bloßes Denken auch nicht ausschließen, und man kann angesichts der positiven Berichte von Offenbarungen in dem genannten Sinne mit ihrer Möglichkeit rechnen und über einige der Bedingungen dieser Möglichkeit nachdenken.

Die wichtigste dieser Bedingungen der Möglichkeit der Offenbarung, vielleicht sogar die einzige, die dem Denken zugänglich ist, ist diese: Das Unendliche kann sich im Kontext der Endlichkeit unserer menschlichen Erfahrungen nur positiv so anzeigen, daß es in der Erscheinung unter die Bedingungen der Endlichkeit tritt. Dies hat aber die unmittelbare Folge, daß in diesem Falle das Überseiende für die menschliche Erfahrung zu einem Seienden wird und daß also die tiefste und gründlichste Differenz, die wir im Denken überhaupt entdecken können, nämlich die des Überseienden und des Seienden in der Offenbarung überspielt wird.

Daraus ergibt sich dann eine ganze Reihe weiterer Folgen. Das Namenlose wird jetzt einen Namen bekommen, durch den es sich von anderen unterscheidet. Das Ewige wird seine Zeit bekommen, seinen Kairos, an dem seine Offenbarung geschah und sich ereignete. Das Unendliche wird einen endlichen Ort bekommen, auf den man hinweisen und von dem man sagen kann: Da geschah es.

Wir können sagen: Indem das Unendliche in seiner Epiphanie unter die Bedingungen der Endlichkeit tritt, wird es eine *Gestalt*. Es wird die sich ereignende Einheit einer konkreten Mannigfaltigkeit von offenbarenden Wirkungen. Besonders die alttestamentlichen Bücher der Bibel bieten ein weites Feld von Beispielen dafür, daß das erscheinende Absolute in seiner Erscheinung als eine lebendige Mitte von Wirkungen aufgeht: es erhebt und schlägt nieder, es nimmt an und verwirft, es läßt sein Angesicht leuchten und wendet es ab usw. In der Fülle und Mannigfaltigkeit erfahrbarer Wirkungen ist zugleich die Einheit des Wirkenden offenbar, ein Geist in allem, aus einem unsäglichen Grunde aufbrechend.

In solchen Erfahrungen aber gewinnt das ewige Du für Menschen Kontur und Antlitz. Man weiß nun, mit wem man es zu tun hat, es hat ja eine deutliche Gestalt. In solchem Aufgang als Gestalt wird *das* Unendliche *dieser* Gott für *diese* Menschen. Weil er Gestalt wurde, kann er nun auch benennbar werden, wie es in den alttestamentlichen Büchern geschieht: Jahwe! Weil er als Gestalt Ereignis ist, bleibt er wesentlich verbunden mit den ausgezeichneten geschichtlichen Empfängern des Offenbarungsereignisses und also den Trägern der Offenbarung, er wird der Gott Abrahams, Isaaks und Jakobs. In der Begrenzung der Gestalt gehört er einem geschichtlichen Volke an und gehört dies seinem geschichtlichen Leben zu. Als Gestalt gewinnt der Gott so eine konkrete geschichtliche Erscheinung und begründet er so eine Geschichte.

Die Gestalt des sich ereignishaft offenbarenden Geheimnisses kann auch Symbol genannt werden, insofern als sie nicht für sich selbst steht, vielmehr geschieht als der Zusammenfall (symballein) des sich Offenbarenden mit der Form seiner Offenbarung. Dabei sollte darauf geachtet werden, daß dieser Zusammenfall ursprünglich immer ein lebendiges Geschehen ist. Demgegenüber hat im neueren Sprachgebrauch das Wort Symbol eher eine statische Bedeutung angenommen. Es spricht dann von einem Ding, das in seinem statischen Bestand etwas von ihm Unterscheidbares bedeutet. Wenn wir hingegen in unserem Zusammenhang das Wort Symbol gebrauchen, dann wollen wir gerade darauf hinweisen, daß der Zusammenfall, von dem dieses Wort ursprünglich spricht, eigentlich ein lebendiges Geschehen ist, etwas, was sich ereignet, in dem das unaussprechliche Geheimnis sich für Menschen offenbart.

Entscheidend ist, daß dabei das überseiende ewige Du, in dem es solchermaßen in der Erscheinung ein Seiendes, ein Nennbares wird, Gestalt gewinnt und Symbol wird, doch gerade in dieser seiner endlichen Erscheinung seine Transzendenz über alle Endlichkeit hinaus bewahrt. Es ist und bleibt es selbst im eminenten Sinne, sich selber schlechthin vorbehaltend, mehr und ganz anders als jedes mitmenschliche Selbst es selbst ist und bleibt und sich selbst vorbehalten, gerade dann, wenn es sich äußert und offenbart. Das ewige Du ist mehr und ganz anders es selbst, weil es ja schlechthin transzendierend ist und so sehr bleibt, daß selbst das Wort „ist" darin versagt.

Offenbart es sich also, so kommt es zu diesem absoluten Paradox, daß es sich nähert in der endlichen Gestalt, aber eben darin die Ferne seiner unberührbaren Transzendenz mit spüren läßt.

Dies ist die entscheidende Dialektik aller Offenbarung. Würde in der Gestalt nicht die Transzendenz über alle Gestalt gewahrt, dann könnte man nicht mehr davon reden, daß wirklich das unergründliche Geheimnis erschienen ist. Was erscheint, wäre dann ein Ding oder auch eine personale Gestalt wie andere, und es würde nichts Besonderes an ihr zur Erscheinung kommen. Würde es andererseits nicht eine endliche Gestalt, dann würde es überhaupt nicht erscheinen.

Darum gehört es zur Epiphanie des ewigen Geheimnisses, daß es gerade in der Gestalt doch niemals in eine Reihe kommt mit allem Möglichen, vielmehr herausgerückt bleibt aus allem und seine Entrücktheit, seine Transzendenz, sein „Ganz-anders-Sein" als ein Innerstes in sich behält und in seiner Erscheinung und Wirkung verstrahlt und verschenkt. Daß die erscheinende Gestalt sich also gerade nicht in sich schließt, vielmehr transparent wird für das schlechthin über alle Gestalt Erhabene. Die Offenbarung ist gerade darum immer das schlechthin Außerordentliche, das Unverfügbare und Unnahbare, gerade indem es sich in der Erscheinung nähert und den Empfänger der Offenbarung unvergleichlich betrifft. Gerade darin liegt der Zusammenfall oder das Symbol.

Zu diesem Zusammenhang muß vor allem noch eines hinzugefügt werden. Erscheint das Geheimnis Gottes in seiner Offenbarung als Gestalt für die Menschen, dann ist es unausbleiblich, daß die epiphanischen Ereignisse, in denen es erscheint, beim Menschen ein Echo hervorrufen und auf das Reservoir seiner Sprache und seiner Vorstellungen zurückgreifen. Es werden ihm vom Menschen her menschliche Vorstellungen und sprachliche Muster zuwachsen. Die Gottheit wird dann bald erscheinen im Gewande durchaus menschlicher und jeder menschlichen Gruppe eigentümlicher Vorstellungen. Es wird dann sein wie in einem Dialog. Wo Gott spricht oder sprach, will und wird bald der Mensch seinerseits mitsprechen. Es wird sich jene menschliche Kraft in Bewegung setzen, die H. Bergson als fonction fabulatrice beschrieben hat[3]. So werden in der Gestalt Gottes göttliche und menschliche Züge zusammenwachsen.

Auf diese Weise werden sich mannigfaltige Symbole für die Gestalt des erscheinenden Gottes ausbilden. In irdischen Gestalten wird das Geheimnis jenseits aller Gestalt als Gott den Menschen ansprechen.

Das Symbol in seiner irdischen Gestalt wird sprechen von seinem Geheimnis jenseits alles Irdischen und jenseits aller Gestalt. Das Seiende spricht vom Überseienden. Im Symbol werden Nähe sowohl wie Ferne erfahren. Aber diese Differenz klafft nicht auseinander. Sie wird als Einheit erfahren. Gott spricht in seiner Erscheinung, d. h. in seinem Symbol, und der Mensch erfährt, indem er dem Symbol begegnet, das, was zugleich mehr als das Symbol ist. Aus diesem Zusammenhang ist es auch klar, daß das so verstandene Symbol nicht auflösbar ist. Das Geheimnis hat keinen anderen Namen als eben den des Symbols, und man kann es also nicht mit einem eigenen Wort gleichsam neben das Symbol stellen. Vielmehr gilt es nur, das Symbol gerade als Symbol, d. h. als Zuspruch des Geheimnisses, zu erfahren.

3. Das Heilige als epiphanisches Phänomen

Diese Dialektik, die darin liegt, daß das ewige Du in seiner Erscheinung zugleich sich nähert, indem es in den Kontext irdischer Erfahrungen tritt, und zugleich seine Ferne als seine Transzendenz mit offenbart, führt zu weiteren Folgen, die für unseren Zusammenhang wichtig sind.

Es muß dazu führen, daß es dem Menschen, dem nun solches zustößt, sich nicht nur überhaupt nähert, sondern mehr noch, ihn im Innersten betrifft. Es bleibt nicht so etwas wie eine „Gestalt an sich", vielmehr das ewige Du, das in dem Ereignis der Gestaltwerdung oder der Symbolwerdung auf mich oder auf uns zukommt. Es nähert sich in diesem Falle, was den Menschen zuhöchst betrifft und alles für ihn entscheidet, was alles und besonders die innersten Interessen und Antriebe des Menschen in Anspruch nimmt. Die Näherung ist also eine solche des Betreffens, und zwar des innersten und zugleich totalsten Betreffens.

Dies ist eine schlechthin ausgezeichnete und einzigartige Form der Näherung.

Und da es sich zugleich und im selben als das ganz Entzogene, das schlechthin Unverfügbare und über alle Vorstellungen Erhabene kundtut, erscheint damit auch eine ausgezeichnete Form der Entfernung. Auch diese ist viel mehr als eine bloß neutrale Unaussprechlichkeit. Sie ist eine Ferne und Unnahbarkeit, die personal betrifft als Ferne, die erbeben macht, weil sie als das unendlich Betreffende zugleich das unendlich Unnahbare und Unverfügbare bleibt.

Dies heißt aber, es ergibt sich konsequent das, was Rudolf Otto seinerzeit als „Das Heilige" beschrieben hat[4]: das Mysterium tremendum et fascinosum, das, was als Fascinosum den Menschen ganz angeht und in Anspruch nimmt und was im selben Zuge als Tremendum den Menschen ganz von sich fernhält. Es ergibt sich das Heilige, und zwar gesammelt in eine personale Gestalt oder in ein Symbol. Es ergibt sich das, was unter dessen Eindruck in der Stunde seiner Betroffenheit Augustin sagte: „contremui amore et horrore"[5]. Wir finden in den Zeugnissen der Religion viele analoge Formulierungen.

Die phänomenologische Differenz im Bereiche des Heiligen und des göttlichen Gottes beginnt sich also zu schließen. Wir kommen durch die innere Logik der Sache in die Nähe der spezifisch-religiösen Phänomenalität des göttlichen Gottes[6].

Das Heilige als personale Gestalt ist das Göttliche und der Gott. In der Epiphanie wird Gott erst Gott, vorher „war (er) vielmehr, was er war", um Meister Eckhart zu zitieren[7].

4. Göttliche Epiphanie als Wirklichkeit

Diese so zu beschreibende Hypothese verifiziert sich wenigstens annähernd zunächst dadurch, daß wir in ihrem Zug wirklich in den Bereich dessen kommen, was die Worte heilig, göttlich und Gott meinen, das phänomenale Noema der auf Gott sich beziehenden Noesen.

Ob es freilich solches tatsächlich gibt, solche Offenbarung des ewigen Du als Gott, das kann – wir sagten es schon – nicht durch Denken ausgemacht werden. Doch hat hier das Denken allen Grund, auf die positiven Zeugnisse religiöser Erfahrung zu hören. Wir haben als besonders wichtige Beispiele schon auf alttestamentliche Offenbarungsurkunden aufmerksam gemacht. Dort wird, um noch einmal daran zu erinnern, berichtet, wie Jahwe sich dem Abraham, dem Isaak und dem Jakob geoffenbart hat, wie er dem Mose in der Dornbuschvision seinen Namen nennt, wie er sich als Jahwe erweist, indem er sein Volk aus Ägypten führt, wie er es „rettet aus der Hand seiner Feinde", wie er es aber auch straft und richtet: in all diesen offenbarenden Handlungen erweist er sich als dieser Gott: Jahwe vor seinem Volk. Man kann also sagen: Er *wird* darin dieser Gott dieses Volkes.

Dies wird vermutlich auf eine besonders eindringliche Art gesagt an der Stelle Num 15,41:

Ich bin euer Gott.
Ich führe euch aus dem Land Ägypten,
Euch Gott zu sein,
Ich euer Gott.

Das Wort „zu sein" – lihejoth (nämlich: euer Gott für euch) – ist hier wie sonst im hebräischen Text offenbar nicht als statisches Sein zu verstehen, vielmehr als ereignishaftes Da- und Zur-Stelle-Sein „für euch", nämlich in den offenbarenden Taten und Wirkungen, in denen sich Jahwe als „euer Gott" ereignet. Seine Göttlichkeit, seine Gottheit erwächst aus den Taten seiner Offenbarung.

Zugleich ist im Kontext derselben Urkunden zu bemerken, daß die Scheu vor dem Unnahbaren gleichfalls sich kundtat. Mose mußte die Schuhe von seinen Füßen lösen, weil der Ort heilig war. Es erging das Bilder- und Namenverbot. Es ergab sich später das Verbot des Eintritts ins Heiligste als den Ort Gottes. Es zeigte sich in vielen Formen des Sakralen der Ausdruck der Erfahrung der Unnahbarkeit dessen, der sich vor seinem Volke als Gott erwiesen hat.

Im Blick auf solche Aussagen erscheint es nicht als zufällig, daß der Offenbarungscharakter des göttlichen Gottes gerade von jüdischen religiösen Denkern wie Franz Rosenzweig und Martin Buber besonders betont worden ist[8].

Der positive religiöse Bericht bestätigt also auf seine Weise, was unsere Hypothese zunächst hypothetisch entwarf. Sie wird vom positiven historischen religiösen Bericht her zur These. Im Blick auf diesen wie auf andere ähnliche Berichte dürfen wir mit vollem Recht und im klaren Bewußtsein dessen, was wir tun, vom göttlichen Gott oder einfachhin von Gott sprechen.

§ 10. Der geschichtliche Wandel der Gestalt Gottes

Insofern die Gottheit Gottes für unsere Erfahrung in Offenbarungsereignissen gründet, hat sie einen besonderen geschichtlichen Charakter. Die Ereignisse ereignen sich und geschehen, d. h., sie nehmen einen bestimmten Zusammenhang der menschlichen Geschichte in Anspruch und eröffnen zugleich einen neuen Zusammenhang und eine neue Geschichte.

Auch dies ist eine Folge des Grundereignisses, das darin besteht, daß das ewige Geheimnis in seiner Epiphanie die fundamentale Differenz überschwingt zwischen dem Überseienden und dem Seienden und also in der Ordnung des Seienden erscheint. Damit erscheint es notwendig in der Ordnung von Zeit und Raum und ihrem Auseinander. Es erscheint zu seiner Zeit und eröffnet eine neue Zeit. Und es erscheint auch im Raume der menschlichen Geschicke.

Der Spielraum der Geschichte, in Zeit und Raum ausgedehnt, ist aber immer das Mannigfaltige. Und so wird die Gestalt des göttlichen Gottes sich in der Geschichte mannigfaltig abwandeln müssen. Sie wird an bestimmten Stellen der zeitlich sich erstreckenden Geschichte sich erheben und zu anderen Zeiten vielleicht wieder verblassen. Und da es zur Geschichte der Menschen gehört, daß sie sich räumlich in viele Zweige verstreuen, die sich bisweilen wieder verbinden und bisweilen aufs neue scheiden, so ist weiter zu erwarten, daß die Gestalt Gottes und der Menschen selber ins Vielfältige auseinandergeht. Das heißt, es ist ein geschichtlicher Wandel der Gestalt Gottes zu erwarten nach Zeit und Raum. Die Geschichte der Religionen bietet reichliches Anschauungsmaterial dafür.

Der geschichtliche Wandel der Gestalt Gottes wird demgemäß sich in zwei Dimensionen ereignen. Einmal in der Dimension der Zeit, nämlich im Kommen und Gehen der Offenbarung und der jeweils dadurch eröffneten Zeit. Zum anderen räumlich im Auseinandergehen der Gestalten Gottes in der vielfältigen im Raume auseinanderlaufenden Geschichte der Menschen. Über beides soll ein wenig nachgedacht werden.

1. Offenbarung und Entzug

Zur Zeitigung des Zeitlichen gehört es, daß das darin je Aufgehende auch das Vergehende ist. Darum gehört zum geschichtlichen Leben der Epiphanie Gottes nicht nur der Aufgang Gottes, sondern auch wieder das Verklingen der Gestalt Gottes. Es kommen und gehen Namen und Symbole. Gestalten steigen auf und werden mächtig und klingen wieder ab. Aber was so kommt und geht, Namen, Gestalten und Chiffren, alles das sagt und meint im Grunde quer durch seinen geschichtlichen Wandel immer dasselbe und bleibende und im Grunde unaussprechliche Geheimnis jenseits aller Worte und Bilder.

Zu diesem geschichtlichen Leben des göttlichen Gottes gehört es insbesondere, daß seine Präsenz und damit seine Erfahrung zuzeiten auch versinkt, schwindet und ausbleibt, und dies im wichtigen Falle so, daß ebendieses Ausbleiben selber noch erfahren wird. Im radikaleren Falle aber bleibt auch diese Erfahrung des

Ausbleibens aus. Es kann auf mehrfache Weise das eintreten, was Heidegger nach Hölderlin den „Fehl Gottes" genannt hat. In der Erfahrung des fehlenden Gottes bewahrt sich dann bisweilen eine verstohlene Spur des Fehlenden. Verweht auch sie, dann mag die Nacht der Gottesferne ganz dunkel geworden sein.

Von der Gottesferne, „der Gottesfinsternis", von der immer vollständigeren Säkularisierung der Zeit ist in unseren Tagen oft gesprochen worden. Darin kommt eine wichtige und spezifisch moderne Erfahrung zum Ausdruck.

Im Zusammenhang damit ist es wichtig, zu bemerken, daß unsere Generation nicht die erste ist, die solches erfährt und leidet. Die Bücher der Bibel bilden mannigfaltige Beispiele für analoge Erfahrungen. Da sei als Beispiel auf die eindrucksvolle Stelle Jeremia 14, 8–9 hingewiesen. Dort betet der Prophet: „Du Hoffnung Israels, sein Befreier zur Zeit der Drangsal, warum bist du nun geworden wie ein Fremdling im Land, wie ein Wanderer, der zeltet zur Nacht, warum bist du nun geworden wie ein Mann ohne Kraft, ein Held, der nicht zu heilen vermag?" Der Fremdling und Wanderer zur Zeit der Nacht ist der, den niemand sieht und der zur Zeit des Sehens, also des Tages, sein Zelt schon wieder abgebrochen hat und also wieder verschwunden ist. Und ebenso ist der Mann ohne Kraft der Mann, von dessen Männlichkeit man nichts mehr spürt. In diesem Text, wie in anderen vergleichbaren, kommt also eine große und merkwürdige Erfahrung des ferne gewordenen Gottes zum Ausdruck.

Das Geschick der Ferne Gottes kann nicht mit gewaltsamen Maßnahmen geändert werden. Aber man kann sehen, daß der Gott verklungener und vergangener Offenbarungen sich oft durch einen weitgespannten Äon hindurch für die *Erinnerung* wie von ferne gegenwärtig hält. Dann bleibt seine Erfahrung für die Erinnerung das Unvergeßliche, eine lange Zeit schwindender Präsenz hindurch. Die Unvergeßlichkeit wird zuerst von dem sich offenbarenden Gott selber gestiftet und eröffnet, sie nimmt aber dann die menschlichen Kräfte des Erinnerns in Anspruch und die Treue ihres Glaubens.

Wir sehen dementsprechend, daß viele große Religionen von dem erinnerten Zeugnis einstiger großer Offenbarungen leben und ihren Äon hindurch dauern, weit und lange über die großen Erfahrungen hinaus, in denen sie gründen. Auch kann der Versuch gemacht werden, das Wiedererscheinen des fehlenden Gottes in behutsamen Schritten des Denkens vorzubereiten. Stille und Bereitschaft werden zu solcher Vorbereitung mehr gehören als geschäftige Versuche, den Gott zu rekonstruieren. Erinnerung und Bereitschaft, der Blick zurück und der Blick nach vorne, werden die beiden Arme sein, mit denen der sterbliche Mensch in der Zeit der Gottesferne sich gleichwohl nach dem Gott ausstrecken, ja sich an ihm festhalten kann. Und so kann im Kommen und Gehen der Gestalten eine tiefe Gewißheit bleiben.

2. Vervielfältigung der Gestalt

Die andere Dimension des geschichtlichen Wandels der Gestalt des göttlichen Gottes ist die, daß diese Gestalt unter der Vielfalt der Erfahrungen des Menschen ins Vielfältige auseinandergeht.

Wenn das Geheimnis als der Gott die Differenz zwischen ihm und dem Seienden überschwingt und als Gestalt und Symbol für die Menschen aufgeht, so fällt diese Erscheinung in die Vielfältigkeit des Seienden, das vor den Menschen liegt. Und also gibt es mehrere mögliche Gestalten und mehrere mögliche Symbole, in denen sich der Gott für die Menschen anzeigen kann.

Für die Erfahrung der Menschen ist dabei die Differenz zwischen dem Symbol und dem Geheimnis, das sich in ihm anzeigt, in der primären Phase der Offenbarung wie aufgehoben. Der Gott ist unmittelbar gegenwärtig in seiner Erscheinung, so wie das Du unmittelbar gegenwärtig ist in dem Wort Du, dort, wo wir wirklich miteinander sprechen. Es wird dann kein Schritt von einem einen zu einem anderen. Dieses, was da erscheint, ist der Gott.

Es wird angesichts des Symbols die Identitätsaussage möglich: Dies ist unser Gott.

Aber die Differenz ist doch da. Und es zeigt sich, daß sie gleichsam einen beweglichen Spielraum bildet. Die Schwerpunkte der Erfahrung können innerhalb ihrer verlagert werden, und verlagert kann vollends die Aufmerksamkeit der Menschen werden innerhalb dieser Differenz.

So kann die Vielfältigkeit des Symbols fester werden und doch noch Kunde geben vom heiligen Geheimnis.

Dann ist es naheliegend, daß der Gott in mehreren Gestalten und als eine Mehrheit von Göttern erscheint. So ist es in fast allen älteren Religionen. Dabei entsteht in der Regel eine Ordnung, in der die Mehrheit der symbolischen Gestalten zusammengefaßt ist. Diese entspricht den Ordnungen, in denen sich die Menschen im Kreise des Seienden ihrer Welt erfahren. Es können die Ordnungen des Himmels und der Erde sein oder die Ordnungen von Mann und Weib und mehreres dieser Art. Solche Ordnungen können sich auch in den religiösen Symbolen überschneiden.

So entstehen die verschiedenen Möglichkeiten dessen, was man Polytheismus nennt. Im höheren Polytheismus, wofür etwa der griechische als Beispiel gelten kann, hat er insofern einen monotheistischen Zug, als in der Vielfalt der göttlichen Gestalten ein höchstes heiliges Geheimnis strahlt und scheint, das in seiner Einheit zugleich in einer einzelnen höchsten Gestalt gegenwärtig wird. Dabei scheint es charakteristisch, daß die vielfältigen Gestalten im Vordergrund der Verehrung zu stehen scheinen entsprechend der Tatsache, daß die Gestalt dem Menschen näher ist als das, was jenseits aller Gestalt in seinem Geheimnis ruht und lebt.

Wo aber ein solcher höherer Polytheismus sich zum Monotheismus reinigt, da kann man auch beobachten, daß gleichwohl eine Mehrheit von Verehrungen und eine Mehrheit von Symbolen entstehen, die den verschiedenen Lebens- und Erfahrungsbereichen des geschichtlichen Menschen zugeordnet sind.

Gewiß ist es dann weiter auch möglich, daß, wo der Gott so in Symbolen für die Menschen erscheint, diese ihrerseits die Differenz zwischen dem Geheimnis und dem Seienden der symbolischen Gestalt minimalisieren zugunsten des für Menschen greifbaren Symbols. Dann werden wieder Identifikationsaussagen möglich, aber nun mit einer anderen Bedeutung. Nun kann es wiederum heißen: Dies ist unser Gott. Aber das Demonstrativum „dies" meint dann bevorzugt dieses greifbare Gebilde. Dann ist die Differenz zusammengefallen zugunsten der greifbaren und beschreibbaren symbolischen Gestalt. Und es kommt leicht zu einer gefährlichen Vergötzung des Endlichen.

Freilich kann man dabei beobachten, daß ein Rest von Differenz übrigbleibt, etwas von Geheimnis und Transzendenz, oft in der Form von numinoser Mächtigkeit, die sich für die Erfahrung der Menschen mit den vielleicht von ihnen gemachten Gebilden verbindet.

In diesem Zusammenhang kann es dann weiter leicht geschehen, daß Menschen im Zuge solchen Geschehens sich selbst ihren Gott zurechtmachen nach ihren Vorstellungen oder, wenn sie reflexiv weiterentwickelt sind, nach ihren Begriffen. Und es kann auch dazu kommen, daß sie durch Aktionen über ihren Gott verfügen, sich seiner bemächtigen und ihn starr festhalten zu können meinen.

Von daher kann noch einmal ein neues Licht auf die Religionsgeschichte fallen, im vielfach sich verzweigenden Wandel der Namen und der Symbole, das Aufsteigen, Mächtigwerden und Abklingen von reinen und bisweilen auch sehr unreinen Gestalten, den Spielraum, der von der reinen Gottheit, von der kein geschnitztes Bild gemacht werden darf, über hohe Bildungen schließlich hinabreicht bis zu den größten Verirrungen. Es kann verständlich werden das immer wieder neue Aufbrechen und das gefährliche Sich-Verfestigen anschaulicher Gestalten und Symbole und schließlich ihr Absinken und ihre Zersetzung in der Lauge der Kritik. Es kann verständlich werden, daß auch innerhalb der bleibenden Religion immer wieder das Bedürfnis nach einer Reinigung der göttlichen Gestalten auftaucht durch den prophetischen Protest oder die mystische Versenkung in das, was jenseits aller Namen und Symbole ist.

3. Gesellschaftliche Identifikationen und Trennungen

Im Zusammenhang damit muß auf eine andere wichtige Form des Sich-Verteilens der göttlichen Bilder und Symbole aufmerksam gemacht werden, nämlich auf die geschichtlich-gesellschaftliche. Wo der Gott erscheint, da erscheint er für jemand und in der Regel für eine Gemeinschaft. Ja sein Erscheinen stiftet nicht selten Gemeinschaft. Wo der Empfänger der göttlichen Epiphanie ein einzelner ist, ist er als solcher doch in der Regel ein Repräsentant einer größeren gesellschaftlichen Gruppierung und ist dann für sie kompetent, oder er wird für sie kompetent. Die Epiphanie Gottes in bestimmten Gestalten und Symbolen richtet sich an eine schon bestehende gesellschaftliche Gruppe, oder sie begründet eine neue gesellschaftliche Gruppe.

Dadurch wird dann der Gott für die jeweilige Gruppe ,,unser Gott''. Das heißt, er identifiziert sich mit dieser Gruppe und diese mit ihm. Alle, die dazugehören, verstehen sich als ein ,,Wir'', sei es, daß die Gruppe in der Kraft der Epiphanie neu als Gruppe aufgeht oder daß sie schon besteht als Stadt oder als Volk oder als eine Gruppe von Betern. Der Gott wird so unser Gott.

Aber die menschlichen Gruppierungen sind zerstreut. Das, was man die Einheit des Menschengeschlechtes nennt, zeigt sich in der Vielfalt seiner Gruppierungen. Dies scheint eine Grundstruktur des geschichtlichen Lebens der Menschen zu sein.

Aber jede Gruppe hat auch Ansprüche nach außen, und so entsteht eine gegenseitige Konkurrenz der Gruppen dort, wo sie aufeinandertreffen.

Die Folge ist dann, daß ,,unser Gott'' in konkurrierender Polemik unterschieden wird von ,,eurem Gott''. Die Konkurrenz der Gruppen wird zur Konkurrenz des einen und des anderen Gottes, wobei jeweils der Gott oder die Götter der anderen abgewertet, aber meistens doch noch gefürchtet werden. Dann kann es leicht geschehen, daß Gruppen-Egoismus und egoistische Gruppenansprüche sich einkleiden in das Bewußtsein „unseres Gottes". Dies um so mehr, je mehr der Gott irdische Züge angenommen hat oder gar zu einem Gemächte der Menschen geworden ist. Dann erscheint es, wie wenn der Kampf der einen Gruppe gegen die andere zugleich der Kampf des einen Gottes gegen den anderen sei und der Sieg der einen Gruppe gegen die andere der Sieg des einen Gottes gegen den anderen. So hat man solche Auseinandersetzungen in einer langen Geschichte bis in die Zeit des 30jährigen Krieges hinein immer wieder verstanden. Und geht dieses Verständnis nicht, wenn auch unterschwellig und von der modernen Aufklärung verdrängt, noch weiter? [1]

Dann mag es so aussehen, als ob Gott, nachdem er einmal die Differenz des überseienden Geheimnisses gegen Seiendes hin überschwungen hat, nicht nur ins Vielfältige der Gestalten auseinanderträte, sondern auch in diesen Gestalten gegen sich selber kämpfe. Oder sind es bloß die Menschen, die sich bisweilen ihren Gott selber machen und gegen andere Götter in ihre menschlichen Auseinandersetzungen hineinziehen?

Jedenfalls kann man sagen: In frühen und ursprungsnahen Phasen der gesellschaftlichen und religiösen Entwicklung ist es naturgemäß, daß der Gott, der sein Volk für sich in Anspruch nahm und von ihm in seiner Sprache gerufen wurde, unser Gott wird. Und damit er als solcher geschützt werde, muß er in polemischer Abgrenzung gegen andere Gruppen und ihre Götter abgesetzt werden. Dies ist nötig, damit das religiöse Bewußtsein bewahrt und fest an seinem Ursprung gehalten werde. So war es mit dem Gott Abrahams, Isaaks und Jakobs als dem Gott des Volkes Israel, so war es auch mit dem Gott und Vater Jesu als dem Gott, der sich von seiner primären Offenbarung her rasch und in einem schnell wachsenden Prozeß zum Gott der glaubenden Gemeinde der Christen machte. Auch sie mußte sich zunächst polemisch abgrenzen, um den Ursprung zu bewahren.

Wenn aber die Religion weiter fortgeschritten und reifer geworden ist und wenn auch der gesellschaftlich-geschichtliche Prozeß weiter fortgeschritten ist und die Völker und Gruppen in intensivere, wenn auch oft polemische Kontakte gebracht hat, dann wird die Zeit reif dafür, daß „unser Gott" immer mehr die Gruppenschranken überwindet und immer mehr, wie es beim frühen Christentum war, der Gott von „Juden und Heiden" wird. Diese Entwicklung war schon angelegt bei den alttestamentlichen Propheten mit ihrer Predigt vom Gott aller Völker. Und dann könnte eine neue Form der Toleranz der vielfältigen, gruppenmäßigen, eigentümlichen Gestalten und Erscheinungen und Symbolen des Gottes fällig werden. Ja vielleicht könnte mehr als Toleranz entstehen: vielleicht Bereitschaft, voneinander zu lernen. Denn jede Gotteserfahrung bedarf der Reinigung, und von jeder der vielfältigen Gotteserfahrungen kann man auch lernen. In solchen Reinigungs- und Lernprozessen wird der Gott nur immer größer, und in solchen Prozessen könnten wir vielleicht auch das Allzumenschliche überwinden, das vielfältig das Bild Gottes befleckt.

§ 11. Der Atheismus

Kann man auf das unendliche Geheimnis, das unser Dasein trägt und das ihm einen Sinn gibt, denkend hinweisen, und kann man gar, sofern man in dieses Denken auch die Erfahrungen der menschlichen Geschichte einbezieht, auch auf den göttlichen Gott hinweisen – wie es hier versucht worden ist –, dann fordert das Phänomen des Atheismus eine Erklärung. Die Religionsphilosophie hat also allen Grund, sich auch mit der Negation der Religion, dem Atheismus, zu befassen. Sie hat um so mehr Grund in unseren Tagen, denn der Atheismus hat sich in dieser Zeit weltweit ausgebreitet. Er ist zu einer geschichtlichen Macht des Zeitalters geworden, und dies ist ein durchaus neues und bestürzendes Phänomen, das es in dieser Breite und Dimension in der ganzen Geschichte der Menschheit bisher niemals gab[1]. Es ist also zu fragen: Wieso kann es Atheismus geben? Warum gibt es ihn? Und warum gibt es ihn heutzutage in einer solchen geschichtlichen Mächtigkeit? Und vor allem vielleicht: Was ist dies überhaupt, Atheismus?[2] Denn es ist ja keineswegs ohne weiteres klar, was der Atheismus jeweils eigentlich sei, und es ist auch nicht klar, ob der Atheismus immer und überall dasselbe sei.

1. Der nicht zwingende Charakter der Entwürfe

Zunächst muß darauf aufmerksam gemacht werden, daß die Überlegungen, mit denen man auf Gott hinweisen kann und die wir zu betrachten suchten, zwar ernsthafte Überlegungen sind, aber doch keine *zwingenden*. Sie lassen der endlichen Freiheit des Menschen Spielraum, sich zu entscheiden, und sie sind so etwas ganz anderes als etwa mathematische Argumentationen oder empirisch-wissenschaftliche Verifikationen oder Falsifikationen. Sie appellieren an die Freiheit so, daß diese frei, wenngleich begründet, mitgehen kann, aber daß sie auch das Mitgehen verweigern kann. Dies sei im einzelnen kurz gezeigt.

a) Die äußersten Fragen

Man *kann* die äußersten Fragen stellen: Was hat überhaupt alles für einen Sinn? Warum ist überhaupt etwas da? Aber man muß das nicht. Man muß das um so weniger, als die Hinfälligkeit des Menschen aufs Nächstbeste seiner Welt und seiner Aufgabe ihn so sehr in Anspruch zu nehmen und in Atem zu halten pflegt, daß er darüber vergessen kann, die äußersten Fragen auch nur zu stellen, und daß diese ihm, wo sie ihm etwa von außen zugemutet werden, als durchaus überflüssig vorkommen mögen angesichts der Aufgaben des Tages. Darum ist es gut möglich, daß schon die

Fragen nach dem Letzten und Äußersten, die zuletzt Fragen nach Gott sind, ganz ausbleiben.

Diese Möglichkeit wird zudem sehr verstärkt durch die geschichtliche Verstärkung und Systematisierung der Hinfälligkeit des Menschen aufs Nächstbeste seiner Welt und seiner Aufgaben. Dies ist eine geschichtliche Verstärkung, die das ganze neuzeitliche Menschentum trägt. Darum erscheint es um so plausibler, daß das, was innerweltlich zu tun, zu organisieren, zu erreichen oder zu bekämpfen sei, schlechthin *alles* sei, was für einen Menschen wichtig ist, so daß dann alle weiteren und gar die äußersten Fragen einfach ausbleiben[3].

b) Die Zweideutigkeit des Nichts

Selbst wenn die äußersten Fragen gestellt werden, dann erscheint in dem von ihnen eröffneten Horizont zunächst, wie wir sahen, das abgründige Nicht-Etwas oder das Nichts. Die Phänomenalität des Nichts hat aber dieses an sich, daß das Nichts dem Menschen zwar winkt, aber weit entfernt ist von jedem Zwang. Man *kann* sich darauf einlassen. Tut man es, dann sieht man, daß man sich auf die äußerste Wahrheit des menschlichen Daseins eingelassen hat. Aber man *muß* nicht. Der Wink des Nichts ist leise und unaufdringlich.

Ja er ist eher abweisend und schreckend. So kann man ihn für nichtig nehmen und es ablehnen, sich überhaupt darauf einzulassen. Ja man findet am Ende Grund genug, ihn zu verdrängen und sich davonzustehlen ins Positive, bei dem man wenigstens weiß, mit was man es zu tun hat.

Man ist nicht gezwungen, sich auf das Nichts auch nur einzulassen. Tut man es nicht, wie soll man dann die rätselhafte Zweideutigkeit des Nichts auch nur ahnen können?

c) Das ethische Postulat

Ist der Mensch aber so weit gegangen, dem Nichts am Ende der äußersten Fragen standzuhalten und dessen Zweideutigkeit zu ahnen, dann zwingt wiederum nichts, darin das unendliche, positive, göttliche Geheimnis zu vermuten. Dies kann und darf man zwar mit guten Gründen. Die Gründe sind aber vor allem, wie wir sahen, ethischer Natur. Das Ethische ist aber vollends der Bereich der Freiheit. Die entscheidenden ethischen Einsichten kommen nur zustande in der ethischen *Praxis*. Diese aber hat den Charakter einer freien Antwort auf den in der Situation ergehenden Appell des Guten. Hier kann vollends von Zwang keine Rede sein. Es gehört zum Menschen und seiner endlichen Freiheit, dem Appell ausweichen, sich ihm versagen zu können. Die Möglichkeit dazu bleibt immer offen[4]. Wird aber ausgewichen, versagt sich der Mensch dem Appell, dann kommt die Erfahrung der unbedingten Sinnhaftigkeit des ethischen Handelns gar nicht auf.

Auch der andere Gedanke, der die äußerste Frage nach dem Woher und Warum alles Seins alles Seienden durch den Blick auf die unbedingte Entschiedenheit der Wahrheit alles Seienden zu lösen suchte, ist nicht zwingend, so begründet er auch sein mag. Nicht nur ist auch in dieser Richtung das Stellen der äußersten Frage nicht zwingend, so wenig wie der Blick auf das Nicht-Etwas, das auch in dieser Richtung der Frage winkt. Auch die unbedingte Entschiedenheit der Wahrheit alles Seienden zwingt nicht, wiewohl sie dem, der sie gesehen hat, einleuchtet. Aber sie wird leicht verdeckt durch die vordergründige und offenbare Wandelbarkeit aller Dinge, aller Verhältnisse und auch aller Perspektiven, unter denen man Dinge und Verhältnisse im Wissen oder im Denken auffassen kann. Ist man aber in den Anblick der Wandelbarkeit aller Dinge und Perspektiven erst einmal hineingekommen, dann hat die Pilatusfrage: Was ist Wahrheit? keine Antwort mehr, jedenfalls keine unbedingte.

Die generelle Skepsis, ja der Nihilismus sind damit mögliche

Haltungen. Die Gründe, das eine wie das andere zu überwinden im Blick auf das unendliche und unbedingte Geheimnis Gottes, sind zwar ernste Gründe, aber man sieht, daß sie niemanden zwingen.

Alle Gedanken, die wir anführten zugunsten des Glaubens an das Ewige, an den Gott, sind einleuchtend für den, der sich frei auf sie einläßt. Aber niemand ist gezwungen, das zu tun. Es bleibt der Spielraum des möglichen Sich-Versagens. Damit aber bleibt der Spielraum der Möglichkeit des Atheismus.

d) Die geschichtlichen Erinnerungen

Auch geschichtliche Erinnerungen an einstige große Gotteserfahrungen können diese Möglichkeit des Atheismus nicht ausschließen. Sie können dem nichts sagen, der ohnehin nicht an Gott glauben will.

Solche Erinnerungen werden zudem um so mehr unglaubwürdig und kommen um so mehr in den Schein irrelevant zu sein, je mehr sich das neuzeitliche Bewußtsein von seiner alten Geschichte abstößt, je mehr man glauben darf, es habe eine ganz neue Geschichte begonnen, die das Alte und damit auch den alten Gott endgültig hinter sich gelassen habe. Kennzeichnend für dieses Geschichtsbewußtsein sind Geschichtskonstruktionen wie die von Auguste Comte, für den die Geschichte zwar mit ihrer religiösen Phase beginnt, dann aber in die metaphysische Phase und schließlich in unseren Tagen in die Phase der positiven Wissenschaft übergeht als die scheinbar endgültige Phase, die sich von den überwundenen Phasen ganz frei gemacht hat.

Die in einem solchen Gedanken sich vollziehende Abstoßung der älteren Geschichte und ihrer Erfahrungen macht es vollends deutlich, daß auch die Geschichte, wiewohl sie zu ihrem weitaus größten Teil religiös bestimmt ist und die Erinnerungen an religiöse Erfahrungen bewahrt hat, doch die Möglichkeit des Atheismus offenhält, ja in ihrer neuzeitlichen Phase enorm gesteigert hat. Es ist durchaus kennzeichnend, daß das Geschichts- und

Gegenwartsverständnis von A. Comte in unseren Tagen erneuert
wurde etwa von Ernst Topitsch[5].

2. Mögliche Arten des Atheismus

Diese Überlegungen über die Möglichkeit des Atheismus sind
aber für sich allein nicht genügend, um das weltweite Phänomen
des Atheismus wirklich zu erklären. Im Grunde genommen zeigen sie bloß die negative Möglichkeit, d. h. die Nicht-Unmöglich-
keit des Atheismus, sozusagen den negativen Spielraum seiner
Möglichkeit. Es muß aber weiter nach der positiven Möglichkeit
des Atheismus gefragt werden, nach dem, was positiv zu ihm
überredet und ihn positiv begründet oder die Wahl für ihn moti-
viert. Einiges davon wurde schon angedeutet. Aber wir müssen
nun eigens darauf eingehen.

Bei diesem Versuch, auch die positive Möglichkeit des Atheismus zu erläutern, werden dann die verschiedenen möglichen
Arten des Atheismus auseinandertreten. Es wird gut sein, wenn
wir im einzelnen darauf achten.

a) Negativer Atheismus

Die erste Weise des Atheismus kommt dadurch zustande, daß das
Menschenwesen sich am vorhandenen Seienden so intensiv orientiert, daß alles andere für seine Weltorientierung keine Rolle
mehr spielt. Darauf wurde schon kurz hingewiesen. Diese Orientierung am vorhandenen Seienden wird zudem gesteigert dadurch, daß das Seiende immer ausschließlicher als das im Wissen
Feststellbare und das im Handeln Verfügbare betrachtet wird.
Und die Totalisierung dieser Weltbetrachtung schließlich bringt
vollends den Schein hervor, als gäbe es nichts als das wenigstens
im Prinzip feststellbare und verfügbare Seiende. Und dieser
Schein scheint positiv zum Atheismus zu raten.

In einem so sich orientierenden Bewußtsein kommt dann Gott

nicht mehr vor, und schon die Frage nach Gott muß schließlich völlig ausbleiben. Es entsteht ein Atheismus, der eigentlich *negativ* ist. In ihm wird nicht positiv die Behauptung aufgestellt, es gebe keinen Gott. Es wird darüber gar keine Behauptung aufgestellt. Das Problem Gott fällt einfach aus.

Hierher gehört der Atheismus gewisser Versionen des Positivismus und Neopositivismus und auch des hier mit ihm verwandten kritischen Rationalismus. Dieser Zusammenhang bildet auch eine Komponente des marxistischen Atheismus, insofern jedenfalls, als auch der Marxismus von der Machbarkeit des geschichtlich-gesellschaftlichen Prozesses ausgeht und diese Machbarkeit gleichfalls totalisiert: Das in diesem Bereich zu Machende ist für ihn alles, auf was es ankommt und was zählt. Von daher begreift man, wie Wissenschaft und Technologie, d. h. das systematische Feststellbarmachen und Verfügbarmachen des Seienden, das bevorzugte Instrumentarium marxistischer Systeme ausmacht.

Unter diesem Gesichtspunkt könnte auch der marxistische Atheismus ein negativer Atheismus sein. Wenn er tatsächlich darüber hinausgeht und ein polemischer Atheismus ist, so hat dies andere Gründe, von denen noch zu sprechen sein wird.

In der Struktur des negativen Atheismus dieses Typs finden sich zwei Momente, auf die wir achten müssen. Das eine ist die Orientierung am Seienden in seiner Feststellbarkeit und Verfügbarkeit. Aus ihr entspringt die große Welt der Wissenschaft und der Technik. In Wissenschaft und Technik wird sinnvollerweise so vorgegangen, „etiam si deus non daretur", wie Hugo Grotius gesagt hat[6].

Die so gegebene Struktur bräuchte aber für sich allein das Geheimnis Gottes nicht auszulöschen aus dem Bewußtsein. Aber es kommt noch ein zweites Moment hinzu und verbindet sich mit dem ersten. Das ist die Totalisierung und Verabsolutierung der Prinzipien von Wissenschaft und Technik. Der Totalisierung gemäß wird leicht gedacht: *alles* ist prinzipiell wißbar auf die Weise empirischer Wissenschaft. Oder: Was in der Wissenschaft gewußt werden kann, ist das *Ganze* dessen, was in irgendeinem Sinne ist. Diese Totalisierung ist zugleich eine Verabsolutierung.

Denn es wird ja in dieser Haltung gedacht: Dieses – nämlich das wissenschaftlich prinzipiell Wißbare – ist schlechthin oder absolut das, was ist; außerhalb dessen ist schlechthin oder absolut nichts.

Diese Totalisierung der Wissenschaft und der ihr folgenden Technik wird meistens nicht ausdrücklich vorgenommen. Aber es wird häufig nach ihr gehandelt im wissenschaftlichen und technischen Handeln und auch weit über diesen Kreis hinaus. Es bildet sich leicht daraus eine Art allgemeiner Weltanschauung. Und dies muß dann freilich zur Folge haben, daß die Frage nach Gott ausfällt.

Es muß jedoch dazu bemerkt werden, daß diese Totalisierung und Verabsolutierung der Prinzipien der exakten Wissenschaft selbst nicht wissenschaftlich beweisbar ist. Die diese Haltung ausdrückenden Sätze, die wir oben genannt haben, betreffen zwar die Wissenschaft, sind aber selbst keine wissenschaftlichen Sätze. Man kann nicht empirisch beweisen, daß alles empirisch beweisbar ist. Man hat es, wenn man dies glaubt, durchaus mit einem *Glauben* zu tun.

Gleichwohl ist diese Haltung und sind die sie aussprechenden Sätze nicht zufällig. Sie können verstanden werden aus der Radikalisierung einer in allem Menschlichen und so auch im menschlichen Wissenschaftsbetrieb sich geltend machenden Tendenz zum Ganzen oder aus einem Willen zum Ganzen. Diese Tendenz oder dieser Wille entwirft jeweils das Ganze über alles empirisch Verifizierbare hinaus, er extrapoliert das empirisch zu Sichernde über alle Grenzen des Empirischen hinaus und entwirft so mit Hilfe des empirisch gewonnenen oder zu gewinnenden Materials die Totalität[7].

Entsteht also aus dieser Weise, wissenschaftlich zu leben oder sich an solchem Leben zu orientieren, ein negativer Atheismus, d. h. ein Ausbleiben der Frage nach Gott, dann entsteht er zwar im Horizont und im Wirkungskreis der Wissenschaft, aber doch nicht eigentlich *aus* ihr, sondern aus einer in ihr wirksamen, aber selbst nicht wissenschaftlich begründeten Tendenz oder einem Glauben. Darin hat dieser Atheismus seinen eigentlichen Grund. In diesem Grund ist, wie man sieht, auch dieser negative Atheismus positiv. Irgend etwas bewegt den Menschen, positiv zu wollen, daß alles, was ist, wißbar und machbar sei und daß das Wißbare und Machbare und Verfügbare alles sei und daß es also sonst *nichts* geben könne. Wüßte man, was den Menschen zu diesem Glauben, der auch ein Wille ist, bewegt, dann könnte man die eigentliche und positive Wurzel dieses heute so verbreiteten negativen Atheismus erkennen. Aber jedenfalls, das sehen wir hier schon, hat diese Wurzel oder dieser Glaube oder dieser Wille nicht den Charakter des Ergebnisses der Wissenschaft.

b) Kritischer Atheismus

Im Zusammenhang damit erscheint nicht selten eine andere Weise des Atheismus. Ich schlage vor, diese ,,*kritischen Atheismus*" zu nennen.

Wird in einem säkularen und von der Positivität der exakten Wissenschaft bestimmten Bewußtsein doch an Gott festgehalten, dann entsteht auch die Möglichkeit, daß Gott zwar bleibt, aber als ein prinzipiell wißbares und feststellbares Ding wie alle anderen. Es entsteht der Schein, als ob Gott in einer Definition bestimmt und in dieser Bestimmung gewußt werden könnte.

Dies hat dann zunächst die negative Folge, daß die Transzendenz Gottes verzerrt wird und für das Bewußtsein verschwindet. Gott ist dann kein Geheimnis mehr, das jeden Begriff übersteigt, er ist vielmehr gerade das Gewußte des Begriffs.

Ein solchermaßen gewußter Gott muß dann in kritische Konkurrenz treten mit sonstigen wißbaren weltimmanenten Erfahrungen. Er steht ja für das Bewußtsein sozusagen auf der gleichen Ebene mit ihnen. In dieser kritischen Konkurrenz ergeben sich dann regelmäßig Widersprüche. Man glaubt zu wissen, was Gottes Gerechtigkeit sei. Und dieses Wissen kommt dann in Widerspruch mit den Erfahrungen der realen Ungerechtigkeiten in der Welt.

Dieser kritische Widerspruch treibt dann dazu, den angeblich wißbaren und dann kritisierbaren Gott schließlich fallen zu lassen. Er wird ja von der Kritik angegriffen und schließlich zersetzt und scheinbar zerstört. Aber in Wirklichkeit wurde nur ein begriffliches Bild Gottes zerstört. Da aber der transzendente Gott in seinem jeden Begriff überschreitenden Geheimnis schon aus dem Blick kam, so bleibt dann nichts weiteres übrig als Atheismus. Dieser ist dann das Ergebnis der Kritik am scheinbar wißbaren Gott. Er ist kritischer Atheismus.

Das hier angedeutete Vorgehen des kritischen Atheismus wird auch vom Marxismus häufig angewandt. Aber dies dürfte in marxistischen atheistischen Systemen nur vordergründig sein. Die eigentliche Wurzel liegt tiefer.

Die so skizzierte Genesis des kritischen Atheismus hat nun in der Tat gleichfalls noch eine verborgene Seite, sie dürfte noch grundlegender sein als das, was wir bisher genannt haben. Sie ist für den marxistischen und viele andere Atheismen kennzeichnend.

Wer Gott als einen Seienden und in seiner Seiendheit wißbaren Gott betrachtet, der verfügt mit seinem Wissen, mit seinem Begriff, mit seiner Definition über Gott. Sein Gedanke ist also eigentlich mächtiger und umfassender als das Gedachte, der Gott. Er um-greift und be-greift dies. Dieses verfügende Mächtigwerden des Denkens uber den gedachten Gott ereignet sich zumeist unbewußt und unbedacht im Verborgenen. Aber was nicht bedacht wird, wird doch oft gelebt und vollzogen.

Ist aber das Denken auf diese Art erst einmal mächtiger geworden als der gedachte Gott, dann kann diese Mächtigkeit zu jeder Zeit ausbrechen aus dem Verborgenen und sich erheben. Der Gott, der gedacht werden kann, kann durch das Denken auch bezweifelt und schließlich gestürzt und getötet werden[8]. Der Ansatz dazu liegt schon in dem oft unbedachten Mächtigerwerden des Denkens über den gedachten Gott.

Dies ist die tiefste Seite des kritischen Atheismus. Sie hängt offenbar mit der schon besprochenen Tendenz zum Ganzen oder zur Totalität zusammen. Sie hängt zusammen mit dem darin als Möglichkeit steckenden Glauben und Willen, im Wissen und im Machen, alles beherrschen zu können und auch zu sollen. Darin also ist der kritische Atheismus mit dem vorhin besprochenen negativen von der inneren Wurzel her verwandt. Und wieder erhebt sich die Frage: Woher kommt diese Tendenz, dieser Glaube, dieser Wille?

c) Positiver Atheismus

Von hier aus kommt aber auch schon eine dritte Art von Atheismus in den Blick.

Bei den beiden bis jetzt betrachteten Arten von Atheismus sahen wir jeweils einen Impuls am Werk, der den Menschen antreibt, das Ganze zu wollen. Darum offenbar will er alles im Wissen feststellen und über alles Festgestellte verfügen. Dieser Impuls kann sich, wie wir sahen, mit Hilfe der Wissenschaft oder der Technik oder auch mit Hilfe der rationalen Kritik artikulieren.

Er kann aber auch diese Verkleidungen ablegen oder wenigstens als unwesentlich betrachten und für sich selbst hervorbrechen. Dann erscheint er als Wille, alles wissen und über alles herrschen zu wollen. Er wird dann anfangen, unersättlich zu werden darin, er wird an jede Grenze die Hand anlegen, um sie zu durchbrechen, zu überschreiten, sei es eine Grenze des Wissens oder eine Grenze der Macht. Er wird ein Pathos der Freiheit entwickeln, das grundsätzlich keine Begrenzungen duldet. Dieser einmal in Gang gekommene Wille zum Ganzen in dieser Form wird sich in seinem Gange ständig steigern, und er wird ständig höher entbrennen, je mehr er auf seinem Wege Erfolge erzielt und also Gestalten des Daseins entwirft und entwerfen kann, die wie eine Verheißung des Höheren, des Ganzen, gar des Ewigen zu sein scheinen.

Das gesteigerte Pathos dieses Willens muß sich schließlich an dem Gott stoßen, von dem man sagt, daß es ihn gäbe. Denn dieses Pathos muß sich ja an seiner begrenzenden, drohenden, richtenden Macht stoßen. Das Pathos der schrankenlosen Freiheit kann den schrankensetzenden Gott dann vielleicht nicht dulden. Es muß schließlich die Reste des Gedankens an Gott, soweit sie noch lebendig geblieben sind, vollends umstoßen als etwas Lästiges und Störendes und dazu als etwas Dummes, nämlich wissenschaftlich nicht Feststellbares.

Dieser Ausbruch des Willens zum Ganzen, wie kann man ihn deuten? Doch wohl so: Der Mensch scheint im Grunde von der Idee geprägt und schließlich beflügelt zu sein, allwissend und all-mächtig, ja schließlich göttlich sein zu wollen. Diese ihm innewohnende Idee kann ihn dazu verführen, dies mit seinen endlichen Kräften und im Kreise der endlichen Möglichkeiten seiner Welt zu realisieren. Dann wird das Endliche, das Wißbare, das Beherrschbare gleichsam entbrennen im Feuer der unendlichen Idee.

Und dann muß ein *positiver* und kämpferischer Atheismus entstehen. Er ist weit davon entfernt, die Sache mit Gott einfach auf sich beruhen zu lassen wie im Anfang der negative Atheismus. Er setzt vielmehr positiv und aktiv und polemisch die Negation Gottes.

Es war Nietzsche, der dieser Möglichkeit den größten Ausdruck gegeben hat und der den erregenden Zusammenhang sah zwischen dem Tod Gottes und dem Willen zur Macht und der dies zugleich signalisierte als das geschichtliche Ereignis, das das neuzeitliche Menschentum auf eine zuweilen verborgene, aber sehr nachdrückliche Weise weithin bestimmt [9].

Hier liegt auch die eigentliche Wurzel der marxistischen Atheismen. Sie steckt in dem Anspruch, den geschichtlichen Gang der Menschen zum idealen Endzustand ausschließlich durch menschliche Kraft und Intelligenz durchführen zu können. Denn dies ist im Grunde ein Anspruch, der sich selber absolut und allmächtig sehen will. Dies kommt ja dann auch vollends in den politischen Herrschaftsansprüchen marxistischer Systeme zum Ausdruck. Dieses Phänomen ist zweifellos mit Nietzsches Willen zur Macht nahe verwandt, wenn es auch auf den ersten Blick nicht so scheinen mag. Vor diesem Willen und diesem Anspruch hat Gott keinen Platz.

Es ist offenbar, daß dieser positive Atheismus die reinste und sozusagen wahrste, weil am wenigsten verhüllende Gestalt des Atheismus ist. Er ist zugleich jene Gestalt, welche die verborgene Wurzel aller Atheismen an den Tag bringt. Was wir in den anderen Gestalten im Verborgenen treiben sahen, das tritt hier offen ins Unverborgene.

Eben dadurch macht dieser Atheismus sichtbar, daß die verschiedenen Atheismen zwar in der Gestalt durchaus verschieden sind, aber daß sie in der Wurzel doch gleich sind und so alle untereinander verwandt.

Freilich bleibt dann noch die Frage, warum der Atheismus in dieser oder jener Gestalt zu einer Weltmacht geworden ist. Es ist zugleich die Frage, was eigentlich die Geschichte bewegt. Dies bleibt für Menschen ein Geheimnis. Hegel hat den kühnen Versuch gemacht, es zu lüften. Heidegger hat mit seinem Gedanken der Seinsgeschichte eine andere geheimnisvollere und freiere Lösung vorgeschlagen. Auf jeden Fall bleibt es ein Geheimnis.

Der Weg von der zunächst abstrakt erörterten Möglichkeit des Atheismus hat uns so zu den verschiedenen und doch tief verbundenen Gestalten seiner Wirklichkeit geführt. Es ist ein weiter und erregender Weg. Er ist weithin der Schicksalsweg des neuzeitlichen Menschen geworden.

d) Der Atheismus und das Theodizeeproblem

Die zeitgeschichtlichen Erfahrungen legen es nahe, schließlich noch auf eine spezielle Form des Atheismus einzugehen, nämlich jene, die aus dem Leiden und der Ungerechtigkeit der Welt argumentiert. Sie ist eine spezielle und sehr ernste Ausbildung dessen, was wir oben ein wenig formal kritischen Atheismus genannt haben. Das Argument für ihn kann lauten: Kann es einen Gott geben, wenn die von ihm angeblich geschaffene Welt so sehr durchdrungen ist von Leid und Unrecht?

Das in dieser Frage formulierte Problem ist nach dem Abklingen des metaphysischen Optimismus etwa eines Leibniz und dann nach den neuzeitlichen Revolutionen, Totalitarismen und Kriegen zu einem Weltproblem geworden.

Seine neuen Wortführer sind Camus, aber auch Sartre. Sein größter Prophet ist Karl Marx und der ihm folgende marxistische Atheismus. Wenn nach Marx Religion das Opium des Volkes ist, dann deswegen, weil das Volk leidet an seiner Entfremdung und weil die Zuflucht zu Gott, also die Religion, ihm dazu dient, das Leiden zu betäuben, statt es aufzuheben. Gott ist demnach das Übel, das darin besteht, das primäre Übel zu verschleiern und dadurch zu befestigen.

Soll man Gott abschaffen, um ihn zu entlasten von der Verantwortung für die Übel der Welt? Das wäre dann etwas wie ein Atheismus ad maiorem Dei gloriam, wie O. Marquardt gesagt hat.

Wie kann man dem Menschen helfen, der leidend irre geworden ist an Gott? Für ihn bleibt das Problem der Theodizee, wie es seit Leibniz genannt wird, ein höchst aktuelles und bedrängendes Problem.

Aber das Leiden schafft Gott nicht hinweg. Es schafft auch keinen jener Umstände hinweg, auf die wir hinwiesen, um auf Gott aufmerksam zu machen.

Aber leidend kämpft nicht selten der Mensch gegen Gott, der die Welt nicht besser regiert. Also kämpft er gegen den Gott, dessen Güte und Gerechtigkeit er zu verstehen meint. Mit diesem solchermaßen verstandenen Gottesbild stehen dann seine Erfahrungen im Widerspruch, und so zerbricht leidend und kämpfend sein Gottesbild.

Der Struktur nach gehört dies zum kritischen Atheismus, den wir besprochen haben. Aber eine rein strukturale Betrachtung genügt in diesem Falle nicht, wo es um ein existentielles und gesellschaftliches Problem von solchem Gewicht geht.

Man hat es hier mit einem Gottesbild zu tun, das vor der leidvollen Erfahrung nicht bestehen kann. Aber man muß sagen: Es ist für den existierenden, konkreten Menschen schwer, dieses Gottesbild zu vermeiden, und besonders schwer für den, der leidet. Darum geziemt es sich, Respekt zu haben vor einer solchen leidenden und kämpfenden Auseinandersetzung mit dem Gottesbild. Aber dieser Respekt ändert nichts an der Tatsache, daß dieses Gottesbild ja nur ein menschliches Bild ist, ein Bild menschlicher Gerechtigkeit vor allem. Aber Gott, der wirkliche Gott, ist größer und geheimnisvoller als dieses menschliche Bild. Gerade das kommt im Leiden an den Tag. Die Hinweise auf das unergründliche Geheimnis Gottes, denen wir hier zu folgen suchten, werden durch die Tatsache des Leidens nicht entkräftet, im Gegenteil, sie werden bestärkt.

So bleibt der Glaube an den alles Begreifen übersteigenden Gott möglich auch im Horizont des Leidens. Er wird zwar schwerer, weil das schwere Gewicht des Leidens auf ihn fällt. Aber nicht schwerer, als er von seiner Natur her zu sein hat. Denn es gehört zu seiner Natur, zu glauben, daß Gott unbegreiflich ist, größer und geheimnisvoller als alle Vorstellungen von Gerechtigkeit oder als alle anderen Vorstellungen, die wir uns von ihm machen können. Darin besteht eigentlich das, was man die Last Gottes nennen kann.

Der Kampf gegen das Leiden ist natürlich. Er kann und soll die Grenzen des Leidens immer wieder hinausschieben und ihm so menschliches Terrain abgewinnen. Aber es ist sinnvollerweise kein Kampf gegen Gott, es ist eher ein Kampf mit Gott um die Gewinnung des Menschlichen am Menschen.

Der Kampf, so nötig er ist, hat freilich das Leiden noch nie ganz von den Geschlechtern der Sterblichen hinwegnehmen können. Es bleibt, wiewohl es bekämpft werden muß.

An das bleibende Leiden heftet sich die Frage nach dem Sinn. Da und dort wird man mit dieser Frage nach dem Sinn des Leidens in der Tat auf einen sinnvollen Zusammenhang weisen können. Aber im ganzen hat diese Frage doch keine faßbare und wißbare

Antwort. Gerade dies, seine an ihm erscheinende Sinnlosigkeit macht die Schärfe des Schmerzes des Leidens aus. Man kann glauben und hoffen, daß dem Leiden sein Sinn aufbewahrt sei. Man soll es. Aber zu wissen gibt es hier letzten Endes nichts. Das Schweigen Gottes muß ausgehalten werden.

Aber sollen wir nur darum an Gott glauben, weil der Glaube an Gott uns alle Probleme löst? Sollen wir nur an Gott glauben, sofern wir Gott nach unseren Vorstellungen zu rechtfertigen vermögen? Gehört nicht zum Glaubenkönnen an Gott das Tragenkönnen des Dunklen, die Vorgabe über alles Begreifliche hinaus ans wirklich Unbegreifliche, das Sichanvertrauen um jeden Preis? Gott bleibt. Aber es ist menschlich, vor ihm zu klagen wie Job oder Jeremias geklagt haben. Sie zeigen uns große und immer wieder gültige Formen des Glaubens an Gott.

Gewiß kann das Leiden einmal so groß und geheimnisvoll werden, daß es Gott aus dem Bewußtsein des Leidenden auslöscht. Aber es kann auch sein, daß Gott im Leiden noch größer wird und daß er im Größerwerden die letzte Zuflucht und Hoffnung des Leidenden bleibt.

Der Atheismus ist also immer möglich, aber er ist nie notwendig. Er scheint zu unseren Zeiten eine Art geschichtlichen Schicksals und geschichtlicher Notwendigkeit zu haben. Aber auch dies ist nur ein Schein.

Man kann manchmal die Menschen verstehen, die zum Atheismus gekommen sind. Wir haben es versucht. Aber was die Geschichte und ihr Geschick angeht, so bleiben die letzten Gründe des geschichtlichen Geschehens, das den Atheismus zur Weltmacht gemacht hat, auf jeden Fall im Geheimnis.

Man kann, auf die Geschichte blickend, sagen: Die Zeit des Atheismus ist gekommen. Aber wenn sie gekommen ist, kann sie, wie jede Zeit, auch wieder gehen. Und für die, für die Gott zur lebendigen Erfahrung wurde, bleibt immer ein Weg des Glaubens. Nur wird der Glaubende für einige Zeit mit seinen atheistischen Zeitgenossen leben müssen.

Drittes Kapitel

Der Mensch
als Vollbringer der Religion

Vorbemerkungen:

In der Religionsphilosophie war zuerst von Gott zu sprechen. Denn alle echte Religion weiß sich von Gott bestimmt. Aber von Gott sprechend, haben wir auch schon auf vielfältige Weise vom Menschen sprechen müssen, insofern er an Gott denkt und sich zu Gott so oder so, positiv oder negativ, verhält. Schon die einleitenden Überlegungen über den Sinn von Religionsphilosophie waren ja eigentlich Überlegungen über menschliches Denken. So mußte, wo von Gott zu sprechen war, notwendig auch vom Menschen gesprochen werden. Offenbar war immer schon das ganze Verhältnis von Gott zu Mensch und von Mensch zu Gott da, wenn auch vom Menschen zunächst nur beiläufig gesprochen wurde, während von Gott in direkter Hinsicht zu sprechen war.

So müssen wir aber nun auch noch in direkter Hinsicht vom Menschen sprechen, insofern nämlich, als er sich zu Gott verhalten kann. Denn Religion ist eben dieser ganze Zusammenhang, in welchem der Mensch sich zu Gott verhält und Gott dem Menschen winkt und sein Verhalten bestimmt. So kann und muß, wo von Religion gesprochen wird, gerade auch von dem religiösen menschlichen Verhalten gesprochen werden. Nur dort, wo Gott zum wesentlich Bestimmenden menschlichen Verhaltens wird, können wir von Religion im vollen Sinn sprechen. Der Gedanke Gottes ist die entscheidende Voraussetzung und das Fundament der Religion. Aber menschlicher Glaube, menschliches Gebet, menschlicher Kult und ähnliches sind die Gestalten der Religion. Es sind menschliche Verhaltensweisen, die sich in vielfältiger Weise aus der Voraussetzung des Gedankens an Gott ergeben und aus der Weise, wie Gott dem Menschen winkt und ihn in Anspruch nimmt.

Darum soll im folgenden vom religiösen Menschen und seinen Verhaltensweisen gesprochen werden.

§ 12. Der Glaube

Das Grundverhältnis des Menschen zu Gott und damit die humane Basis der Religion ist der Glaube.

1. Glaube und Wissen

Der Glaube im hier gemeinten religiösen Sinn ist qualitativ unterschieden vom Wissen und insbesondere vom Wissen im modernen, vor allem durch die empirischen Wissenschaften geprägten Sinn dieses Wortes. Wir hatten schon bei der Besprechung des Atheismus Gelegenheit, darauf aufmerksam zu machen. Zwar hat der Glaube durchaus auch Inhalte, an denen er festhält, ebenso wie das Wissen. Aber sein wesentlicher Inhalt ist der allen anderen Gehalten gegenüber ganz andere und unbegreifliche Gott. Die Weise, auf den unsäglichen und einzigartigen Gott bejahend einzugehen und an ihm festzuhalten, ist infolgedessen ebenfalls ganz anders und selber einzigartig gegenüber allen Weisen des Wissens.

Sie ist nicht durch Exaktheit gekennzeichnet, denn diese setzt endliche Faßbarkeit voraus. Sie ist auch nicht durch die der Wissenschaft eigentümliche Objektivität und Intersubjektivität ausgezeichnet, denn diese setzt voraus, daß das Subjekt relativ unbetroffen außerhalb der Betrachtung bleibt. Wo aber der Mensch von Gott betroffen ist, da kann er an Gott glaubend nicht außerhalb der Betrachtung bleiben. Das Grundverhalten zu Gott hat endlich auch nicht den Charakter der Gewißheit des Wissens als kontrolliertes Verfügen und Beherrschen seiner Inhalte. Denn es hat es mit dem Unverfüglichen zu tun. Dies heißt aber nicht, daß der Glaube nur eine subjektive Beliebigkeit sei. Und auch nicht, daß seine Begründungen nicht zureichend seien und es sich also um eine nicht oder nicht ganz begründete Meinung handle. Betrachtet man den Glauben so, dann würde man ihn wiederum vom Wissen her beurteilen, sozusagen als eine unvollständige Form des Wissens. Glaube ist aber nicht eine unvollständige Form des Wissens, vielmehr etwas qualitativ anderes als das Wissen. Und die Gründe für einen Glauben an Gott können durchaus zureichend sein, aber es sind immer Gründe für einen möglichen Glauben und nicht für ein mögliches Wissen.

Aus diesem Grunde ist auch die Glaubensgewißheit, die vielleicht möglich ist, von durchaus anderer Art als alle Gewißheit des Wissens. Diese setzt nämlich die schon genannte kontrollierte Verfügbarkeit des Gewußten voraus. Sie ist bei dem unbegreiflichen Gott nicht gegeben. Gleichwohl kann auch in diesem Bereich von Gewißheit gesprochen werden. Aber sie ist dann wiederum etwas qualitativ anderes als die Gewißheit des verifizierbaren Wissens.

2. Glaube und personale Freiheit

Was kennzeichnet den religiösen Glauben in seiner Eigenart?

Der Glaube ist von seiner menschlichen Seite her gekennzeichnet durch das Engagement der personalen Freiheit oder der freien Personalität. Das Innerste und Freiste der menschlichen Personalität ist im Glauben voll im Spiel. Darum ist Glaube immer eine persönliche und freie Entscheidung oder der personale

Zustand, der sich aus einer solchen Entscheidung ergibt und der sich dann in erneuten Entscheidungen immer wieder erneuert. Ein so personal und frei verstandener Glaube ist weder subjektiv noch objektiv. Er ist nicht subjektiv, weil er nicht beliebig ist, und er ist nicht objektiv, weil er das Geheimnis, mit dem er es zu tun hat, nicht unbeteiligt sich bloß gegenüberstehen hat, vielmehr sich mit der Substanz seiner Personalität und seiner Freiheit darauf einläßt und von ihm betroffen ist.

3. Modelle des Glaubens

Die Freiheit, die hier ins Spiel kommt, darf aber nicht nur negativ als Ungebundenheit verstanden werden, sondern auch positiv: als personaler Aufschwung und freie Hingabe.

Was dies konkret bedeutet, läßt sich am besten erläutern, indem man gleichsam propädeutisch auf einige Analoga aus dem außer- und vorreligiösen Bereich hinweist, wie wir es nun schon öfter getan haben.

Wer der Qualität eines geistigen Werkes nahekommen und sie bejahen will, etwa eines Werkes der Literatur oder der bildenden Kunst oder des Denkens, der muß über die Quantität (etwa der durch Auszählen und statistisches Ordnen der Momente feststellbaren Größen) hinausgehen. Das in diesem Sinn Wißbare wird nicht genügen, wie nützlich es auch sein mag. Deswegen nicht, weil es der Eigenart dessen nicht gerecht wird, mit dem der Mensch es in diesem Fall zu tun hat.

Sofern ein Mensch über eine solche geistige Qualität, die er zu seiner Sache gemacht hat und die er bejahen will, ein Urteil hat, kann er für dieses Urteil gute Gründe haben und aufgrund ihrer seiner Sache sicher sein. Aber seine Gründe und damit seine Sicherheit sind nicht von zwingender und intersubjektiv feststellbarer Art. Denn die dazu nötige Einsicht ist gebunden an ein Urteilsvermögen durchaus persönlicher Art. Es charakterisiert die Qualität einer Person, ein solches Urteil zu haben. Diese personale Qualität ist nicht von der Person abzulösen und sozusagen unabhängig von ihr als Objekt herumzureichen.

Darum fordert eine solche Einsicht und das ihr entsprechende Urteil auch etwas wie Mut, sich dazu zu bekennen. Denn das wirkliche Eintreten in diese Sache, das man auch Glauben nennen kann, wird durch keine Objektivität dem Glaubenden einfach abgenommen, er wird vielmehr angefordert als persönlicher Einsatz durch die Sache, um die es geht.

Hier sehen wir am Modell das Positive der personalen Freiheit, die angefordert wird nicht durch den Mangel an Gründen, sondern durch die besondere Qualität dessen, worum es geht. Es kann ein Modell sein begründeten und gegebenenfalls auch seiner selbst sicheren Glaubens.

Ein anderes, der Sache noch näherstehendes Modell ist das mitmenschliche. Wir fragen: wie kommen wir zum mitmenschlichen Du? Wie kommen wir insbesondere dazu, es zu bejahen und an es zu glauben?

Hier sehen wir, daß objektive Wißbarkeiten zwar in bestimmten Hinsichten und in bestimmten Grenzen nützlich sein können, aber an den entscheidenden Punkt kommen sie nicht heran. Auskünfte über die Vermögenslage oder über die Ergebnisse psychologischer Testverfahren können gewiß über die Beurteilung eines Mitmenschen wissenswert sein. Aber darauf allein läßt sich keine personale Beziehung und schon gar nicht so etwas wie Glaube und Freundschaft aufbauen.

Dazu ist vielmehr unerläßlich eine unmittelbare Hinwendung von Person zu Person, vom Ich zum Du, die mir von keiner wißbaren Objektivität abgenommen werden kann. Dazu ist das Wagnis der Begegnung selber notwendig, das nur frei geschehen kann. Und dazu ist der Mut des personalen Vertrauens erforderlich. Nur in personaler Freiheit kann die personale Beziehung erwachen, und nur wo die ontologische Ebene dieser Beziehung schon erwacht ist, läßt sich auch das Eigentümliche des jeweiligen mitmenschlichen Du sehen, und nur aufgrund eines solchen freien und personalen Sehens läßt sich ein wirkliches Urteil bilden über

Rang und Qualität des personalen Partners. Und nur aufgrund eines solchen Urteils ist mitmenschlicher Glaube möglich und möglicherweise begründet und sicher. Der ganze Ablauf von personaler Beziehung und personalem Glauben verläuft *innerhalb* des personalen Horizontes und damit innerhalb einer freiheitlich-personalen Bewegung, die in ihrem entscheidenden Punkt nicht objektivierbar ist und also nicht in die Ordnung des objektiven Wissens gehört, obwohl sie durchaus begründet sein kann.

Dies mag als ein weiteres propädeutisches Modell gelten für die positive personale Freiheit, die, vom Geheimnis Gottes betroffen, schließlich zur lebendigen menschlichen Basis des religiösen Glaubens wird.

In ihm, dem religiösen Glauben, geht es freilich nicht um irgendwelche Qualität, sondern um das geheimnisvolle Prinzip aller Qualität, und auch nicht um ein endliches Du, sondern um das ins Geheimnis seiner Transzendenz entzogene Prinzip alles Duhaften und Personalen. Aber personale Freiheit ist auch hier, ja hier zuhöchst im Spiel.

4. Sich-Verlassen, Bejahung, Vorgabe

Wir wollen nun versuchen, den näheren Sinn dieser freiheitlichen Bewegung des Glaubens zu kennzeichnen.

Diese Bewegung ist zunächst durch Wirklichkeit zu charakterisieren etwa in dem Sinn, wie Kierkegaard von Wirklichkeit gesprochen hat[1]. Der Glaubende muß seine Existenz wirklich und im Ernst in die Bewegung des Glaubens einbringen. Damit ist diese Bewegung schon von vornherein etwas ganz anderes als eine bloß theoretische Erwägung.

Weiter läßt sich der nähere Sinn des Glaubens kennzeichnen durch den Ausdruck: „sich verlassen auf Gott". Die Bejahung des Glaubens ist eine Bejahung von der Gestalt des Sich-Verlassens auf Gott.

Das deutsche Wort „sich verlassen" bezieht sich sowohl auf

das zurück, was verlassen werden soll, wie es sich auch vorausbezieht auf den, auf den ich mich verlassen soll. Es wird in ihm also eine transitive Bewegung ausgesagt, die von dem zu Verlassenden ausgeht und hinübergeht und schließlich in den mündet, auf den der sich Verlassende sich verlassen soll. Diese Bewegung ist kennzeichnend für den Glauben im hier gemeinten Sinn.

Im Glauben läßt sich also der Glaubende im Ernst und wirklich selber los aus den Händen seiner eigenen Sorge um sich und seines eigenen Verfügens über sich und seines eigenen Bestehens auf sich. Dieser Vorgang, sich im Ernst glaubend loszulassen auf Gott hin, ist aber nur dann der religiösen Grundsituation angemessen, wenn er total ist und also nichts herausläßt von dem, was der Glaubende an sich und für sich und in seiner Welt wirklich ist. Denn vor Gott sind wir ganz, wie wir sind. Vor dem Unbedingten hat es insbesondere keinen Sinn, Bedingungen zu stellen und mit ihrer Hilfe auf Ausnahmen zu bestehen gegenüber der Ganzheit des geforderten Sich-Loslassens auf Gott hin. Solche Ausnahmen könnten sprachlich die Form haben: ich verlasse mich, und ich übergebe mich, *aber* diesen oder jenen Umstand in meinem Leben mußt du schonen. Alles aber dieser Art, alle Bedingungen und alle Ausnahmen haben vor dem unendlichen und unbedingten Geheimnis Gottes keinen Sinn.

Zur Totalität ebenso wie zur Wirklichkeit des sich Los-Lassens aus der Grundbewegung des Glaubens gehört darum auch, daß alle Verdrängungen, soweit dies immer möglich ist, geöffnet und gelöst werden, seien sie nun innerseelischer oder seien sie gesellschaftlicher Art, handle es sich um Verdrängungen von Triebkomplexen oder von Schuld oder um die Verdrängung des Sterbens. Vor Gott steht ohnehin alles, darum darf und soll im Blick auf Gott alles geöffnet, an alles gedacht, alles gelöst und freigegeben werden. So hat der Glaube von seinem Ansatz und Prinzip her einen lösenden und befreienden Charakter. Freilich wird es nicht selbstverständlich sein, daß dieser Charakter sich in der jeweiligen konkreten Situation auch wirklich und vollständig durchsetzt. Aber gefordert ist er immer.

Dieses, sich ganz zu verlassen, ist auch nur dann auf angemessene Weise vollständig, wenn es zugleich die ganze Welt des Glaubenden umfaßt. Denn meine Welt gehört zu mir, sie ist der Gegenstand meiner Gedanken, meiner Sorgen, meiner Befürchtungen, meiner Interessen. So ist sie *meine* Welt. Und so habe ich mich selber nur ganz losgelassen, wenn ich mit mir auch meine ganze Welt losgelassen und übergeben habe. Meine ganze Welt aber ist die Welt überhaupt, mit dem ganzen ungeheueren Gewicht der sie bewegenden Interessen und Triumphe und Niederlagen und Leiden: das *Ganze* gilt es loszulassen.

Sich wirklich und ganz verlassen, die ganze Welt verlassen, darum geht es. Jedoch so, daß es zugleich und wesentlich darum geht, sich und alles nicht ins Leere, vielmehr von Gottes Geheimnis betroffen sich und alles ganz auf Gott hin zu verlassen. Auf diese Hinbewegung, auf das alles übertreffende Geheimnis Gottes kommt alles schließlich an, sie macht den Glauben erst zum wirklichen Glauben. Sich anheimgeben, sich gleichsam fallen lassen in den nie zu begreifenden Abgrund Gottes, sich und mit sich die ganze Welt. Da Gott nie zu greifen und zu begreifen ist, so ist der Glaube an Gott wie ein großes Wagnis, wie ein Sprung ins Dunkle. So ist der Glaube das Kühnste und Innerlichste, das Umfassendste und Freieste, was der personalen Freiheit möglich ist.

Man kann auch sagen: An Gott glauben heißt Gottes waltende Wirklichkeit *bejahen*. Aber das Ja dieser Bejahung darf nie als ein bloß formales oder bloß theoretisches betrachtet werden. Es darf nicht neutral neben dem Vollzug des menschlichen Daseins stehen, vielmehr muß es dieses Dasein ganz umfassen, es muß mit dem Einsatz des ganzen Daseins gesprochen, d. h. vollzogen, werden.

So sich auf Gott verlassend und so ihn bejahend, hat der Glaube auch den Charakter der unbedingten *Vorgabe*. Glaubend blickt der Glaubende *vor*, mit dem Blick seiner Interessen, seiner Erwartungen. Und dies in Solidarität mit allen Erwartungen und Interessen seiner Mitmenschen, mit den Hoffnungen der ganzen Welt.

Der Glaube, dermaßen zunächst in der Richtung der Interessen und Hoffnungen vorlaufend, läuft zugleich um ein Unermeßliches darüber hinaus, denn er läuft über alles Begreifbare und Absehbare hinaus in die Tiefe des ewigen Geheimnisses Gottes, er darf von ihm die Gewährung aller Hoffnungen und alles Sinnes erwarten und gewärtigen, aber auf menschlich unvorstellbare Weise, er wird nichts in den eigenen Händen seines Vorstellens behalten wollen.

Diese Vorgabe des Glaubens ist auch seine ihm gehörende Zukünftigkeit. Der Glaube gibt mit seiner Zukunft und allem, was von der Zukunft zu hoffen und zu fürchten ist, sich Gott anheim. Der Glaube geht so kraft seiner Vorgabe in Hoffnung über, diese ist nicht von ihm zu trennen.

5. Glauben an Gott und an alles

Der Glaube an Gott hat damit noch eine Seite, auf die noch eigens eingegangen werden muß. Der Glaube gibt alles hin und verläßt sich mit allem und ganz auf Gott. Dies tuend aber, empfängt er auch wieder sich und alles aus Gottes Hand. Er erfährt sich und die ganze Welt als Gabe, als Geschenk, als Wort, als Zeugnis Gottes.

Daraus folgt, daß man sagen muß: Glauben an Gott heißt auch glauben an alles. Denn es heißt ja glauben an den, aus dessen Händen alles kommt und in dessen Handen alles ruht und in dessen Hände alles wieder geht und von dem alles Zeugnis gibt.

So kommen wir noch einmal, jetzt von der anderen und noch entscheidenderen Seite auf die Totalität des Glaubens zurück. Nämlich auf die Totalität des Glaubens als Annahme und Bejahung von allem.

In diesem Sinne heißt glauben an Gott z.B. auch: glauben an sich selbst, d.h. sich selbst annehmen aus Gottes Hand, so wie man ist. Der Glaube ermöglicht diese Freiheit, ja er fordert sie an, die Zwänge des vor sich selbst Ausweichens und sich vor sich selbst Versteckens zu durchbrechen und sich offen und frei aus Gottes Hand anzunehmen.

Glauben an Gott heißt damit auch und wiederum: seine Welt, seine Mitmenschen, seine Gesellschaft, seine Zeit, sein Schicksal aus Gottes Händen annehmen einschließlich aller Sorgen, die zu dieser Welt gehören, einschließlich auch des eigenen Todes und des Todes der Mitmenschen. Glaube, sofern er konsequent ist, ist also das große Ja, die große Positivität zum Ganzen des Daseins, zum Ganzen der Welt. Denn dem an Gott Glaubenden winkt aus allen Gestalten der Natur und allen Wendungen des Geschickes das unendliche Geheimnis Gottes. Er vermag den Wink und auch oft die Herausforderung des Ewigen in allem und über allem zu vernehmen.

Man kann im Glauben Gott nicht von der Welt als seiner Schöpfung und seinem Zeugnis trennen, wenn man ihn freilich auch immer davon unterscheiden muß. Denn wie sollten Welt und Schöpfung bestehen, wenn nicht dadurch, daß Gott sie gewährt und erfüllt? Und also ist das Ja zu Gott auch das Ja zu allem. Wer insbesondere glaubt, daß Gott der Gott aller Menschen ist, daß er alle Menschen geschaffen hat und allen den Sinn ihres Lebens bereithält, wer glaubt, daß Gott auch der Gott der Geschichte und der in ihr enthaltenen und sich entfaltenden Geschicke ist, der kommt von daher auf die Bahn eines positiven und bejahenden, eben eines glaubenden Verhältnisses zu allen Menschen und zu aller Welt und zu aller Geschichte.

Bonaventura hat den Gedanken von der Untrennbarkeit Gottes und aller Kreaturen besonders nachdrücklich betont. Seine transzendentale These dazu lautet: sed Pater Verbo suo, quod ab ipso procedit, *dicit se et omnia, quia Pater Verbo suo* [...] *se ipsum declarat*[2]. Diese These ist um so bemerkenswerter, als sie aufgefaßt werden darf als die theoretische Fassung eines Lebensmodells, das für ihn der heilige Franz von Assisi war[3]. Bei Franz heißt es im Sonnengesang: „Gelobt seist du, Herr, mit allen Wesen, die du geschaffen hast."[4] Er ist durch diese Haltung einer der größten Vorbilder glaubenden Lebens geworden.

Man wird auch hier wieder hinzufügen müssen: das glaubende
Ja zu Gott und in Gott zu allem seinem Werk und insbesondere
zu allen Menschen ist nicht angemessen vollständig, wenn es nur
theoretisch bleibt. Der Glaube an alles, was von Gott kommt,
ist nur dann ganz vollständig vollzogen, wenn er sich auch in
einer praktischen Solidarität mit allen Menschen realisiert, in
einem bejahenden und fördernden und befreienden Handeln.

6. Der Glaube an Gott und das Böse

Hier taucht nun allerdings das schwierigste Problem in dieser
ganzen Sache des Glaubens auf. Redet man vom glaubenden
Annehmen der Welt, dann kann leicht der Schein entstehen, als
müsse der Glaube einfach zu allem ja und amen sagen und sich
klaglos in alles schicken und also gleichgültig machen gegen
Gerecht und Ungerecht und gegen Gut und Böse, da ihm ja alles
recht sei. Es entsteht der Schein, der Glaube sei eine bloße
Beschwichtigung, eine Überredung, mit allem zufrieden zu sein,
statt es zu bessern und zu ändern, wirklich ein Opium für das
Volk, das dazu führe, gleichgültig zufrieden zu sein mit dem Status quo. Dies ist der Nerv vieler marxistischer Anklagen gegen
Religion und Glaube.

Was ist in unserem Zusammenhang dazu zu sagen? Das Ja zu
Gott und zu allem, was aus seinen Händen kommt, impliziert
keineswegs Gleichgültigkeit gegenüber dem Unterschied von
Gut und Böse und von Wahrheit und Lüge. Warum nicht? Weil
auch dies vor Gott steht als das, was es ist: gut und böse. Und
weil gerade dies vor Gott kein gleichgültiger Unterschied ist.
Dieser Unterschied wird für den Glaubenden allererst von Gott
her konstituiert, und er wird auch von Gott her erst so, daß er
in seiner eigentlichen Schärfe und in seinem eigentlichen Ernst
hervortritt. Weil der Glaubende an Gott glaubt, glaubt er auch
an ihn als das Gericht, wie er an ihn als die Gnade glaubt.

Wer also an Gott glaubt, wird das Gute als das Gute und andererseits aber auch das Böse als das Böse nehmen und den Unterschied wahren und dies in aller Schärfe. Mag es auch oft schwierig sein, die Grenzlinie genau festzulegen. Jedenfalls ist das Böse das, was nicht sein soll, zuerst vor Gott nicht und dann auch vor den Menschen nicht. Es ist das, was gerichtet und überwunden und, wenn es hoch kommt, vergeben werden soll. Das Böse ernst nehmen im Sinne des Glaubens heißt also: es verneinen und alles Mögliche tun, um es zu verändern zum Guten. Das Böse ist aus sich selber das Negative, es ist also das, was überwunden und ins Gute verändert werden muß.

Wer also an Gott glaubt, der darf das Böse von Gott her nehmen und von Gott her sehen als das, was *nicht sein soll*, und er wird in dieser Sache auf die Seite Gottes treten *gegen* das Böse. Und so wird sein Ja zu Gott und zu dem, was von ihm kommt, sein Nein umschließen gegen das zu überwindende Böse und alle weltverändernden Konsequenzen, die aus diesem Nein fließen. Dieses Nein wird ein Teil des Ja des Glaubens sein. Und es wird also wie dieser nicht nur theoretisch sein dürfen, vielmehr die entschiedene Praxis zur Überwindung des Bösen und die Veränderung der bösen Zustände einschließen, zuerst im eigenen Bereich und dann auch im weiten Bereich der Welt.

Aber diesem Nein wird, wenn es der Sache gemäß zugeht, gerade für den Glaubenden nur ein Moment sein im Rahmen einer größeren und umfassenderen *Bejahung*.

Denn wer jeden Menschen, und auch sich selber, aus Gottes Hand glaubend annimmt, der nimmt jeden und sich selber als *prinzipiell* Guten entgegen, so sehr auch das Gute ins Böse verstrickt sein mag. Die Verstrickung wird für den Glaubenden nichts daran ändern, daß Gott den Menschen als guten erschaffen hat und daß darum niemand so böse ist, daß er nicht im Grunde und in der Wurzel seines Daseins doch gut bliebe, mindestens in der Form, eigentlich gut sein zu wollen. Es wird immer ein Rest und ein Wurzelstock und also eine Möglichkeit des ursprünglich Guten in ihm bleiben, und es werden die innersten und vielleicht verborgensten Interessen des Menschen, auch des bösen Menschen, eigentlich doch auf das Gute gehen, das in ihm verborgen lebt, und nicht auf das Böse, in das er vielleicht verstrickt ist[5].

Und darum heißt gegen das Böse sein im Glauben an Gott auch: den bösen Menschen bejahen in seinem innersten Bereich, in seinen wesentlichsten Interessen. Denn immer noch winkt aus ihm dem Glaubenden das ewige Geheimnis Gottes. Mag es auch noch so sehr verdunkelt und getrübt und verstrickt sein. Hinter aller Verstrickung leuchtet das Licht Gottes für ihn. Darum heißt glauben an Gott auch: an das Gute glauben im Menschen hinter allem Bösen, das in ihm ausgebrochen sein mag; glauben an den Funken und an den Wurzelstock Gottes in ihm. Das heißt, sich mit diesem verbinden und also mit den besten und innersten, vielleicht verdrängtesten Kräften, auch im bösen Menschen, um diesem guten Funken wieder den Weg freizugeben und ihn ins helle Leben zu führen. Es geht dem wahrhaft Glaubenden darum, daß die Gabe Gottes im Mitmenschen und auch im eigenen Herzen gerettet werde und wieder durchbreche aus den Verwirrungen des Bösen und daß sie befreit und gesteigert werde. Und so ist das Nein, das der Glaube allem Bösen – in sich und in der Welt – entgegenhalten muß, eigentlich auch ein Ja. Es heißt eigentlich: Ja, lebe so, wie du von Gott kommst! Und auch: Ja, lebe so, wie du – gestehe es! – eigentlich selber leben möchtest! Ja, ich glaube an dich, an dieses nämlich, daß die Spur Gottes in dir noch nicht ganz erloschen ist. Man darf gewiß annehmen, daß sich durch solch einen hochherzigen und konsequenten Glauben viel Gutes wecken läßt in dieser bösen Welt. Die Dialektik des Glaubens angesichts des Bösen, also das Nein, das eigentlich ein Ja ist, diese Dialektik ist im Hin und Her von Gut und Böse doch in ihrer innersten Wurzel und in ihrer obersten Spitze eine positive Dialektik, und die Negativität, das Dagegensein gegen alles, was gegen das Gute ist, ist selber ein freilich unerläßliches Moment in der umfassenden Positivität.

Und überdies ist da noch ein anderer Gesichtspunkt: Das Böse hat auch diese Seite: es ist auch ein Element des Schicksals, des individuellen sowohl wie des kollektiven. Es überfällt uns auch oft wie eine dunkle Macht. Denn das Böse hat immer diese zwei Seiten. Nach der einen fällt es in unsere Verantwortung, und dann reden wir von Schuld. Nach der anderen aber betrifft uns das Böse nicht aus unserer eigenen Verantwortung, und dann reden wir von Schicksal. So ist das fremde Böse, was uns betrifft und das uns in sich verstrickt, Schicksal, insofern es ein fremdes ist, und dies, ohne daß es dadurch aufhörte, auch Schuld zu sein. Und schicksalhaft wirkt oft auch das eigene Böse, soweit es vergangen ist, und es bestimmt unsere jeweilige Gegenwart, ohne daß wir es noch ändern könnten, daß es so war, gerade da es Schuld war. Ein Element von Schicksal und schicksalhafter Belastung ist gewiß in jedem aktuell Bösen enthalten.

Kommt aber das Schicksal als bloßer Zufall? Für den Glaubenden gewiß nicht. Er wird glauben, daß auch im dunklen Schicksal Gottes Anruf lebt. Daß auch das Böse, wo es ihm von innen oder von außen als Schicksal trifft, einen Sinn habe für ihn, eine Aufgabe darstelle für ihn von Gott gestellt. Ein Aufruf vielleicht zum kämpfenden und geduldigen Einsatz. Er wird jedenfalls glauben, daß Gott ihn meine und rufe, auch und gerade darin, er wird glaubend dessen gewiß sein, daß er, im dunklen Schicksal mit Gott ringend, schließlich von Gott gesegnet werde wie einst der Patriarch Jakob und daß ihm unter diesem Segen ein neuer Tag und eine neue Dimension eröffnet werden könne.

Der Glaube ist so in allen Dimensionen von Gott und Welt ein Ja, ein Ja, das so stark ist, daß es auch das notwendig in ihm eingeschlossene Nein umfängt und schließlich überwindet.

Der Glaube eröffnet allererst die Möglichkeit, auch in der dunklen Welt mit dem demütigen und schließlich siegreichen Ja auf den Lippen zu leben und zuletzt zu sterben.

7. Glaube und Wunder

Wer sich und mit sich seine ganze Welt in der Bejahung des Glaubens Gott anheimgibt, der kann somit auch mit Gott sich und alles neu gewinnen. Dies kommt auf eine besondere Weise im Motiv des *Wunders* zum Ausdruck, das den Glauben auf seinem Weg durch die Menschheit immer begleitet hat. Es hängt eng mit der welthaften Dimension des Glaubens an Gott zusammen. Denn wer im Glauben sich ganz auf Gott verläßt, dem wird alles neu als freie Gabe Gottes und als Geschenk begegnen. Ihm wird also in jedem Geschenk dieser Art, im unscheinbaren wie im außerordentlichen, im Hellen ebenso wie im Dunklen seines Lebens der Zuspruch des eigentlichen Wunderbaren begegnen können, nämlich des ewigen Du, das in seinem alles Begreifen übertreffenden Geheimnis für ihn dann leuchtet und winkt aus allem, allem einen Sinn verheißend, der gleichfalls alle Erwartung übertrifft. So wartet in allem, was ihm begegnet, die Erfahrung des Wunderbaren auf den, der an Gott glaubt.

Der Zuspruch des in diesem Sinne Wunderbaren schenkt sich bisweilen als Erfahrung eines wunderbaren Getragen- und Geborgenseins, auch in „Nacht- und Todesschatten". Oder als Gabe des Heiles und der Heilung im sich zusprechenden und alles Hoffen übertreffenden Sinn.

Dies ist gewiß die Wurzel des Wunders im weitesten Sinn des Wortes. Und dies dürfte auch die eigentliche Wurzel des Sinnes des Wunders im engeren und besonderen Sinn sein. An vielen Stellen der Geschichte, wo Glaube lebte und lebt, werden Geschichten von besonderen Wundern erzählt. Die Erzählungen haben oft legendäre Form. Aber es ist keine Frage, daß sie eine ursprüngliche Erfahrung des Glaubens auf eigentümliche Weise zum Ausdruck bringen. Es kann für diese Erfahrung des Glaubens ein besonderes Ereignis zum Zeichen des heilschenkenden Gottes werden. Es kann die Kraft des Glaubens durchaus auch außerordentliche Möglichkeiten erwecken im Umgang des glaubenden Menschen mit seiner Welt. Ganz abgesehen davon, daß die allgemeine Erfahrung des Wunderbaren auch in symbolischen Geschichten sich einen bildlichen Ausdruck geben kann. Dieser Ausdruck ist dann immer noch der Ausdruck einer echten Glaubenserfahrung.

Freilich kann der Glaube in seinem Verhältnis zum Wunder und zum Wunderbaren auch leicht verdorben werden. Er muß dann verderben, wenn sich eine berechnende Zweckhaftigkeit einschleicht, d. h., wenn es dazu kommt, daß der Mensch mit Hilfe des zweckhaft verfremdeten Glaubens selber über Gott verfügen will zur Erreichung von Zwecken, die er sich selber gesetzt hat. Dann entsteht ein abergläubisches Zerrbild des Glaubens, und das Wunder wird so etwas wie ein magischer Trick. Wer aber auf diese Weise mit etwas wie Glauben Gott überlisten will, der bewegt sich in Wirklichkeit im Unglauben.

Aber nur am Wege des wirklichen Glaubens erblüht das wahrhaft Wunderbare.

Das Gebet

– Vorbemerkung –

Der Glaubende verläßt sich auf Gott und bejaht ihn so.

Aus dieser Grundhaltung folgt, daß er sich auch im Laufe und Gange seines Lebens immer wieder an Gott wenden wird. Diesen geschehenden Lebensvollzug der Hinwendung zu Gott nennen wir Gebet. Der glaubende Mensch wird folgerichtig auch ein betender Mensch sein. Ist der Glaube die Wurzel des religiösen Lebens, dann ist das Gebet die Blüte. Ist der Glaube das Fundament, dann ist das Gebet die Ausführung.

Das Gebet erscheint faktisch in sehr verschiedenen Formen. Man braucht nur in dem immer noch grundlegenden Werk von Friedrich Heiler zu blättern, um dies schnell und gründlich zu erkennen[6].

Uns kommt es vor allem darauf an, die wesentlichen Formen des Gebetes zu erkennen und sie von den unwesentlichen oder wesenlosen zu unterscheiden. Das wesentliche Gebet erkennen wir dann, wenn wir sehen, daß es sowohl dem Geheimnis Gottes wie dem des Menschen – das auch ein Geheimnis ist – angemessen ist. Auf diese Angemessenheit werden wir achten müssen.

Wir wollen ferner versuchen, die vielfältigen Formen des Gebetes auf wenige Grundformen zurückzuführen. Die wichtigsten Grundformen, in die sich alle Weisen des Gebetes, wie mir scheint, einordnen lassen, dürften diese sein: das Gebet des Schweigens, das Gebet als Sprache und das Gebet als Kult. Dies sind, wie man gleich sehen wird, drei Stufen der Ausdrücklichkeit. Das Gebet des Schweigens drückt sich am wenigsten aus, eigentlich gar nicht, das Gebet als Kult aber am meisten, das Gebet als Sprache scheint in der Mitte zwischen diesen Extremen zu stehen. Wie sich diese drei Stufen aber des näheren zueinander verhalten, kann erst die Einzelausführung zeigen.

§ 13. Das Gebet des Schweigens

Das Gebet muß zuerst Gott angemessen sein, zu dem sich der Betende erhebt. Wer aber die Unsäglichkeit Gottes im Blick hat, seine stille Größe, die jeden Begriff und damit auch jedes Wort übersteigt, wer sich dessen erinnert, daß alle menschlichen Worte endlich sind und an die Unendlichkeit Gottes nicht hinreichen, der wird, sich zu Gott hinwendend, zuerst verstummen. Für ihn wird sichtbar, daß es angemessen ist, daß der Mensch sein Wort zurücknimmt ins Schweigen. Das verstummende Schweigen ist darum die erste Gestalt des Gebetes, denn in ihm verhält sich der sterbliche Mensch am angemessensten zu Gott, der ersten und führenden Bestimmung aller Religion. Das Schweigen des Menschen ist die unmittelbare Konsequenz aus der alles Wort übertreffenden Größe Gottes. Wenn immer diese in ihrer Überschwenglichkeit den Menschen berührt und bewegt, wird er zunächst verstummen und schweigen.

Versuchen wir, dieser Konsequenz folgend, zuerst das Gebet des Schweigens zu bedenken.

Es ist vielleicht ein Grenzfall dessen, was Menschen möglich ist, und es wird darum im konkreten Leben der menschlichen Religiosität eher das Seltene sein. Aber es ist doch des öfteren beschrieben worden in der abendländischen christlichen Tradition, vor allem von den großen Mystikern. Und es gibt zu denken, daß eine der größten Weltreligionen, der Buddhismus, ganz aus dem Gebet des Schweigens lebt. Ist dieses Gebet also eine Grenze des Menschlichen, so fällt diese Grenze doch noch in den Bereich der menschlichen Möglichkeiten. Und so bleibt es immer und fürs ganze bedeutsam.

Mystiker abendländischer oder östlicher Art, die das Gebet des Schweigens besonders geübt und auch beschrieben haben, dürfen nicht als ausgefallene Sonderformen der Religion betrachtet werden, die als solche den „normalen" religiösen Menschen nichts angingen. Sie geben vielmehr eine sehr genaue und angemessene Grundform von Religion an, die für das Verständnis aller Formen von Religion grundlegend und bedeutsam ist, wenn sie auch im konkreten Vollzug an der Grenze des Menschlichen zu liegen scheint.

Wir versuchen, das Gebet des Schweigens zu beschreiben, mag dieser Versuch auch paradox erscheinen. Paradox deshalb, weil wir ja zum Beschreiben dieses Gebetes Worte gebrauchen müssen, um das zu sagen, was kein Wort gebraucht.

1. Negativität des Schweigens

Das Gebet des Schweigens ist vom alltäglichen Umtrieb und vom alltäglichen Gerede her gesehen zunächst das *Negative*. Es ist: nichts Umtreiben und von nichts sich umtreiben Lassen. Nichts

Bereden und sich nicht mehr in die Bewegung des Redens treiben Lassen. Stille des Geistes, Stille des ganzen Menschen. Schweigend wird der Mensch also alles „etwas", d. h. alle Dinge und alle Namen und alle Anliegen der Welt loslassen aus dem Begriff des Begreifens oder des Begreifenwollens, aus dem sagenden Fassen oder dem Sagenwollen. Er wird das Besitzen der Welt und das Besetztsein durch die Welt zu Boden sinken lassen. Er wird die Triebe und ihre Neugier still werden lassen. Er wird ganz Stille und Gelassenheit werden.

Darum hat der Meister Eckhart davon gesprochen, der Mensch müsse dem *Nichts* gleichwerden[1].

2. Positivität des Schweigens als Sammlung

Dieses Schweigen oder diese Gelassenheit oder dieses dem Nichts Gleichwerden ist aber nicht bloß negativ. Es setzt sich zwar negativ ab vom Umtrieb und Gerede, aber es hat doch in sich seine eigene verschwiegene Positivität.

Diese ist zuerst die Positivität der *Bereitschaft*. Es ist wie reines Hören, das zwar kein Etwas hört, aber offen und bereit ist, alles zu hören. Oder es ist wie die reine Helle des Schauens, das zwar an keinem Etwas mehr hängt, aber Offenheit ist für alles.

Als Bereitschaft ist das Gebet des Schweigens auch vollständige Öffnung, und als vollständige Öffnung ist es *Sammlung*: Sammlung aus der Zerstreuung an dies und das. Die Zerstreuung läuft in alles Mögliche auseinander, und sie hält sich so an alles Mögliche, daß sie sich ans nächste beste festklammert und sich alles andere Mögliche aus dem Kopfe schlägt. Sie teilt so die Welt und zerstreut sie zugleich, und die Welt ist geteilt und zerstreut. Sie treibt sich im Geteilten und im Zerstreuten und im Vereinzelten um.

Die Stille der Sammlung hingegen, die sich aus der Zerstreuung gesammelt hat, verhält sich in der Kraft der Stille dieser Sammlung positiv zum Ganzen von Welt und Dasein. Aber in einer ganz neuen Weise. Wir können sagen: Sie läßt alles ein, was immer ist. Sie verstellt und verdrängt nichts. Ja mehr noch: Sein-lassend gönnt sie jedes jedem, und ist so mit allem und mit dem Ganzen in lautlosem Einklang, gerade indem sie sich an nichts Einzelnem festhält. Die Sammlung ist so nicht weltlos, aber weltfrei, d.h. nicht weltverfallen, um eine Formel von Franz von Baader zu gebrauchen[2].

So bekommt das Wort Sammlung, das seit langem in der religiösen Sprache gebräuchlich ist, einen genauen Sinn. Im stillen Raum der schweigenden Bereitschaft ist alles versammelt, die ganze äußere Welt, die ganze innere Welt, alles atmet, ins Freie versammelt darin.

Die Sammlung des Schweigens ist aber noch mehr als die Sammlung der inneren und äußeren Welt. Und dieses Mehr ist schließlich entscheidend. Sie ist die reine Freiheit und Offenheit, die, indem sie alle Welt umfängt, zugleich alle Welt übersteigt. Sie fällt mit aller Welt, die sie in ihrer Weite versammelt hat, in den namenlosen Abgrund über alle Welt hinaus. Das, worein die Welt gesammelt wird, ist größer, unmeßbar größer als alle Welt. Es ist die abgründige Weite der Unendlichkeit des Geheimnisses, das alles trägt und alles gewährt und auf alles wartet. Die schweigende Sammlung öffnet sich über alle Welt hinaus in den Abgrund der Gottheit, die lautlos alles umfängt.

3. Positivität des Schweigens als Andacht

An diesem Punkt fügt sich zu den einleitenden Bestimmungen des Schweigens und der Sammlung eine dritte und entscheidende: die Bestimmung der *Andacht*. Auch Andacht ist ein altes und zuweilen abgegriffenes Wort der religiösen Sprache, dem wir wieder einen genauen Sinn geben wollen. In Hegels Philosophie der Religion spielt es mit Recht eine bedeutende Rolle[3].

Andacht bezeichnet eigentlich eine *Richtung des Denkens*. Die Silbe ‚An‘ gibt die Richtung an, die Silbe ‚dacht‘ das Denken.

Denken darf aber in unserem Zusammenhang genommen werden für das ganze lebendige Dasein des Menschen. Das Wort Andacht soll also im ganzen die Richtung oder die Transitivität des ins Schweigen gesammelten Daseins bezeichnen. So verstanden sagt das Wort: Der leise gesammelte Strom des Daseins im ganzen verweilt nicht in sich, er strömt in seiner Stille gerade weg von sich, in das lautlose Geheimnis der ewigen Gottheit. Der Sinn dieser Bewegung kann so ausgedrückt werden: an Gott denken; oder noch genauer: an Dich, o Gott, denken. Dies ist genauer, weil die Andacht keinen Gott als „etwas" hat, sie erhebt sich vielmehr in stiller und direkter Hinwendung zu „Dir o Gott" jenseits von allem Etwas. Würde sie sprechen, dann stünde Gott für sie im Vokativ und nicht im Akkusativ. Aber sie spricht nicht. Es fällt kein Wort, auch das Wort Gott nicht.

In der Andacht vollendet sich das Gebet des Schweigens, darin erst ist es ganz und im vollen Sinn Gebet. In der Transitivität des lebendigen Weggehens von sich und des Übergehens zum Ewigen liegt das Ganze und das Höchste.

4. Die Umkehr des Dankes und der Zirkel der Religion

Dieses Ganze und Höchste hat in sich auch die Umkehr. In ihr erst vollendet sich das Ganze und Höchste dieses Gebetes.

Denn erhebe ich mich schweigend zu dir, dem selber schweigenden ewigen Du, so werde ich dessen inne werden, daß die Bewegung zwar fürs nächste von mir ausgeht. Aber ich werde erfahren, daß sie früher und ursprünglicher schon von dem Geheimnis selber ausging, dem ich zugewandt bin. Ich denke in der Andacht an das, was zuvor mich gedacht hat, einschließlich meiner andächtigen Wendung. Würde das Gebet des Schweigens sprechen, was es nicht tut, dann könnte es sagen: Du hast mich mir geschenkt, und du schenkst mir jetzt, im Augenblick des Gebetes, dieses, daß ich mich dir schenke. Dies ist die Umkehr. Auch sie lebt ohne Sprache und ist gegenwärtig im Schweigen.

Die Andacht des religiösen Menschen weiß sich geschenkt und getragen von dem Geheimnis, dem sie sich schenkt und entgegenträgt. Sie geht als Bewegung auf eine ursprünglichere Bewegung ein, die ihr immer schon zuvorkam. Darin ist die Andacht viel mehr als nur subjektiv: Sie vollzieht nur nach und mit, was an sich und vom ewigen Du her sich vollzieht und immer schon vollzog. Diese Zirkel-Struktur der Andacht – und damit dann der Religion überhaupt – wird uns noch öfters begegnen.

Dies ist auch das, was Hegel das *Spekulative* an der Andacht nannte[4], der Ineinsschlag der unterschiedlichen Bewegungen. Man kann in diesem Gedanken eine leere formale Abstraktion erblicken. Versteht man ihn aber im Blick auf das wirkliche Leben des religiösen Menschen und insbesondere auf das Gebet des Schweigens, so erkennt man seine Lebendigkeit. Er beschreibt genau das vollendete Leben des Gebetes und seiner Spitze, der Andacht.

§ 14. Das Gebet als Sprache

Das Gebet des Schweigens ist groß, aber es steht an der Grenze der menschlichen Möglichkeiten.

Innerhalb dieser Grenze liegt das Gebet als Sprache. Es kann und darf nicht ganz ausbleiben, um der Menschlichkeit der Religion und des Gebetes willen. Denn die Sprache ist ein integrierendes Element des menschlichen Daseins überhaupt. Darum sind wir als Menschen nicht ganz Mensch, wo wir sprachlos bleiben müssen. In der Sprache allererst gewinnt unser Dasein die angemessene Gestalt, die angemessene Klarheit und Festigkeit.

Darum kann der Mensch zwar schweigen, aber er kann nicht immer und nicht nur schweigen. Man kann sagen, daß das Schweigen und die Stille als die Pause auch und gerade zur Sprache gehört. In ihr wechseln Schweigen und Sprechen einander ab wie Einatmen und Ausatmen.

Weil also Religion und insbesondere Gebet menschliche Verhaltensweisen sind, weil in ihnen der Mensch sich als Mensch zu Gott verhält, darum kann das Gebet als Sprache nicht ausbleiben. Wo wir Menschen das, was uns bewegt, überhaupt nicht aussprechen könnten, da hätten wir uns in diesem uns bewegenden Verhältnis gar nicht ganz als Menschen realisiert, da wäre eine wichtige Dimension unseres Menschseins leer geblieben und wären Bahnen stillgelegt worden, die doch auch wesentlich zu uns gehören. Da die Sache Gottes uns aber ganz anfordert, in allen unseren Dimensionen, so muß um dieser Ganzheit willen die Sprache mit ins Spiel kommen. Wir müssen betend also schließlich auch zu Gott sprechen.

Dies gilt um so mehr, wenn man an das kommunikative Wesen der Menschen denkt. Menschen sind ja sie selbst immer mit anderen Menschen, und ihr Dasein hat immer die Form des Miteinanderseins. Die Sprache ist aber gerade die Artikulierung und die Realisierung dieses Miteinanderseins. Indem wir miteinander sprechen, sind wir füreinander und miteinander da. Indem wir miteinander sprechen, ist auch das, worüber wir sprechen, in der Wirklichkeit des offenen Miteinander da. Darum ist im Horizont des Miteinanderseins etwas, von dem niemand spricht, wie gar nicht da. Dies gilt nun insbesondere auch für das Gebet. Wird Gott genannt, wird das Gebet wirklich gesprochen, dann hat das Geheimnis Gottes seine deutliche Gegenwart im Miteinandersein der Menschen. Diese deutliche Gegenwart müßte im Zeitdasein vergehen, wenn alle das Schweigen bewahrten und überhaupt nicht von dieser Sache sprächen. Das Geheimnis Gottes und die Verbundenheit der Menschen mit ihm sollen aber nicht vergehen und vergessen werden.

Betrachtet man das Schweigen und seine Andacht als Erscheinung der Innerlichkeit und die Sprache als Entäußerung und insofern als die Äußerlichkeit einer Innerlichkeit, dann erkennt man bald, daß immer beide Seiten zusammengehören. Alles Sprechen als Äußerung spricht eine Innerlichkeit aus, wenn auch nicht immer auf eine angemessene Weise. Und alle Innerlichkeit äußert sich und ist durch sich selbst auch Äußerung, wenn auch auf sehr unterschiedliche Weise.

Daher kommt es, daß selbst das Schweigen nicht ganz sprachlos bleiben kann. Es nimmt seine Äußerung zwar auf ein Minimum zurück. Aber die Innerlichkeit seiner Sammlung und seiner Andacht äußert sich doch immer noch in den Gebärden des Antlitzes, und dies ist auch eine Sprache, weil eine Äußerung. Darum kann das Gebet nie ganz ohne Sprache bleiben, wenn sogar das Gebet des Schweigens seine verstohlene Sprache aufweist.

Über Sprache und insbesondere auch über religiöse Sprache sind in letzter Zeit sehr viele Publikationen erschienen[1]. Wir suchen einen eigenen Weg, die Eigentümlichkeit der Sprache des Gebetes zu beschreiben.

Im Gebet als Sprache sprechen Menschen zu Gott und mit Gott. Gott wird genannt und angesprochen, und der Mensch spricht sich aus.

In der neueren sprachphilosophischen Literatur ist öfters von der „dreistrahligen semantischen Relation" die Rede[2]. Es ist die Relation zu dem Sprecher selbst, die Relation zu dem Hörer selbst und die Relation zur Sache, über die gesprochen wird.

Für das Gebet ist kennzeichnend, daß die beiden Relationen zum Sprecher selbst und zum Angesprochenen durchaus im Vordergrund stehen und die dritte Relation, die Relation zur Sache, zwar nicht ausfällt, aber nur beiher spielt und in der genannten doppelten Relation wie aufgehoben ist. In Grenzfällen kann sie sogar ganz ausfallen. Im Blick darauf sprechen wir von der Zweipoligkeit des Gebetes. Es hat den theologischen Pol, denn es spricht zu Gott. Und es hat den anthropologischen Pol, denn es ist immer ein Mensch, der zu Gott spricht. Zwischen diesen beiden Polen entfaltet das sprachliche Gebet eine ausgezeichnete Beziehung. So haben wir wiederum über drei Dinge nachzudenken: über die theologische Seite des Gebetes, über die anthropologische Seite des Gebetes – im Zusammenhang mit dieser wird die Weltseite des Gebetes mit zur Sprache kommen müssen – und schließlich über die relationale Struktur des Gebetes, über sein

Wesen als Beziehung. Immer ist zwar das gesprochene Gebet ein unteilbares Ganzes, aber gleichwohl hat es doch diese immer unterscheidbaren Seiten.

1. Die theologische Differenz der Sprache und die negative Sprache

Die theologische Dimension des sprachlichen Gebetes ist deswegen ein Problem, weil es – wie wir schon gesehen haben – die Frage ist: Wie soll der sterbliche Mensch Gott anreden? Welche Worte soll er dazu gebrauchen? Wir haben ja versucht klarzumachen, daß Gott im strengen Sinn unaussprechlich ist. Und wir können auch sehen, daß alle Worte und sprachlichen Möglichkeiten endlich sind und immer einen endlichen Bestand an endlichen Vorstellungen und Bezügen ins Spiel bringen. So scheint die Sprache hinter dem Gott, der angeredet werden soll im Gebet, zurückzubleiben.

Dies ist zwar immer wahr. Aber das Zurückbleiben ist doch nicht ganz der Fall. Denn die Sprache kann auch sich selbst überschreiten. Gerade das Gebet als Sprache muß hinsichtlich dessen, den es anspricht, sich selbst überschreiten. Dies ist eine eigentümliche Möglichkeit der Sprache. Das Wort der Sprache bleibt zwar endlich, aber es kann und muß seine eigene Endlichkeit überschreiten, es muß über sich selbst hinausweisen ins Unsagbare. Darum muß sich das Gebet, das Gott rufen und nennen will, auf zwei Ebenen zugleich bewegen: auf der Ebene der unmittelbaren Sprache und ihrer Endlichkeit und auf der durch diese vermittelten Ebene der Unendlichkeit Gottes, der genannt und angerufen werden soll. Der endliche Bestand der Sprache muß zwar vorgebracht werden, aber er muß durch die Sprache selbst auch wieder aufgehoben werden in das Geheimnis, das man nicht mehr aussprechen kann.

Das Wort des Gebetes eröffnet also unter diesem Gesichtspunkt in sich selber eine Differenz. Wir können sie die theologische Differenz nennen. Es ist die Differenz zwischen der unmittelbaren Endlichkeit des sprachlichen Materials und der durch diese vermittelten Unendlichkeit dessen, zu dem die Sprache sprechen will. Das Wort der Sprache des Gebetes enthält diese Differenz und eröffnet sie, verbindet aber zugleich die beiden Seiten der von ihr eröffneten Differenz, wo es wirklich religiös gesprochen wird. Es schließt so die Differenz, die es eröffnet hat. Denn für den Betenden erscheint im Endlichen seines Wortes auch in vermittelter Unmittelbarkeit der unendliche Gott.

Um dieser Differenz willen kann man sagen, daß auch im gesprochenen Gebet das Schweigen bewahrt und aufgehoben bleibt, von dem wir zuerst sprachen. Denn zwar spricht nun der betende Mensch, aber sprechend spricht er gerade das auch nicht aus, was er eigentlich meint. Sprechend bezieht er sich über alle Sprache hinaus auf das, was doch verschwiegen bleibt. Darum bricht die Sprache des Gebets das Schweigen eigentlich nicht, aber sie artikuliert es.

Dies ist aber der Grund, warum die Sprache des Gebetes zweideutig und mißverständlich bleiben muß. Das Verständnis des Gebetes kann bei seinem bloßen unmittelbaren sprachlichen Bestand verweilen. Wer das Wort des Gebetes spricht, kann gleichfalls bloß im materialen Vordergrund der Worte bleiben, gleichsam an ihrer Oberfläche. Aber dann liegt kein – im strengen Sinn – religiöser Gebrauch der Worte vor. Und dann ist es eigentlich kein Gebet, obwohl die Worte, die gebraucht werden, Gebetsworte sind. Solches ist immer möglich. Aber immer ist es auch möglich, daß mit denselben Worten der freie Aufschwung ins unsägliche und ewige Du vollzogen wird, das jenseits aller Sprache waltet.

Dieser schwebende Charakter der Sprache des Gebetes, diese Eigentümlichkeit, daß es die theologische Differenz zugleich eröffnet und schließt, kann sprachlich in verschiedenen Formen zum Ausdruck gebracht werden. Es sind vor allem die Formen der transzendierenden Negation und der symbolischen Position.

Die vielleicht vornehmste Weise der Sprache, sich selbst zu

transzendieren, ist die Negation. Sie liegt darin, daß man sprechend sagen kann, daß man nicht mehr von dem sprechen kann, von dem man sprechen will; und im Falle des Gebetes: daß man nicht mehr den ansprechen kann, den man ansprechen will. Man kann mit Hilfe der Negation noch sagen, daß das zu Sagende die Möglichkeiten des Sagens übertrifft.

Diese transzendierende Negation findet sich durchaus auch im nichtreligiösen Kontext. Ein Mensch kann, wenn er etwas besonders Schönes, z. B. als Musik, gehört hat, danach seinen Mitmenschen berichten: Ich kann es gar nicht sagen, wie schön es war. Dann hat er etwas gesagt. Er hat aber zugleich gesagt, daß das, was er sagen wollte, die Möglichkeiten des Sagens übertraf. Er hat durch die Negation das Schöne, das er rühmen will, gerade groß gemacht.

Ähnlich, aber noch radikaler, ist es im Falle der Anrede an Gott. Er kann durch die Negation gerade groß gemacht werden. Darum gibt es auch für Gott viele negative Prädikate. Wird Gott als der Unendliche, als der Unbedingte, ja schließlich als der Unaussprechliche angesprochen, dann hat man mit den Negationen dieser Worte gerade auf das Geheimnis gedeutet, das größer ist als alle Worte. Die Sprache transzendiert also mit Hilfe der sprachlichen Form der Negation ihre eigenen Grenzen, die Grenzen ihrer Endlichkeit. Aus diesem Grund spielen negative Ausdrücke und negative Wendungen in den religiösen Sprachgebräuchen aller Völker und durch die ganze Geschichte der Religion hin immer eine sehr große Rolle.

2. Die positiv-symbolische Sprache

Die andere, zugleich kompliziertere und verbreitete sprachliche Möglichkeit, die sich dem Gebet darbietet, ist die der symbolischen Position. In ihr wird Gott positiv genannt, nämlich in Symbolen. Diese positiven Worte haben die Funktion von Symbolen, d. h. in ihnen fallen zusammen – wir erinnern daran, daß Symbol

Zusammenfall heißt – das positive endliche Wort und das, was es positiv sagt und nennt, einerseits und andererseits das unsägliche und unaussprechliche Du Gottes, der in diesem Wort angerufen werden soll. Auch das Symbol hält die theologische Differenz, die es eröffnet, zusammen. Auch es bewahrt, wo es recht verstanden wird, das Schweigen, indem es dieses zugleich in ein Wort aufhebt.

Beim symbolischen Sprechen und Ansprechen Gottes im Gebet kann man mehr den Zusammenhang des Symbols und des Symbolisierten betonen. Dann kann man von der Analogie des Symbols sprechen. Wir kommen also in diesem Zusammenhang noch einmal, aber nun von der anderen Seite, auf Symbol und Analogie zu sprechen[3].

Das Symbol spricht einen Gehalt aus und stellt ihn vor, der zwar nicht im gleichen, aber doch in verwandtem, eben in analogem Sinn das eigentlich gemeinte Geheimnis Gottes betrifft. Dabei darf freilich nicht vergessen werden, daß dieses eigentlich Gemeinte selber nicht mehr vorstellbar ist und daß also nur eine Seite des symbolischen Zusammenhangs oder der symbolischen analogen Verwandtschaft greifbar und vorstellbar wird, aber nicht die andere. Es ist in der Analogie des Symbols nur das eine Analogatum gegeben, aber nicht das andere. Darum gilt auch, wenn man von der Analogie des Symbols spricht, der Satz: Deus semper maior. Dies ist das aufhebende Bewahren des Schweigens. Die Analogie des Symbols stellt nicht zwei irgendwie vergleichbare Gehalte sozusagen nebeneinander, vielmehr eigentlich nur einen, der seinerseits zu einem, allerdings nun positiven Zeiger wird in das unvorstellbare und doch mit allem verwandte Geheimnis.

Beim symbolischen Sprechen und Beten kann deswegen auch umgekehrt die Differenz betont werden, die bleibt und die immer gewahrt werden muß, eben das Deus semper maior. Dann kann man mit Karl Jaspers vom Symbol als Chiffre sprechen[4]. Die Chiffre ist eine verschlüsselte Schrift. Sie sagt anderes und mehr, als sie unmittelbar darstellt. Was sie aber eigentlich sagt, kann nicht mehr direkt und unmittelbar in der Schrift zum Ausdruck gebracht werden. Darum gilt bei Jaspers der Satz, daß die Chiffre der Transzendenz, d. h. Gottes, nicht auflösbar ist. Der Klartext der Chiffre wäre im Sinne von Karl Jaspers überhaupt kein Text mehr. So wird die Differenz durch diesen Begriff von Karl Jaspers scharf betont. Aber gleichzeitig wird von dem Philosophen gesagt, daß die Chiffre lesbar wird „für mögliche Existenz"[5]. Der existierende Mensch also, der zu dem Bewußtsein erwacht, vor Gott zu stehen und der von diesem Bewußtsein verwandelt wird und in diesem Sinne Existenz wird, liest die Chiffre, d. h., er versteht in den vergänglichen Worten den unvergänglichen Sinn, das Geheimnis Gottes. So bleibt die Aufhebung der Differenz gewahrt als Möglichkeit für die Existenz. Aber wo kein lebendiges Verhältnis zu Gott lebte, würde die Chiffre nichts mehr sagen und bliebe ein unlesbarer oder allenfalls ein nur falsch lesbarer Text.

Die Symbolbildung, von der die Sprache des Gebetes lebt, ist ein geheimnisvoller Vorgang. Und zwar deswegen: Sofern Gott alles umfaßt und alles gewährt, kann alles symbolisch auf ihn weisen. Sofern er nichts von allem Seienden ist, kann auch nichts auf ihn weisen. Die Sprache des Gebetes, die Gott im Symbol nennen will, hat also als Vorgabe nur alles oder nichts. Alles kann zum Symbol Gottes werden, nichts muß es werden. Die Sprache aber muß aus dem Abgrund der Möglichkeiten, aus dem „Alles oder Nichts" bestimmte Möglichkeiten in schöpferischer Phantasie herausgreifen, um eine Welt von konkreten, bestimmten und einander zugeordneten Symbolen zu entwerfen.

Dieser symbolbildende Akt der schöpferischen Phantasie wird im besten Falle kein bloßes Gemächte des Menschen sein. Der Mensch und seine Phantasie werden zwar engagiert, aber sie werden zuerst berührt und angerufen werden in bestimmten Bildern von Wink und Anruf aus dem Geheimnis. Darum ist es in der Bibel Jahwe, der zuerst aus dem brennenden Dornbusch spricht, und erst nachher kann Moses wiederum in Symbolen sprechen. So wird die Symbolbildung Antwort sein und Dank, also ein zweites auf ein erstes hin, das von Gott her kommt, der sich der Bilder der Welt bedient. Symbole sind so etwas wie ein

Wunder, wie Gaben, wie Geschenke, sie machen es möglich, aus dem Schweigen ein Sprechen positiver Art zu machen und aus dem „Alles oder Nichts" ein klares Bild. In diesem Falle geht also die Offenbarung von seiten des Gottes, von der wir früher zu sprechen hatten, ein auf die sprachlichen Entwürfe des Menschen und winkt sie hervor.

Es scheint, daß die schöpferische Kraft der Symbolbildung vielen früheren Menschentümern in einem hohen und guten Maß gegeben war. Von ihnen sind uns darum große Beispiele kraftvoller und ursprünglicher Gebete erhalten. Die Sammlung der Psalmen der Bibel enthält wichtige Belege dafür. In unserer rationalisierten Welt hingegen ist das Geschenk selten geworden, und die Gabe ist verdrängt und verdeckt. Darum fällt uns die Sprache des Gebetes schwer. Freilich darf man annehmen, daß das Schwergewordene, weil Verdrängte und Verdeckte, doch in der Tiefe des Grundes des menschlichen Herzens noch wartet. Darum glauben wir, daß die Sprache des Gebetes, d. h. die Sprache des Symbols, zwar schwierig, aber nicht ganz unmöglich geworden ist in unserer Zeit[6].

Erinnern wir uns an einige alte große Symbole, mit denen Gott angerufen wurde und doch wohl auch immer noch angerufen werden kann. Sie stammen zu einem wichtigen Teil aus dem Bereich des Miteinanderlebens der Menschen. In diesem Zusammenhang ist das Du das große Grundsymbol. In ihm wird immer wieder das Geheimnis Gottes berührt. Wir haben schon davon gesprochen. Aber das Du reichert sich dann weiter symbolisch an und konkretisiert sich. Es zieht z. B. die Gestalt und das Wort „Vater" an sich heran, so daß gerufen werden kann „Du, o Vater". Doch gehört in diesen Zusammenhang auch das Wort „Mutter", das in vielen Religionen eine große Rolle spielt, das auch besonders in alttestamentlichen Texten da und dort erscheint, wenn es auch in den uns näherliegenden religiösen Traditionen eher selten vorkommt. Auch Worte und Gestalten wie „Herr" und „König" sind solche appellativen Symbole aus dem Bereich des menschlichen Zusammenlebens.

Eine andere Klasse von Symbolen des sprechenden Gebetes gehört in den Zusammenhang von Himmel und Erde. Der Himmel als unberührbarer Raum, aus dem das Licht der Gestirne herabsteigt ebenso wie der Regen; die lebenspendenden Gaben des Himmels, und der bedeutungsvoll glänzt über den Wegen der Sterblichen mit den Gestirnen, die im rhythmischen Steigen und Fallen, zumal der großen Gestirne, Sonne und Mond, den Lauf der Zeit und der Welt bestimmen, ihm eine Ordnung gewähren und ihn vor dem Chaos bewahren. Der Himmel ist darum eines der großen alten Symbole. Darum können wir zum Vater rufen als dem Vater im Himmel. Und in diesen Zusammenhang gehört auch der Vers des Psalmes 18, der davon spricht, daß die Himmel des Ewigen Ehre rühmen. In diesen Zusammenhang gehört auch das alte Symbolwort des Lichtes, das in seiner alles erhellenden und belebenden Kraft an sehr vielen Stellen der religiösen Überlieferung Symbol für Gott geworden ist. Auch gehören in diesen Zusammenhang die weitverbreiteten Sonnenreligionen, in denen das Hauptgestirn unseres Himmels zum leuchtenden Symbol wurde für das Geheimnis, das allen Segen, ja schließlich überhaupt alles Dasein spendet.

Auch die Erde gehört zu diesen ursprünglichen und großen Symbolen, wenngleich ihre symbolischen Kräfte in den uns näherstehenden Religionen weniger betont werden. Es verhält sich damit ähnlich wie mit dem Symbol der Mutter, was kaum ein Zufall sein dürfte. Die Erde wird Symbol, natürlich nicht als physikalischer Körper, wohl aber als der hütende Boden, der dem Menschen Wohnstatt gewährt, als der fruchtbare Mutterschoß, der die Früchte hervorbringt, von denen die Menschen leben, als der geheimnisvolle Grund, in dem schließlich die Toten geborgen werden: ein altes großes Symbol für das Geheimnis, das alles trägt und leben läßt und das Lebende und Tote umfängt.

Eine andere Klasse von Symbolen liegt weniger im einzelnen Bild als in der rhythmischen Reihung der symbolischen Rufe. Beispiele dafür sind die Litaneien oder der Rosenkranz oder der Psalm 119 mit seinen 22 je achtzeiligen Strophen, die der Reihung des hebräischen Alphabetes folgen. In vielen Religionen finden wir ähnliches.

Wie kann die rhythmische Reihung Symbol sein? In deren Gliedern kommt in Variationen vielmal das gleiche oder ähnliches zum Ausdruck. Der Ausdruck wird rhythmisch vervielfältigt. Jeder Satz samt dem, was er sagt, wird zwar genannt, aber mit vielen anderen ähnlichen Sätzen zusammengereiht, verliert das einzelne an Gewicht und Bedeutsamkeit, und der gleichmäßige Rhythmus lädt zur Meditation ein. Im Durchgang durch die vielen ähnlichen Wendungen transzendiert der Betende das einzelne auf das eine Geheimnis hin, das in vielen Wendungen genannt und doch nie adäquat zum Ausdruck gebracht wird. In diesen Fällen wird das Viele gerade zum Symbol des immer umkreisten Einen, und die Bewegung der Worte ist selber ein symbolisches Umkreisen. So wird die vielfältige Welt der Sprache zum Symbol für den einen Gott.

In den Psalmen der Bibel und in den Prophetentexten haben wir etwas wie ein Musterbuch großen und elementaren Betens vor uns. Darin findet sich ein reicher Schatz sprechender Symbole dieser und auch mancher anderer Art. Ist es so sicher, daß die alten und einfachen und großen Bezüge und Dinge und Rhythmen in unserem aufgeklärten Zeitalter nicht mehr sprechen, d. h. bedeutungsvoll winken? Und sofern sie nicht mehr sprechen und winken, ist es sicher, daß ihre Stimme nicht mehr geweckt werden kann? Dies scheint gar nicht sicher. Und vieles, selbst in unserem alltäglichen Dasein spricht dagegen. Man muß nur sorgfältig genug hinschauen darauf, was geschieht und wie die Menschen eigentlich leben und sprechen, dann erkennt man, daß sie unbemerkt viele Symbole gebrauchen. Vollends ist das Leben der Kinder, die dem Ursprung nahe sind, und das Leben der Liebenden, die ihm neu nahe werden, reich daran.

Nun kann es aber freilich auch geschehen, daß der Reichtum der Vielfalt und der plastischen Farbigkeit der Symbole den Verweischarakter auf das eine, allem zugrundeliegende Geheimnis eher verhüllt, wenn auch nicht ganz zum Verschwinden bringt.

Dann entstehen von der menschlichen Seite her die Formen des Polytheismus, die wir schon von der anderen Seite betrachtet haben[7]. Es leben dann mehrere Symbole, und sie sind dann untereinander nicht mehr schrankenlos austauschbar, sie leuchten und winken vielmehr je in ihrer Art im Geheimnis des Heiligen, dessen Einheit sich dann freilich verhüllt, ohne doch ganz zu verschwinden. Darum kann der Polytheismus Ausdruck ursprünglichen religiösen Lebens sein; und man kann in den bedeutenden Formen des Polytheismus beobachten, daß solche Religionen meistens einen monotheistischen Zug behalten. Der Verweis auf das eine Geheimnis hinter allen Gestalten verschwindet nicht ganz, wenn es auch zurücktritt. Wie umgekehrt viele große monotheistische Religionen einen polytheistischen Zug aufweisen, besonders in ihren einfachen und volkstümlichen Formen. Das Bedürfnis der Vielfalt und Vielfarbigkeit der Bilder verschwindet auch hier nicht ganz.

Kaum braucht dann von jener auch vorkommenden Pervertierung gesprochen zu werden, in der die symbolischen Bilder sich ganz abtrennen von ihrem Bezug zum Geheimnis der Transzendenz und dann zu gegenständlichen Götzen werden. Dann erinnert zumeist nur noch die Mächtigkeit, die ihnen zu bleiben pflegt, an den Bezug zur Transzendenz, der ihnen einmal anhaftete.

Wie soll man Gott anreden? Eine schöne Zusammenfassung der möglichen Antwort auf diese Frage und das in ihr verborgene Problem gibt Gregor von Nazianz in zwei Zeilen: ,,Allnamiger, wie soll ich dich nennen, Du einzig Unnennbarer!"[8]

3. Das ,,Ausschütten des Herzens"

Wir haben weiter über den anthropologischen Pol der Sprache des Gebetes nachzudenken. Der Betende spricht im Gebet zuerst Gott an, er tut es jedoch so, daß er in seinem Ansprechen zugleich sich selber ausspricht und so sich als Mensch ins Spiel bringt.

Denn der Betende betet als er selber, oder er soll es doch tun. Würde er nur etwas aufsagen, was nicht seine Sache selber wäre, so würde er nicht eigentlich als er selber beten und so eigentlich überhaupt nicht beten. Würde aus ihm bloß eine unpersönliche Gewohnheit sprechen oder gar nur die Sprachgewohnheit der Gruppe, der er angehört, so würde er wiederum nicht als er selber beten. Solche Gewohnheiten können zwar im guten Fall Einübungen ins Selber-Beten sein. Aber das Selber-Beten und damit das eigentliche Gebet muß aus dieser Einübung erst erwachsen.

Im Gebet entfaltet sich also das *Selbst* in Gott hinein. Das Selbst ist aber kein dimensionsloser Punkt, es hat vielmehr einen Gehalt. Es umfaßt einen inneren Raum von Bewegungen und Antrieben, und es ist befaßt mit einer äußeren Welt von Bewußtem, Erstrebtem und Befürchtetem usw. ... Beide Räume gehen ineinander über und leuchten ineinander hinein, der innere und der äußere. Beide machen zusammen den Gehalt des Selbst aus. Wo also der Mensch als er selbst zu Gott hin sich öffnet, wird er mit sich seinen Gehalt, seine Welt zur Sprache bringen müssen. So entsteht die Weltdimension des Sprechens des Gebetes als eine Entfaltung ihres anthropologischen Pols.

Nach dieser Seite hin soll sich das Gebet durch Redlichkeit und Ganzheit auszeichnen.

Durch Redlichkeit zuerst. Sie ist nämlich nicht selbstverständlich. Menschen neigen dazu, sich zu verstellen und hartnäkkig weite Bestände ihres Inneren, aber oft auch ihrer Weltbezüge aus dem Bewußtsein zu verdrängen und sie zu verleugnen und so vor sich selber gar nicht sie selbst zu sein, vielmehr so etwas wie ein Wunschbild ihrer selbst. Und selbst wo Menschen sich vor Gott wissen, halten sie diesen Trug häufig fest und verstärken ihn manchmal sogar.

Dies aber hat keinen Sinn, weil wir vor Gott sind, wie wir sind, und also auch sein dürfen und sein sollen, was und wie wir sind. Wir hatten schon bei der Behandlung des Glaubens davon zu sprechen, und wir müssen hier, beim Gebet, darauf zurückkommen. Dies hat für das Gebet die notwendige Konsequenz, daß es redlich zu sein habe, und dies gegen die auch der Sprache innewohnende Neigung des Truges. Darum wird im Psalm 61, 9 der Rat gegeben: „Schüttet euer Herz aus vor Gott." Das Ausschütten ist kein Auswählen und noch weniger ein Verdecken. Es öffnet schrankenlos alles, was im Inneren ist, und so, wie es darin ist, in den Abgrund Gottes hinein. Das Ausschütten ist ein starker Ausdruck für die hier gemeinte Redlichkeit. Darum soll in der Sprache des Gebetes alles zur Sprache kommen, was im Menschen an Freude und Dank ist, aber auch an Not und Enttäuschung, an Klage und Streit, an Sorge und Schuld, an Angst und Hoffnung. Auch hier darf wiederum auf viele Psalmen hingewiesen werden. In ihnen kommt in bisweilen großartiger Freiheit und in einer bisweilen fast erschreckenden, aber eben dadurch lehrreichen Redlichkeit wirklich alles zur Sprache, was das Herz des Menschen bewegt. Dies ist besonders eindrucksvoll dort, wo das Herz des Menschen voll ist von Klage, vielleicht sogar von Anklage Gott gegenüber. Solches pflegt oft verdrängt zu werden, aber gerade die Psalmen tun dies nicht. So betet der Beter im 21. Psalm:

„Ich rufe am Tage, und du hörst mich nicht,
Ich rufe in der Nacht, und du hast keine Antwort."

In solchen klagenden Sätzen schüttet hier ein Beter wirklich sein Herz aus und hält nichts zurück. Und so bewegen seine Worte auch uns noch gerade um ihrer großen Redlichkeit willen.

Zu dieser Art von Redlichkeit gehört die Totalität, auch diese hat das Gebet mit dem Glauben gemeinsam. Das Totale, das Ganze, alles, was ich bin und was in mir ist, soll sich in der Sprache des Gebetes eröffnen auf Gott hin.

Zu diesem Ganzen gehört, erinnern wir uns daran, die innere Welt der Triebe und Bedürfnisse; es gehört aber auch die äußere Welt, die Welt im engeren Sinne dazu. Gerade hier wird es sichtbar, daß ich im ganzen immer auch „Denken an vieles", „Mich sorgen um vieles" bin, und denkend und sorgend also Welt habe und welthabend bin. Das Ganze heißt also auch meine Welt, die Welt dessen, an was ich denke und um was ich mich kümmere und womit ich mich in irgendeiner Weise beschäftige. Alles dies gehört mit in die Sprache des Gebetes, weil es mit zur Ganzheit meiner Selbst gehört, in der ich mich betend vor Gott ausschütte. Meine ganze Welt ist aber im Grunde *die* ganze Welt. Auch wenn ich für den täglichen Gebrauch eine Auswahl aus diesem Ganzen machen muß und dies dann als meine persönliche Welt im engeren Sinne betrachte, so interessiert mich doch im Grunde alles und kümmert mich im Grunde alles, und ich weiß mich im innersten Grunde meiner selber solidarisch mit allem und mit allen, mit der ganzen Welt.

Drum muß die Sprache des Gebetes in jedem Sinne welthaltig sein. Meine Fragen und Sorgen um die Welt der Natur und viel mehr noch um die mitmenschliche Welt gehören in das Gebet. Aber auch die Fragen und Sorgen um alle Welt und um alle Nöte der Welt. Alles dies gehört hinein, sei es in der Form des Dankes oder in der Form der Bitte oder in der Form der Klage oder in welcher Form immer.

So ist der Menschen betende Sprache dazu da, alles, d.h. die ganze Welt, vor Gott zur Sprache zu bringen, dort wo es darum geht, sich selbst zur Sprache zu bringen. Darum rühmen im Psalm die Himmel des Ewigen Ehre, aber mehr noch werden auch die Völker in der Nähe und in der Ferne und die Inseln aufgerufen, den Herrn zu ehren, und es wird eine ganze Welt, die Welt des betenden Menschen und in dieser Welt schließlich die ganze Welt überhaupt zur Sprache gebracht vor Gott.

So ist die anthropologische Seite des Gebetes zugleich die Weltseite des Gebetes, weil, wo der Mensch sich selbst in der Sprache des Gebetes entfaltet, er immer zugleich seine Welt und in seiner Welt *die* Welt entfaltet.

Man wird leicht sehen, daß hier der Zug der *Sammlung* wiederkehrt, den wir zuerst beim Gebet des Schweigens antrafen. Alles versammelt sich nun in der Sprache. Es versammelt sich nun aber nicht mehr in der Weise der Stille, sondern in der Weise der Sprache. Die Sprache versammelt nicht so, daß sie in der Stille alles in einem sein läßt und sein lassend berührt, vielmehr so, daß sie alles zwar im Auge hat, es aber dann als das Viele durchgeht und eines nach dem anderen nennt und so das Viele als Vereinzelung zur Sprache bringt. Die Sammlung ist in der Sprache zunächst der Durchgang durch das viele Vereinzelte. Ein Durchgang, der freilich im Horizont des Ganzen ist und darum die größte Weite vor Augen hat. So wird in der Sprache das viele Einzelne, das die Sprache nennt und im Nacheinander vorbringt, zum Symbol des Ganzen. Der Psalm z. B. ruft eine begrenzte Zahl einzelner Völker auf und diese nacheinander, aber er sagt eben dadurch symbolisch, daß alle aufgerufen sind. So wird die Sammlung bewahrt, ja sie stellt sich neu wieder her aus der Vereinzelung der betenden Sprache.

Hier stellt sich also das ein, was die Sprachtheoretiker gelegentlich die Sachdimension der Sprache genannt haben. Das Gebet bringt die Sache oder, wie wir lieber sagen, die Welt ins Spiel, aber das Gebet verweilt nicht bei dieser Welt und spricht sie nicht um ihrer selbst willen aus. Der Betende öffnet vielmehr sich und mit sich seine Welt auf Gott hin. Das Weltliche spielt zwar so notwendig eine Rolle. Aber es spielt doch nur beiher, oder es wird aufgehoben in die Hinbewegung zu Gott.

4. Der relationale Charakter der Sprache

Wo der betende Mensch Gott anspricht in seinen symbolischen Namen und wo er in solchem Ansprechen zugleich sich als er selber ausspricht und mit sich seine Welt, da tritt er darin in eine besondere und ausgezeichnete *Beziehung*. Der beziehentliche oder relationale Charakter des Gebetes muß deswegen gleichfalls in seiner Sprache und Form beachtet werden. Er ist das eigentlich Entscheidende. Es geht im Gebet immer darum, sich und mit sich alles in Gott hinein zu öffnen, so daß dieses „Zu Dir hin, o Gott" das Ganze des Gebetes durchstimmt und durchformt. Darum steht weder die anthropologische Seite des Gebetes noch seine damit verbundene welthafte Seite in sich und für sich, und sie werden nicht um ihrer selbst willen vorgebracht. Alles wird vielmehr vorgebracht, indem es zugleich verflüssigt wird und so eingeht in den transitiven Strom: Zu Dir, o Gott!

Darin kommt die Andacht zum Ausdruck, die wir schon bei der Sprache des Schweigens besprochen haben. Die Andacht ist die Seele auch und gerade des sprachlichen Gebetes: die lebendige Hinwendung des lebendigen Menschen zum lebendigen Geheimnis Gottes. Die Andacht führt die Elemente des Schweigens und der Sammlung, die das schweigende wie das gesprochene Gebet, wie wir gesehen haben, erfüllen müssen, ins Ziel alles Betens. Sie führt damit zugleich das Innere und das Äußere in eine lebendige Einheit zusammen und zugleich Selbst und Welt.

Wäre die Sprache des Gebetes nicht von Andacht erfüllt und beseelt, dann bliebe sie leere Form und hörte auf, wirkliches Gebet zu sein.

So ist das Gebet des Schweigens mit allen seinen wesentlichen Elementen aufgehoben und zugleich bewahrt im Gebet als Sprache.

Formal gehört es zum Grundcharakter der Sprache des Gebetes nach der Seite seiner relationalen Natur oder nach der Seite seiner Andacht, daß der Betende seine Beziehung *direkt* ausspricht. Er wird also nicht *über* Gott reden, und noch weniger über sich selber und über seine Welt. Er wird vielmehr Gott anreden als er selbst und mit seinem Selbst. Das symbolische Wort, das er braucht, um Gott anzureden, wird also im Vokativ stehen, nicht im Akkusativ. „O Gott, mein Herr", so kann eine Anrede des Gebetes lauten. Das Zeitwort wird in der Form der ersten oder der zweiten Person erscheinen, aber nicht in der Form der dritten Person. In der ersten Person spricht sich jemand aus: „Ich bete Dich an"; in der zweiten Person wird jemand angesprochen: „Du bist groß und wunderbar." Beide Formen sprechen das gleiche Beziehungsgefüge aus und durchlaufen es je nach verschiedenen Seiten.

Aber die Form der dritten Person spricht ein ganz anderes relationales Gefüge aus. In ihr wird *über* etwas gesprochen, und so ist die Beziehung nur indirekt, sie ist sozusagen neutralisiert. Diese Neutralisierung gehört aber nicht in den Zusammenhang des Gebetes, sie würde den dem Gebet eigenen relationalen Charakter verfehlen und die Andacht nicht adäquat zum Ausdruck bringen.

Es können zwar beschreibende Elemente und mit ihnen die sprachliche Form der dritten Person im Zuge des Gebetes auftauchen, jedoch nur so, daß sie von der direkten Anrede gleichsam umgriffen und umschlossen sind und von ihr ihren eigentlichen Sinn empfangen. So ist es z. b., wenn im Sanctus der römischen Messe gebetet wird: „Himmel und Erde sind voll Deiner Herrlichkeit!" Dies ist der Form nach eine Beschreibung dessen, was Himmel und Erde „sind". Diese Form ist aber umgriffen und innerlich bestimmt von dem Wort „Deiner" und steht so im Strom einer nicht indirekten, sondern direkten Beziehung.

Ganz anders ist es, wenn das Gebet sich verliert in theologischen oder sonstigen Reflexionen, wenn es streckenweise zu einem theoretischen Traktat wird und in diesem dann die neutralisierende Form der dritten Person nicht mehr nur beiläufig mitspielt, sondern beherrschend wird. Dann verfehlen diese Worte die direkte Relationalität, die für das Gebet wesentlich ist, und sie sind nicht mehr Ausdruck und Erscheinung wirklicher Andacht. Und so lange betet dann eigentlich dieses Gebet gar nicht, wie sehr es auch den Anschein des Gebetes haben mag.

Weil die Beziehung, die in solchem Gebet ausgesprochen wird, eine einzigartige ist und über alle endlichen Verhältnisse hinausgeht, darum ist es auch konsequent, daß die beziehenden Worte, in die sich die Andacht faßt, positiv voll sein werden von Ehrfurcht vor dem je Größeren und Übertreffenderen. Dies kann auf zwei Weisen geschehen. Entweder werden die sich beziehenden Worte sich in Scheu zurücknehmen und eher kurz sein, um ja nicht zuviel zu sagen. Darum heißt es vermutlich in der Regel des hl. Benedikt: „[B]revis debet esse et pura oratio."[9]

Oder die Sprache des Gebetes kann auch den kühneren und gefährlicheren Weg nehmen, nämlich sich zu steigern und so sich gegen ihre obere Grenze hin zu bewegen, um über alle Grenze hinauszudeuten. Sie kann überschwenglich werden in ihren Worten und in ihrer Fügung. Die religiöse Tradition hat uns auch davon großartige Beispiele bewahrt, besonders wieder in den Psalmen. Die überschwengliche Sprache hat große Möglichkeiten. Sie hat allerdings auch ihre besonderen Gefahren. Mehr noch als die behutsam zurücknehmende, verkürzende Sprache. Denn der Reichtum ihrer Formen kann zur Eitelkeit verleiten und zu bewunderten sprachlichen Kunststücken, die eher um ihrer selbst willen gebildet sind, als daß sie Ausdruck wahrer Andacht wären. Davor aber muß sich das Gebet immer hüten.

Die Relationalität des sprachlichen Gebetes entfaltet sich dann näherhin in einer Vielzahl von konkreten Modalitäten. Sie entfaltet sich in der Weise der Anbetung und des Lobes oder in der Weise des Dankes und der Bitte oder der Klage. Zwischen diesen Weisen und über ihnen liegen viele weitere andere Modalitäten sprachlicher Art. Ihre Mannigfaltigkeit läßt sich kaum erschöpfend systematisieren. Darum wird sie hier nur angedeutet.

5. Andacht und Dank

Auch im sprachlichen Gebet hat die Andacht ihre schon besprochene doppelte Seite: Sie vollbringt vom Menschen her die lebendige Beziehung zu Gott, sie weiß aber zugleich, daß diese Beziehung zuerst und im überschwenglichen Sinne von Gott vollzogen wird. Gott schenkt zuerst dem Beter das Gebet samt der Sprache des Gebetes, nur deswegen kann der Beter dann seinerseits seine Andacht Gott schenken samt den Worten seiner Andacht. Darum gehört es zum Wesen des Gebetes, daß es immer auch Dank ist. Denn es empfängt sich selbst als freies Geschenk. Und darum liegt es in der Logik der Sprache des Gebetes, daß auch die Anbetung und die Bitte schließlich in Dank übergehen. Dies entspricht der lebendigen Dialektik der Andacht: Der Mensch denkt an Gott, und Gott denkt an den Menschen. Und beides schlägt ineins, ohne doch das Gleiche zu sein. Davon lebt auch das Gebet als Sprache, ja es vollendet sich darin.

§ 15. Das Gebet als Kult: Gemeinde, Verkündigung und Gemeindegebet

Das Gebet des Schweigens hebt sich auf in das Gebet als Sprache. Seine Momente bleiben erhalten, aber in Verwandlung, ihre erste Gestalt vergeht, ihr Wesen bleibt.

Das Gebet als Sprache aber hebt sich auf in das Gebet als Kult. Allerdings in einem anderen Sinn. Die Momente bleiben im Kult erhalten, aber sie werden nicht so verwandelt, daß ihre Gestalt verginge. Sie werden im Gegenteil auseinandergelegt und gesteigert. Denn auch der Kult ist Gebet in der Gestalt von Sprache. Aber die Momente des Gebetes als Sprache legen sich im Kult noch weiter auseinander in unterschiedliche Gebilde, und sie werden insbesondere gesteigert zu einer noch intensiveren Symbolik. Damit ist der Kult der ausgezeichnete Fall aus dem allgemeinen Bereich, den wir unter dem Titel „Das Gebet als Sprache" zu beschreiben suchten. Im Kult erst erkennen wir die hohe und besondere Möglichkeit, die in dem Gebet als Sprache liegt. Dies ist im folgenden darzulegen. Wir werden dies so tun, daß wir zuerst von den einzelnen Elementen des Kultes sprechen. Zuerst von der Gemeinde und ihrer Öffentlichkeit, von der Verkündigung und dem Gemeindegebet; und dann vor allem von den symbolischen Handlungen. Wir wollen dann schließlich versuchen, das so Auseinandergelegte wieder zusammenzufügen zunächst hinsichtlich seiner allgemeinen Form, seinem Ritual und dann hinsichtlich seinem Geist und Begriff.

1. Die Kultgemeinde

Kult geschieht als ein Vollzug von Gemeinde. Kult ist Vollzug und Darstellung der Gemeinde.

Gemeinde ist Versammlung von Menschen, die gemeinsam von Gott betroffen sind und um solcher Betroffenheit willen gemeinsam Gott feiern.

Die Seinsweise der Gemeinde ist das Miteinandersein. Was ist das?

Jeder, der dazugehört, ist einerseits ein anderer der anderen, jeder ist aber auch mit allen eins, weil der göttliche Gott, der als einer in allem lebt, auch in jedem lebt. Darum ist jeder einzelne auch eins mit allen, weil er eins ist mit dem einen Gott, der in allen lebt. Und was als eines in allen lebt, der göttliche Gott, lebt auch als eines in jedem. Und so ist ihr Sein: Mit-ein-ander-Sein.

Dabei ist ein doppeltes Vermittlungsverhältnis zu beobachten. Was als eines in allen lebt, der Gott dieser Gemeinde, das vermittelt diesen Gott zu jedem, und jeder ist getragen und mitgenommen von dem, was alle bewegt. Aber umgekehrt vermittelt auch jeder einzelne seinen Gott ins Ganze und Gemeinsame. Denn nur, wenn Gott in jedem lebt, kann er auch im Ganzen leben. So ist jeder einzelne vermittelnder Grund für das eine Ganze, und das eine Ganze ist vermittelnder Grund für jeden einzelnen. Wir haben einen Zirkel der Vermittlung.

Das Leben der Gemeinde ist dann am besten, das heißt ihrem Wesen am angemessensten, wenn dieses Miteinandersein am angemessensten entfaltet ist. Das heißt, wenn einerseits wirklich jeder er selbst ist und darin ein anderer der anderen und nicht einfach eine Funktion der Gemeinde, so daß er sein Selbstsein an diese aufgegeben hätte, und andererseits das Eine und Ganze, der göttliche Gott, doch hell leuchtet als das, was alle zu einer lebendigen Einheit macht, ohne die Gesondertheit der einzelnen auszulöschen, aber auch, ohne die Kraft der Einheit aufzulösen; wenn also die beiden Pole des Einsseins und des Andersseins gleich stark und gleich frei entwickelt sind und sich lebend die Waage halten.

Weil es mit dem Miteinandersein als der Seinsweise der Gemeinde so steht, so gehört zu ihrem Leben ebenso der Dienst Gottes wie der Dienst, den jeder jedem zu erweisen bereit ist. Und weil das Sein der Gemeinde Miteinandersein ist, ist auch die Einheit der Innerlichkeit und der Öffentlichkeit gegeben. Denn jeder wird einerseits als er selber glauben und beten, das ist Innerlichkeit. Denn das Selbst kann man ja nicht äußerlich herumreichen. Jeder wird aber auch ebensosehr mit allen anderen und in der Einheit mit den anderen glauben und beten. Er wird also die Innerlichkeit seines Selbstseins immer auch schon eröffnet finden und eröffnet haben ins Gemeinsame und für alle Eine. Er wird so sich selbst überschreiten in diesen offenen Raum hinein, der nun entstanden ist und in dem alle füreinander und für das Eine und Ganze, für Gott, offen sind.

Diesen offenen Raum, der alle umfängt und der jeden zu jedem hin öffnet und jeden zum Ganzen hin und das Ganze zu jedem hin, nennen wir die Öffentlichkeit der Gemeinde. Ihr Leben ist in diesem Sinne ein öffentliches.

Die Öffentlichkeit der Gemeinde ereignet sich im Wort. Wo das Wort ertönt, ertönt es als eines für alle. Im Wort erscheint die Sache Gottes öffentlich als das Eine, das alle bewegt und alle mitnimmt. Die Öffentlichkeit des Wortes kann so erscheinen, daß alle gemeinsam beten. Sie kann aber auch so erscheinen, daß einer für alle betet. Dann erscheint die Einheit in dem einen ausgezeichneten Diener der Gemeinde, der für alle spricht. Aber seinem Sinne nach ist dessen Wort gleichwohl das Gebet aller und eines jeden, denn es soll von allen und von jedem mitvollzogen werden. Es ertönt ja aus diesem Grunde öffentlich, das heißt für alle und für jeden. Ja es stiftet gerade diese Öffentlichkeit als Für-Sein (für alle und für jeden) und als Mit-Sein (mit allen und mit jedem).

Auch das gemeinsame Gebet, das alle miteinander sprechen,

benötigt einen Diener der Gemeinde, der als einer das Wort für alle anbietet. Darum bringt die im Wort sich vollziehende Öffentlichkeit der Gemeinde eine Rollenverteilung mit sich. Das Eine für alle, die Sache Gottes, bewegt die Gemeinde in unterschiedlichen Rollen. Sie erscheint öffentlich in dem einen ausgezeichneten Mitglied der Gemeinde, z. B. dem Priester. Er führt durch sein Wort die Gemeinde. Aber sein Wort ist nicht das seine, es ist das Wort für alle und für das Ganze. Alle sollen frei darin leben können und doch vereint. Das Wort, das der Priester etwa vorspricht, gehört als dasselbe Wort allen und jedem als das Wort, in dem Gottes Sache für die Gemeinde öffentlich wird. Auch alle anderen sollen dieses eine und selbe Wort haben und damit diese eine Sache Gottes selber, aber in einer anderen Rolle: als Hörende, Antwortende, Mitvollziehende. So ist es immer das Eine und Ganze, das eine Wort, und so ist es die eine Sache Gottes, an der die verschiedenen Glieder der Gemeinde in verschiedenen Rollen partizipieren. Das Eine legt sich in unterschiedliche Funktionen auseinander, ohne aufzuhören, für alle das Eine zu sein.

Diese erste und grundlegende Rollenverteilung kann und soll sich natürlich weiter differenzieren. Es sind noch andere Rollen denkbar und naheliegend und möglich. Auch sie dienen dem Einen, um das es allen geht.

Das Eine, die Sache Gottes in der Öffentlichkeit der Gemeinde, legt sich auch hinsichtlich der Aktualitätsstufen zeitlich auseinander. Es erscheinen die ausgezeichneten Zeiten und Stunden, die kultisch begangenen Feste und Feiern. In ihnen ereignet sich die Öffentlichkeit Gottes in der Gemeinde in höchster Aktualität. Aber der Tag und die Stunde der festlichen Feier gehen vorüber. Es kommen wieder die Zeiten, wo diese leuchtende Aktualität ruht. Aber dabei muß beachtet werden, daß, was in der Feier in der einen Zeit geschieht, doch für alle Zeit geschieht. Der Sonntag z. B. als Tag der Feier steht für die ganze Woche. Aber die Aktualität des kultischen Lebens ruht in den übrigen Zeiten außerhalb der aktuellen Kultzeiten. Indessen ist auch dieses Ruhen nicht nichts. Es ist die beständige wache Möglichkeit zum Dienste

Gottes und zum Dienste aneinander, die, weil sie wach ist, jederzeit aktuell werden kann. Dieses wache Ruhen ist auch die Erinnerung an die vergangene Feier und der Vorblick auf die künftige. Und so ist die Zeit der Nichtaktualität auf eine ruhende Weise von der Aktualität der Feier und des Festes mitbestimmt. Das zeitlich sich vereinzelnde Eine der aktuellen Gemeindefeier ist so doch auch das Eine für alle Zeiten, wenn es auch nicht in allem auf gleiche Weise erscheint.

2. Die Verkündigung

Das Wort, in dem der eine Gott sich die Öffentlichkeit der Gemeinde eröffnet, erscheint in zwei grundlegenden Weisen, entsprechend dem doppelten dort zusammengehörigen Richtungssinn dieses Wortes. Es ist die Richtung von Gott zur Gemeinde hin und es ist die Richtung von der Gemeinde zu Gott hin, und beides gehört zusammen. Wir haben nun schon mehrfach Gelegenheit gehabt, von diesen zwei zusammengehörigen Richtungen alles Betens zu sprechen.

Der Betende ist zuerst von Gott angerufen und betroffen, und dann sucht er seinerseits in seinem Gebet Gott zu berühren. Und beides ist immer gesammelt in das eine Geschehen des Gebetes. Dies ist der Zirkel der Religion, den wir immer wieder antreffen. Im Kult legt sich das ineins Gesammelte auseinander, ohne doch das Zusammengehören in die Sammlung des Einen zu verlieren.

So erscheint nun das Wort in der Öffentlichkeit der Gemeinde in zwei unterscheidbaren, aber im Einen zusammengehörenden Gestalten. Gott spricht zur Gemeinde durch seinen Bevollmächtigten. Das ist das Wort der Verkündigung. Und die Gemeinde spricht zu Gott, das ist das Wort als Gemeindegebet. Beides ist zu unterscheiden, aber beides gehört zusammen.

a) Der theologische und der anthropologische Pol
der Verkündigung

In der Verkündigung verkündet ein Mensch in der Vollmacht
Gottes das Geheimnis Gottes und die Weisung Gottes für die
Öffentlichkeit der Gemeinde.

Für die Verkündigung als Sprachgeschehen ist es kennzeichnend, wie in ihr der anthropologische und der theologische Pol
der religiösen Rede zueinander stehen, von denen wir bei der
Behandlung des Gebetes als Sprache schon zu handeln hatten. Der
anthropologische Pol verdoppelt sich nämlich hier entsprechend
der gegliederten Struktur der Gemeinde. Hier spricht ein Mensch
zu anderen Menschen, um sie zu berühren und sie zu betreffen.
Der theologische Pol scheint zunächst als Pol zu verschwinden,
denn es wird nicht zu Gott gesprochen. So erscheint Gott in anderer Stellung in dieser Form des Sprachgeschehens.

Aber Gott ist gleichwohl dabei, und zwar seinerseits in doppel-
ter Stellung. Er wird einerseits zum Ziel und Inhalt der Rede, denn
von Gott und seiner Weisung soll ja gesprochen werden, die
Offenbarung Gottes soll verkündet werden. Er erscheint andererseits auch als die bevollmächtigende Voraussetzung der verkündigenden Rede. Denn der Sprechende muß in der Kraft seiner
Vollmacht sprechen, gleichsam im Namen Gottes. So hat er Gott
ebenso hinter sich als den, von dem er herkommt, wie er ihn vor
sich hat als den, den er gleichsam wecken soll in den Herzen der
Gemeinde. So erscheint also auch Gott in einer zweifachen Stellung in der Verkündigung, nämlich als Herkunft und als Ziel.

So steht die Verkündigung im ganzen in einem von vielen
Punkten her sich immer wieder neu aufladenden Spannungsfeld.

Wir gehen es durch vom Standpunkt des Verkündigenden aus,
um die Eigentümlichkeit der verkündigenden Rede gut in den
Blick zu bekommen.

b) Identifikation von Selbst und Gott

Der Verkündigende muß in seiner verkündigenden Rede zunächst *er selber* sein. Das ist nicht selbstverständlich. Er kann ja auch bloß etwas aufsagen, was er eigentlich selber nicht sagen will. Dann ist er, insofern er spricht, eigentlich nicht er selber. Er soll aber wirklich als er selber sprechen, in Redlichkeit, vor der ganzen Gemeinde. Darum muß der Verkündigende er selber und zugleich mehr als er selber sein. Er muß als er selber sprechen, und er muß im Namen und Auftrag Gottes sprechen. Er muß so sprechen, daß in seinem menschlichen Wort, das er wirklich selber spricht, das Wort Gottes laut werde vor der Gemeinde. So wie der Prophet seinen Spruch sagte, indem er sagte: „Spruch Gottes".

Dies setzt voraus, daß der sprechende Mensch lebendig eins geworden ist mit dem, was unendlich größer ist als er selber, mit dem lebendigen Gott. Er muß selber von Gott betroffen sein, und er muß sich von Gott haben betreffen lassen, und so muß er eins geworden sein mit der Sache Gottes.

Dies wiederum setzt für den Verkündigenden den Weg des Glaubens voraus und den Weg des persönlichen Gebetes, vielleicht den Weg der schweigenden Meditation. Auf diesen Wegen der lebendigen Identifikation kann dann mancherlei geschehen, Glück und Unglück, Erleuchtung und Entzug und mühsame Phasen des Ringens mit Gott.

Der Verkündigende bereitet in der Gemeinde die Möglichkeiten des Gebetes. Er kann es aber nur so, daß er selber aus dem Gebet herkommt. Es ist wieder der Kreis, der Zirkel der Religion, aber jetzt geht er von Gott zu Gott, von Gebet zu Gebet im Durchgang durch den Menschen.

Wo das Wort aus einem solchen Prozeß des lebendigen Einswerdens des Verkündigenden mit Gott kommt, hat es die Chance, ein ganz menschliches und ein ganz redliches und darum auch ein ganz glaubhaftes Wort zu sein, und zugleich eines, das im Ernst die Gottessache von Gott her aussagt und verkündet.

Es wird sich zwischen der doppelten Gefahr halten müssen, aber auch sich halten können: einerseits des falschen Subjektivismus, des törichten und eitlen Ausbreitens subjektiver Empfindungen, andererseits des falschen Objektivismus, der bloß etwas Richtiges aufsagen will, ohne im Ernst dahinterzustehen. Es wird also zugleich ein ganz menschliches Wort sein und ein ganz von Gott bevollmächtigtes und so göttliches, ohne daß eine dieser Dimensionen der anderen schadet.

Ein Modell dafür können die „Confessiones" Augustins sein. Sie sind ebenso Bekenntnisse eines persönlichen und schicksalsreichen Weges der Identifikation, wie sie auch ganz Zeugnisse der Sache Gottes sind und ganz von Gott her sprechen. Von Gott, der größer ist als das persönliche Schicksal und der doch lebendig war und ist im persönlichen Schicksal.

Etwas davon sollte jedes verkündigende Wort haben. Es muß die starke Spannung ausgehalten werden zwischen dem Auftrag Gottes und dem Ringen des Menschen, der diesen Auftrag aus seiner menschlichen Substanz heraus und in seiner menschlichen Sprache ausrichten muß. Von dieser ausgehaltenen Spannung her wird es ein lebendiges und gutes Wort sein können.

c) Das Nennen Gottes

Die andere Dimension, die dazugehört, liegt darin, daß der Verkündigende nicht nur von Gott herkommt, sondern auch auf Gott zugehen muß. Er muß die Sache Gottes zum *Inhalt und Ziel* seiner Rede machen. Seine Rede soll öffentlich die Sache Gottes der Gemeinde vorlegen und nahebringen. Der Verkündigende muß sich also auch nach dieser Seite hin mit seiner Sache, die die Sache Gottes ist, identifizieren, indem er sich z.B. mit dem heiligen Text identifiziert, den er vortragen will, oder mit dem von Gott erfüllten Thema, das er predigend vorlegen will. Auch in dieser Richtung kehren die Probleme des lebendigen Einswerdens oder der Identifikation wieder, von denen wir sprachen.

Da ja der Verkündigende Gott nennen muß vor der Gemeinde,

so kehren auch die Probleme der symbolischen Rede wieder, die wir beim Gebet als Sprache schon behandelt haben. Nur hier mit dem Unterschied und der Steigerung, daß nun öffentlich gesagt werden muß, was alle Sagbarkeit übertrifft, daß also die Gemeinde durch das verkündigende und zugleich symbolische Wort dahin geführt werden muß, im vernehmlichen Wort das zu vernehmen, was keine Zunge mehr nennen kann, das Geheimnis, das wir Gott nennen.

Die hier zu fordernde mehrfache Identifikation als die Sache der verkündigenden Sprache, die diese erst redlich und glaubhaft machen kann, hat freilich ihre Schwierigkeiten. Sie wird sowohl im individuellen wie im kollektiven Leben ungleichmäßig verlaufen und also bald besser und bald weniger gut gelingen. Der Kult aber verlangt Stetigkeit.

d) Auftrag und Erinnerung

Darum ist es erforderlich, daß das Einswerden, die Identifikation, die der Sprache der Verkündigung zugrunde liegen muß, getragen werde vom *Auftrag* und genährt von der *Erinnerung.*

Der Auftrag trägt den Verkündigenden über die Schwankungen seiner persönlichen Identifikation weg. Er kann wissen, was er zu sagen hat, und kann es in Redlichkeit sagen aufgrund seines Auftrags, auch während sein Herz schwankt und zittert. So trägt der Auftrag die bisweilen schwankende persönliche Identifikation.

Macht so der Auftrag die Identifikation beständig, so wird diese Beständigkeit innerlich genährt von der *Erinnerung.* Der große Augenblick der Identifikation, der leuchtende Ineinsschlag des göttlichen Lichtes und Wortes und des bebenden menschlichen Herzens mag vergehen, aber die Erinnerung bleibt und hält seine Wahrheit beständig gegenwärtig. Der Verkündigende kann sich immer wieder sagen: „Einmal hat es mir eingeleuchtet, und so weiß ich es für lange, so ist es wahr, und so muß ich es sagen, auch wenn das Leuchten des Einleuchtens verglüht sein mag."

Die Erinnerung gestattet so von innen her das Bleiben und seine Beständigkeit, die der Auftrag stützt und trägt von außen her.

Das Modell für diese beständigmachende Funktion der Erinnerung kann man wieder bei Augustin finden (Augustin, Confessiones VII, 17). Augustin bekennt, daß er nicht *stehen* bleiben konnte in seiner erleuchtenden Gotteserfahrung – „non stabam frui deo meo" –, daß aber die Erinnerung bei ihm blieb und ihn, den Unbeständigen in dieser Sache, beständig machte: „[M]ecum erat memoria tui."[1]

Von besonderer Bedeutung über die persönliche Erinnerung hinaus ist in diesem Zusammenhang aber die *kollektive* Erinnerung. Sie kann auf eine ausgezeichnete Weise die geforderte Identifikation des Verkündigenden mit seiner Sache nähren, und zwar deswegen, weil sie ihn zusammen mit der Gemeinde, für die er da ist, tragen kann. Sie wird vielleicht sogar zuerst die Identifikation der ganzen Gemeinde und auf ihrem Grund das ganze Geschehen des Kultes tragen, so daß der Verkündiger und seine Verkündigung dann ihrerseits getragen sind vom Gesamtgeschehen der Gesamtgemeinde, wie umgekehrt auch er durch sein verkündigendes Wort die ganze Gemeinde belebt.

Oft wird in der Geschichte von ausgezeichneten Ereignissen berichtet, vor allem auch von Offenbarungsereignissen. Davon hatten wir nun schon mehrfach zu sprechen. In ihnen ist Gott offenbar geworden als der Gott seines Volkes und als der große Bündnispartner. So war es in der altbundlichen Tradition der Geschehnisse um den Auszug aus Ägypten. Da wurde die Sache Gottes die Sache dieses Volkes und die Sache dieses Volkes die Sache Gottes. Es trat eine geschichtlich weithin leuchtende kollektive Identifikation ein.

Diese Identifikation ging zwar als ein einmaliges Ereignis vorüber, aber in der Erinnerung bestimmte sie über sehr lange Zeit, ja bis heute und weiter das Bewußtsein des Volkes als *seine* Wahrheit, und sie erneuert sich immer wieder neu im Geschehen von Verkündigung und Kult, so sehr, daß der Begriff der Erinnerung oder des Gedächtnisses grundlegend werden mußte für den Kult und die Feier. In der neubundlichen Ordnung ist es das Offenbarungsgeschehen, das an die Person und das Schicksal Jesu geknüpft ist. Dies ist das Grundlegende. Und auch hier trat Identifikation ein: Der sich offenbarende Gott identifizierte sich erlösend mit der Sache der sterblichen und schuldbeladenen Menschen, und die Menschen waren gerufen, sich im Glauben ihrerseits mit dem so sich offenbarenden Gott zu identifizieren.

Auch dieses Ereignis ging als einmaliges Ereignis vorüber, aber es leuchtet dauernd, immer wieder sich erneuernd, in der Erinnerung des Glaubens. Es erweckt und bestimmt immer wieder die neue Gemeinde, die christliche Kirche, und es bestimmt und trägt insbesondere den christlichen Kult, die Feier der Eucharistie. Sie ist wesentlich das erneuernde Gedächtnis des Todes und der Auferstehung des Herrn. Die Verkündigung aber ist ein Element dieses Gedächtnisses, und sie lebt von seiner erinnerten Kraft, sie legt den darin offenbar gewordenen Erlösergott der Gemeinde immer wieder neu vor aus der Kraft dieser erinnerten Identifikation und zugleich zu ihrer Erneuerung in der aktuellen Gemeinde.

Hier hat man es also mit mächtigen kollektiven Erinnerungen zu tun, die das ganze Kultgeschehen bestimmen und die Verkündigung immer wieder möglich machen und tragen.

Die Erinnerung, deren konstitutive Bedeutung für die Ermöglichung der Verkündigung wir zunächst am persönlichen Modell abgelesen haben, tritt mit dieser grundlegenden Erweiterung erst in ihrer vollen Bedeutung hervor. Hier verwächst sie ja auch mit dem Auftrag und wird eins mit ihm. Weil es so war, darum habe ich den Auftrag, so zu sprechen; und weil ich den Auftrag habe, stehe ich in der alten Wahrheit, um sie neu anzusagen.

e) Sprachgemeinschaft mit der Gemeinde

Wer das Wort der Verkündigung sagen will, steht aber vor allem auch der *Gemeinde* gegenüber. Er spricht als Mensch zu anderen

Menschen, als er selbst zur Öffentlichkeit der Gemeinde. Er muß also auch in dieser Hinsicht sprechend mehr sein als nur er selber. Seine Worte müssen als die seinen die Differenz, vielleicht die Spannung überwinden zu den anderen selbst. In seinen verkündigenden Worten muß seine Sache zuerst die Sache Gottes werden, dann muß sie aber auch die Sache der ganzen Gemeinde werden. Er muß sich also auch mit der Gemeinde identifizieren, und diese muß sich mit ihm identifizieren können. Nur so kann er sprachlich mit ihr in Kommunikation treten. Im Gelingen seiner Kommunikation aber erfüllt sich erst der Sinn der verkündigenden Rede. Denn deswegen wird ja gesprochen, damit die Sache Gottes und seines Wortes zur Sache aller werde und Gottes Offenbarung als die Sache aller sich erneuere in allen. Dies aber soll geschehen auf dem Wege der sprachlichen Kommunikation.

Die kommunikative Funktion der verkündigenden Rede setzt darum voraus, daß der Redende in sprachlicher Gemeinschaft lebe mit seinen Hörern und daß er also ihre Sprache zu sprechen vermag. Solche sprachliche Gemeinschaft aber ist Lebensgemeinschaft, Gemeinschaft der Interessen, der Anliegen, der Freuden und der Nöte, Gemeinschaft auch der wechselnden Lebenssituationen, alles dessen, was dem Wort „Leben" Inhalt gibt.

Diese Sprach- und Lebensgemeinschaft ist nicht selbstverständlich, vor allem wegen der Sonderrolle, die der Verkündigende im gewöhnlichen Fall im Rahmen der Gemeinde spielt, der Sonderrolle des Priesters zum Beispiel. Dieser Umstand bringt es häufig mit sich, daß der Verkündigende lange in Sondergruppen gelebt hat und zum Teil noch lebt, in denen sich eine gruppenspezifische Sprache ausgebildet hat.

Aber diese muß in unserem Fall gerade durchbrochen werden zugunsten der kommunikativen Gemeinschaft mit der Gemeinde. Gelingt es nicht, diese bei der Verkündigung in der offenen Gemeinde zu verlassen, dann tritt die verbreitete Deformation verkündigenden Sprechens hervor, in der der Redende zwar scheinbar verständlich spricht und doch wie in einer fremden und künstlichen Sprache. Und die Hörenden hören zwar, aber es wird nichts in ihnen angerührt, die Rede läuft nur vor ihnen ab, sie hören und hören auch nicht, denn die Sprache spielt ein Sprachspiel, das nicht das ihrige ist und es auch nicht werden kann und ihnen also im Grunde fremd bleiben muß. Die sprachliche Kommunikation bleibt ein oberflächlicher Schein und findet in der Tiefe der mitmenschlichen Wirklichkeit gar nicht statt.

Diese Deformation zeigt die grundlegende Bedeutung einer echten Sprach- und Lebensgemeinschaft des Verkündigenden mit der Gemeinde für die Konstitution der verkündigenden Rede. Diese Sprachgemeinschaft ist nun freilich Gemeinschaft mit einer mehrdimensionalen Struktur. Die Sprache der Gemeinde, die Sprache, in der Menschen gewöhnlich miteinander sprechen, hat nicht nur ihre Oberfläche, sondern auch ihre Tiefe. Sie spricht an der Oberfläche von allem Möglichen und häufig im Jargon aller Welt. Aber in dieser Oberflächensprache wird unscheinbar mitausgesprochen ein Tieferes, das nur selten im offenen Wort genannt wird, das sich aber doch den Kundigen verrät in der Wahl und im Gefüge der Worte, in ihrem Lauf und Rhythmus, in ihren Auslassungen usw. Hinter und in dem Gerede der Menschen verrät sich so oft Angst und Einsamkeit, zaghafte Hoffnungen und verborgene Verzweiflungen und vieles dergleichen. Die Sprache hat ihren Untergrund, der sich in ihrer bewegten Oberfläche zugleich verbirgt und verrät.

Man darf dafür an Sigmund Freud erinnern und an seine Methode, die Sprache seiner Patienten zu analysieren, um den Unter- und Hintergrund dieser Sprache freizulegen. Und man darf besonders daran erinnern, was Paul Ricœur daraus für die Kunst der Interpretation erhoben hat[2]. Der philosophische Ansatz läßt eine viel breitere Anwendung zu und eine Aufdeckung von Untergründen, die über das Sexuelle weit hinausreichen.

Es darf die Vermutung ausgesprochen werden, daß in diesen Untergründen auch die Fühlsamkeit, die Hör- und Verstehensfähigkeit für Gott und seine Botschaft bewahrt sind, auch dort, wo diese Worte an der Oberfläche der Sprachgewohnheiten zu kaum mehr verständlichen Fremdwörtern geworden sind. Aber diese Untergründe und damit diese Fühlbarkeit bedürfen der Aufschließung.

Es ist für die Verkündigung von großer Bedeutung, daß der Verkündiger in seiner Sprach- und Lebensgemeinschaft mit seiner Gemeinde gerade auch Gemeinschaft habe nicht nur mit der Oberfläche, sondern auch mit der angedeuteten Tiefe der Sprache, daß er also das Verborgene hören und spüren könne im Offenbaren und daß er bei rechter Gelegenheit darauf eingehen und es behutsam offenlegen könne.

Denn dies gibt dem Verkündigenden die Möglichkeit, seine Adressaten, die Hörer in der Gemeinde, wohl zunächst auf dem sprachlichen Niveau abzuholen, auf dem sie sich gewöhnlich bewegen, dann aber die Hinter- und Untergründe behutsam aufzuschließen, die verborgenen Ängste und Hoffnungen und was dazugehört. Dies aber gewährt dann eine unvergleichliche Möglichkeit, wirklich gehört zu werden. Denn viele werden nun spüren: der Redende spricht wirklich von meinem Fall.

f) Der betreffende und bewegende Charakter der Verkündigung

Ist so der Verkündigende in der rechten Weise eins geworden mit Gott und eins mit der Gemeinde, so ist er in der Möglichkeit, das verkündigende Wort zu sprechen. Das Wort muß den Weg von Gott zur Gemeinde bahnen. Auf diesem Weg oder bei dieser sich anbahnenden Relation von Gott zur Gemeinde hin kommt schließlich alles an. Von dieser lebendigen Relationalität her muß sich die Weise des verkündigenden Wortes vor allem und zuhöchst bestimmen.

Das Wort muß Gott und seine Weisung offenlegen für die Menschen. Nicht als ob es Gott durch solches Offenlegen seinem Geheimnis entreißen könnte oder dürfte. Es muß ihn gerade als Geheimnis offenlegen und spürbar machen für die Gemeinde.

Ineins mit diesem Offenlegen Gottes für die Gemeinde muß das Wort auch das Herz der Gemeinde offenlegen und ins Unverborgene bringen vor Gott und für Gott und für die Weisung Gottes.

Indem Gott und die Gemeinde so füreinander offengelegt werden durch das Wort, wird es eine verwandelnde Berührung geben von Gott her zur Gemeinde und zu jedem in der Gemeinde auf dem Weg, den das Wort bahnt. Denn das Wort der Verkündigung ist dazu da, zu treffen und zu betreffen, zu bewegen und zu verwandeln[3]. Dies ist seine Aufgabe, und aus ihr ergibt sich die Weise der Sprache. Es ist nicht die Weise der bloßen Information. Sie hat nicht die objektive Unbezogenheit, einen theologischen Sachverhalt bloß darzustellen, vielmehr hat sie ihn gerade zu verkündigen, so daß er trifft und verwandelt. Natürlich wird auch jedes verkündigende Wort informative Elemente enthalten, aber in der Verkündigung müssen sie aufgeschmolzen und aufgehoben sein in den Strom der offenlegenden, betreffenden und bewegenden Rede.

g) Verkündigung und Gemeinde

Das Wort der Verkündigung, insofern es sich selbst recht versteht, hat auch die Kraft, die Gemeinde und ihre Öffentlichkeit zu begründen und, wenn sie schon besteht, zu erneuern und in dieser Erneuerung den Grund, der die Öffentlichkeit der Gemeinde trägt und konstituiert, neu fühlbar zu machen. Wo einer etwas Außerordentliches zu sagen hat, kommen die Menschen zusammen, und es bildet sich von daher Gemeinde, und es entsteht die Öffentlichkeit der Gemeinde. Die Verkündigung ist gemeindestiftend.

Aber es gilt auch das Umgekehrte: Die Gemeinde und ihre Öffentlichkeit begründet und trägt auch den Verkündiger und seine Verkündigung. Er spricht sein Wort, weil die Menschen zusammengekommen sind oder damit sie zusammenkommen. Dieses Zusammenkommen trägt ihn. Auch dann, wenn er eine Gemeinde neu zusammenruft, trägt sie ihn als künftige Möglichkeit. Die Öffentlichkeit ihres Zusammenseins oder möglichen Zusammenkommens trägt und bewegt und ermöglicht so auch das verkündigende Wort, das diese Öffentlichkeit zugleich stiftet. Auch hier haben wir einen Zirkel der Begründung.

3. Das Gemeindegebet

Im Raum des Kultgeschehens entspricht dem Wort als Verkündigung das Wort als *Gemeindegebet.* Im Wort der Verkündigung spricht, wie wir gesehen haben, ein Mensch im Namen Gottes zur Gemeinde. Im Gemeindegebet spricht die Gemeinde zu Gott. Beides gehört zusammen wie Wort und Antwort. Es gehört zusammen wie ein dialogisches Geschehen. Der eine Zirkel der Religion, der in jedem Gebet lebt, legt sich in der Öffentlichkeit der Gemeinde und im Kultgeschehen in diesem Dialog auseinander. Das besagt auch, daß diese beiden Weisen des Wortes Verkündigung und Gebet in ein Eines zusammengehören und nicht aus dieser dialogischen Einheit herausgelöst werden dürfen.

Gleichwohl ist aufgrund des auseinanderlegenden Wesens des Kultes das eine nach dem anderen zu betrachten. So wenden wir nun unsere Aufmerksamkeit, immer im einen Zirkel dieses Dialoges bleibend und von der Verkündigung herkommend, der anderen Seite dieses Einen zu, dem Gemeindegebet.

Das Gemeindegebet ist auf jeden Fall ein Gebet, und wir können bei ihm an alle die Momente erinnern, die wir schon beim Gebet als Sprache erörtert haben. Wir brauchen das nicht zu wiederholen.

Aber darüber hinaus sind die besonderen Umstände zu erörtern, die es als Gemeindegebet im Rahmen des Kultgeschehens kennzeichnen. Das Gebet ist hier Gemeindegebet. Die ganze Gemeinde ist es also, die nun betet. Es ist ein öffentliches Geschehen.

Im äußerlichen Verlauf zeigt sich dies daran, daß entweder einer vorbetet und alle mitbeten, oder darin, daß alle gemeinsam beten, oder darin, daß wie in einem Dialog, z.B. im Gebet der Litanei, Vorbeter und Gemeinde abwechseln. Wesentlich gehört dazu, daß das Geschehen des Gebetes von allen für alle und von jedem für jeden vollzogen werde, daß alle eins sind im lebendigen Geschehen. Dies wiederum setzt eine lebendige Kommunikation aller mit allen voraus, eine vollzogene Solidarität. Die Sache aller und eines jeden soll im Gemeindegebet ausgebreitet und ausgegossen werden in das Geheimnis Gottes hinein. Und Gott soll dabei so angerufen werden, daß er dabei als der Gott aller und eines jeden erscheint. Aus diesem solidarischen und kommunikativen Charakter des Gemeindegebetes werden sich entscheidende Konsequenzen für seine sprachliche Fassung ergeben.

Es mag für die Sprache des einzelnen zuweilen das Außergewöhnliche möglich sein, was für die Sprache der Gemeinde nicht möglich ist. Aber die Sprache der Gemeinde mag auch jeden einzelnen daran erinnern, daß er auf die anderen Rücksicht zu nehmen habe und daß er die Anliegen und Möglichkeiten der anderen solidarisch mit sich verbinden solle. Und es wird jedem einzelnen bisweilen etwas zugemutet werden dürfen von allen und vom Ganzen her, auf was er für sich alleine nicht gekommen wäre. Nur so wird das Wir als Subjekt des Gemeindegebetes verantwortbar sein oder das Uns als das Objekt.

Das andere, das das Gemeindegebet besonders kennzeichnen muß, ist seine Stellung im Kontext des kultischen Gesamtgeschehens. Wir haben schon darauf hingewiesen, daß es in der Einheit des Dialoges mit dem Wort der Verkündigung zusammengehört. Darüber hinaus gehört das Gemeindegebet zusammen mit der Verkündigung ins Ganze des Kultgeschehens. Dieses Ganze hat, wie wir gleich sehen werden, ja auch noch andere Momente. Es muß sich aber jedes Element ins Ganze fügen und darf dessen Sammlung ins Eine nicht zerstören, nur bereichern. Kein Moment, auch nicht ein so wichtiges wie das Gemeindegebet, darf darum aus der Rücksicht auf das Ganze entlassen werden. Es darf sich nicht aus diesem umgreifenden Zusammenhang isolieren und sich nur nach seinem eigenen Sinn entwickeln. Sonst wird leicht aus dem Kult eine bloße Sammlung unverbundener Teile.

Dieser Gesichtspunkt wird die Sprache des Gemeindegebetes einerseits mäßigen und vor Auswucherungen bewahren, die im persönlichen Gebet vielleicht sinnvoll sein können. Und er wird das Ganze dieses Gebetes inhaltlich auf das Ganze des Kultgeschehens ausrichten, wie es auch in der Verkündigung und auch in den übrigen Elementen des Kultes zum Ausdruck kommt.

Denn nur im lebendigen Zusammenhang des Ganzen der auseinandergefalteten Elemente kann der Sinn des ganzen Kultes im Geschehen erscheinen: Communio, lebendige Gemeinschaft Gottes mit den Menschen und der Menschen mit Gott und darin auch der Menschen untereinander.

§ 16. Das Gebet als Kult: Der Kult als realsymbolische Handlung

Schließlich sammelt sich das Ganze des kultischen Geschehens in realsymbolischen Handlungen. In ihnen geschieht das Entscheidende des Kultes[1].

Unter realsymbolischen Handlungen wollen wir Handlungen verstehen, in denen nicht nur Worte als Symbole gebraucht werden, sondern mit den Worten auch Dinge der realen Welt.

1. Sprache als realsymbolische Handlung

Um dies zu verstehen, müssen wir noch einmal über die Sprache nachdenken. Die realsymbolischen Handlungen können nämlich als die volle und ursprüngliche Form von Sprache verstanden werden.

Sprache ist ursprünglich ein gesamt-leibhaftiges Geschehen.

Wer im ursprünglichen Sinne spricht, der bewegt nicht nur die Organe des Sprechens, etwa Zunge und Lippen. Er bewegt auch das ganze Gesicht und besonders seine Augen, in die das Ganze des Gesichts auf ausgezeichnete Weise gesammelt ist. Er bewegt auch seine Hände und mit dem Gesicht und den Händen seinen ganzen Leib. Alles dieses gehört mit zum Geschehen der Sprache. Wo sie sich ursprünglich und voll entfaltet, entfaltet sie sich aber als gesamt-leibhaftiges Geschehen. Wenn Teilbereiche dieses gesamt-leibhaftigen Geschehens ausgeschaltet oder stillgelegt werden, dann ist das Sprechen nicht in seinem Urzustand, vielmehr in einer sekundären und künstlichen Defizienzform; dann ist es nicht in das Volle seiner gehörigen Dimensionen entfaltet. Denn der ganze Leib spricht mit oder besser: der ganze Mensch als leibhaftiger Mensch.

Die Leibhaftigkeit des Menschen, die als Ganzes zur Sprache gehört, ist aber mehr als nur der Leib und seine Bewegungen. Das Sein, d. h., das Geschehen des lebendigen Daseins des leibhaftigen Menschen ist nach dem Wort Heideggers ,,In-der-Welt-Sein"[2]. Das heißt zunächst und näher: es ist Miteinandersein mit anderen und: in dem Miteinandersein Umgang-Haben mit den Dingen der Welt. Wer im ursprünglichen Sinne spricht, der spricht zu anderen oder mit anderen, indem er etwas tut. Die Sprache gehört in den Zusammenhang einer Handlung, in der ein Mensch mit anderen Menschen ein Ding in die Hand nimmt und damit etwas macht. Wir sprechen mit anderen, indem wir arbeiten an einer Maschine oder an einem Werkstück oder indem wir miteinander essen und trinken oder indem wir miteinander spazierengehen usf. Das alles sind Handlungen in der realen Welt, das heißt Handlungen in der Welt der Dinge.

Sprache ist also im ursprünglichen und vollen Sinn ein Element im Gesamtzusammenhang unseres leibhaften Daseins in der Welt. Sie ist damit ein Element des Lebensganzen, und dies so, daß dieses Lebensganze auch als Sprache im weiteren und ursprünglichen Sinn aufgefaßt werden kann. Wir sprechen auch, indem wir etwa auf ein Haus mit der Hand deuten, um es jemandem zu zeigen. Oder indem wir unser Glas erheben oder indem wir den Ball anstoßen oder indem wir das Blinklicht des Wagens einschalten usw. Das Ganze des Sprechens ist die ausgezeichnete Weise, wie sich das Lebensganze ins Offene auslegt.

Die Wortsprache im engeren Sinne gehört so in diesen Zusammenhang, daß sie das, was die Handlung schon sagt und was man also den Logos der Handlung nennen kann, ins Freie öffnet und auslegt. Sie bringt den Logos der Handlung, zu dem sie gehört, ins Freie. Aber sie wird auch getragen von diesem Logos der Handlung. So erläutert das gesprochene Wort die Handlung, indem es ihr eigenes Wort ins Freie bringt, und die Handlung erläutert das Wort, indem sie dieses trägt.

Weil das Wort den Logos der Handlung ins Freie bringt, kann die Sprache sich auch im freien Flug über diese erheben. Dies geschieht z. B. immer in einem Vortrag und intensiver noch in einem Gedicht. Aber das gesprochene Wort bleibt doch auch in solcher freien Erhebung auf das Handlungsganze zurückbezogen, in das auch der freie Flug der gesprochenen Sprache immer noch gehört.

Weil das gesprochene Wort den Logos der Handlung ins Freie bringt, ist es auch möglich, die Ebenen des gesprochenen Wortes einerseits und der Handlung andererseits zu sondern. Diese Möglichkeit der Sonderung entspricht dem sondernden und auseinanderlegenden Wesen aller Äußerung. Aber auch in dieser Sonderung bleiben die Ebenen einander zugeordnet in das Eine des sich äußernden und so sich aussprechenden Lebens.

In diesem Sinne gehört zur ursprünglichen Vollständigkeit der Sprache ein leibhaftiger Mensch, der da ist, indem er handelt. Und es gehört dazu die Offenheit des Miteinanderseins oder die Öffentlichkeit des Miteinanderseins als der Bereich der Sprachhandlung. Und es gehören dazu die Dinge der Welt als das, womit Sprachhandlung handelt. Indem der Sprechende sich auf diese Weise bewegt und offenlegt im sprechenden und handelnden Umgang mit den Dingen der Welt, werden diese Dinge selber zu Zeichen oder Symbolen dessen, was einen Menschen bewegt. Sie sprechen mit. So ist die Sprache – im Gesamtzusammenhang gesehen – durch ihr eigenes Wesen eine realsymbolische Handlung.

Wird die Sprache so aufgefaßt, dann wird auch klar, daß sie sich auf gehörige Weise in den Spielraum der Welt einzuordnen hat. Der Spielraum der Welt aber ist raumzeitlich. Darüm kann man nicht alles zu jeder beliebigen Zeit tun oder sagen und nicht alles an jedem beliebigen Ort tun oder sagen. Die Sprache als realsymbolische Handlung bedarf also der rechten Zeit und des rechten Ortes. Sie bedarf in diesem Sinne einer ganz bestimmten Ordnung der raumzeitlichen Welt als des Spielraums der realen Symbolhandlung. Woher die Maßstäbe dieser Ordnung genommen werden, muß dabei zunächst offenbleiben.

Es ist freilich eine verbreitete moderne Abstraktion, daß Sprache aus diesen lebendigen Zusammenhängen isoliert wird. In der Zeitung und im Fernsehen erscheint die Sprache weitgehend isoliert von ihrem Lebenszusammenhang. In einer abstrakten sprachanalytischen Betrachtung erscheint die analoge Isolierung. Aber der ganze Lebenszusammenhang gehört trotzdem dazu und macht sich immer wieder geltend, wenn wir nur das Geschehen der Sprache unvoreingenommen betrachten.

2. Kultsprache als realsymbolische Handlung

Soll also im Vollzug der Religion gesprochen werden im ursprünglichen und vollen Sinne, so muß wiederum leibhaftig gehandelt werden im Miteinander der Gemeinde und im Umgang mit Dingen. Gerade das Wesen der Beziehung zu Gott, soll sie überhaupt ausgesprochen werden, fordert das Ursprüngliche und Ganze der Sprache und gibt sich nie mit defizienten Abstraktionen zufrieden. Denn wie Gott für den Glaubenden alles umfaßt, so fordert er auch alles. Um dieser so geforderten Vollständigkeit und Ganzheit der Sprache willen wird also das Gebet als Sprache von selber zur realsymbolischen Handlung.

Und das Wort der Sprache verbindet sich in solchen Handlungen mit der Sprache der Dinge, mit denen die Handlung umgeht. Dafür hat Augustin die Kurzformel geprägt: „accedit verbum ad elementum, et fit Sacramentum, etiam ipsum tanquam visibile verbum."[3]

Freilich wird in religiösem Zusammenhang die realsymbolische Handlung dem alltäglichen Sprechen gegenüber auf eigentümliche Weise modifiziert. Im religiösen Zusammenhang wird die Sprache als realsymbolische Handlung aus allen immanenten funktionalen Zusammenhängen gelöst. Sie wird dadurch zweckfrei, jedenfalls dann, wenn man unter Zwecken immanente Zwecke versteht. Von dieser Zweckfreiheit her kommt die Verwandtschaft der kultischen realsymbolischen Handlung mit dem Spiel.

Doch bedeutet die Befreiung der realsymbolischen Handlung im religiösen Zusammenhang nicht eine Minderung, sondern eine Steigerung des Sprachgeschehens. Denn es geht nun um den sprechenden und handelnden Umgang mit dem Geheimnis, das über allem Vergleich größer ist als alle Worte und Gesten und Handlungen. Dieses „Deus semper maior" wird durch die Steigerung der Sprache und der leibhaften Gesten über alle Zwecke hinaus gezeigt. Die leibhaftige Erscheinung der Menschen wird gesteigert durch das festliche Kleid. Es geschieht ein leibhaftes Spiel etwa im Stehen, im Sich-Verbeugen, im Knien, im Sitzen, in der Erhebung, in der Ausbreitung, in der Faltung der Hände, ein Spiel jenseits aller immanenten Zwecke. Die leibhaftigen Gebärden begleiten nicht so sehr die Worte, sie sind vielmehr selber sprachliche Elemente. Und gerade die leibhaftigen Gebärden der Gemeinde haben die Tendenz zur Steigerung. So bewegt sich die Gemeinde etwa in der gesteigerten Form der Prozession im kultischen Raum, oder es tritt die gesteigerte Gestalt des kultischen Tanzes auf. Alles dies sind Steigerungsformen der leibhaften Sprachgesten, und durch diese Steigerung wird der Bezug zum überschwenglichen Geheimnis ins Offene des Miteinanderseins der Gemeinde gebracht.

Wie steht es aber im Kult um die Ding-Dimension der Sprache

als realsymbolischen Handlung? Das Geheimnis Gottes, um das es immer geht, ist ja kein Ding, und auch die Beziehung Gottes zum Menschen und des Menschen zu Gott ist kein Ding. Also müssen nun auch die Dinge im Kontext der realsymbolischen Handlung als dinghafte *Symbole* erscheinen, und eben deswegen sprechen wir ja von realsymbolischer Handlung. Indem der Mensch sich im Umgang mit den Dingen als realen Symbolen auslegt, legt er seine religiöse Bewegung auf eine besondere und sehr konkrete Weise aus ins Offene.

Die Dinge zeigen in ihrem Gebrauch die Bewegung des Menschen zu Gott hin und die Bewegung Gottes zum Menschen hin. Und da der Mensch immer Mensch in seiner Welt und mit seiner Welt ist, so zeigen die Dinge in ihrer Bewegung damit auch die Welt vor Gott und als bewegt auf Gott hin und Gott über der Welt und zur Welt hingeneigt. Sie zeigen es, indem sie in die lebendige Handlung des Kultes eingehen. Sie zeigen und verbergen Gott und den Menschen zusammen und Gott und die Welt zusammen.

Dazu gehört aber, daß auch die Dinge aus den immanenten funktionalen Zusammenhängen gelöst und auf ihre geschöpfliche Ursprünglichkeit zurückgebracht werden. Mit dieser Reduktion auf die geschöpfliche Ursprünglichkeit, mit dieser Herauslösung aus allem, was die Menschen künstlich machen können, werden die Dinge erst sprechend und bedeutsam und Zeichen des Geheimnisses. Je mehr sie in ihrer geschöpflichen Ursprünglichkeit und Einfachheit erscheinen, um so mehr zeigen sie auch das Allgemeine, das alle angeht. Sobald sie aber z. B. technisch bearbeitet werden, verlieren sie diese Allgemeinheit und werden spezialisiert für bestimmte Zwecke.

Darum hat man es im Kult z. B. mit Wasser zu tun, und es gibt Handlungen der kultischen Waschungen und Bäder, so z. B. bei der Taufe. Dies sind realsymbolische kultische Handlungen. Aber man hat es nicht mit Parfum und Seife zu tun. Oder man hat es im Kult mit Feuer zu tun, das lodern soll, und mit Lichtern, die brennen und leuchten sollen. Aber man hat es im Grunde nicht mit Elektrizität zu tun, so nützlich sie auch sein mag. Ferner hat man es im Kult mit Brot und Wein zu tun, den einfachen und erfrischenden Elementen des einfachen und allgemeinmenschlichen Essens und Trinkens. Aber man hat es nicht mit Feingebäck und mit Sekt zu tun.

Denn überall ist es das Einfache und Ursprüngliche, welches das Geheimnis zugleich bewahren und offenlegen kann, so daß es alle betreffen kann, indem in der Gemeinde in den einfachen und elementaren Handlungen damit umgegangen wird. Das Einfache ist immer das Unergründliche und das Allgemeine, während man das Komplizierte wissenschaftlich erklären kann für die Fachleute.

Die Dinge als Elemente solcher Handlungen sagen nun den selber handelnden Gott aus und die Weise, wie er mit der Gemeinde handelt und die Gemeinde mit ihm. In ihnen, so wird nun verstanden, handelt er inmitten der Gemeinde. Und sie rufen, solches sagend, auch die Gemeinde der Menschen an, ihrerseits handelnd in die Sphäre des lebendigen Gottes einzutreten.

So erscheint z. B. das Licht, indem es das Dunkel der Menschen erleuchtet und sie fröhlich macht. Es wird in der symbolischen Handlung wirklich angezündet im wirklich dunklen Raum. Dann sagt es symbolisch den Einbruch Gottes in das Leben der Menschen. Oder es erscheint das Wasser, insofern es den Menschen reinigt und erquickt. Der Mensch tritt in der symbolischen Handlung wirklich mit wirklichem Wasser in einer wirklichen Waschung in Berührung. Das sagt, er wird gereinigt und erfrischt, das heißt belebt von Gott. So wird die Waschung zugleich zum Sakrament, zum Gefäß des belebenden Wirkens Gottes. Oder es erscheinen Speise und Trank, vorzüglich Brot und Wein, sie erscheinen, insofern sie das Leben der Menschen erneuern. Sie werden als sakramentale Symbole dargebracht und als Symbole gegessen und getrunken. Das heißt symbolisch: Die Gemeinde bringt ihr Leben Gott dar, und Gott gewährt auch neues Leben. Das Sakrament wird Opfer.

Was sich also schon im einfachen Gebet andeutete und was dann im Kult durch den Dialog von Verkündigung und Gebet erschien, das erscheint nun neu in der Sprache der symbolischen Handlung. Gott geht als der Handelnde auf die Menschen zu, und die Menschen gehen selber handelnd auf Gott zu. So haben die Handlungen und ihre Symbole einen verkündigenden Sinn, sie verkündigen die wirkende Nähe Gottes von Gott her. Und sie haben zugleich einen betenden Sinn, sie geleiten in ihrem Geschehen die Menschen zur betenden Hingabe an Gott. Wiederum erscheint der Zirkel der Religion. Die realsymbolischen Handlungen vollbringen diesen Kreislauf des Lebens und machen ihn in ihrer Sprache offenbar, gerade als das je Größere und nie ganz zu Begreifende. Solches vollziehend sammeln die realsymbolischen Handlungen das Ganze des Geschehens des Kultes und aller seiner Worte. Auch Gemeindegebet und Verkündigung ordnen sich der realsymbolischen Handlung zu, und in dieser erst kommt das, was sie sagen, auf die ausgezeichnete und erfüllteste Weise zur Erscheinung. Denn in der realsymbolischen Handlung wird eben das real vollzogen, was sie schon im Worte sagten, und so sammelt diese Handlung das Gesagte des Wortes des Gebetes und des Wortes der Verkündigung und bringt es ein in das Ganze des kultischen Geschehens.

3. Heilige Zeiten und Orte als Spielraum des Kultes

Zur Sprache des Kultes als realsymbolischer Handlung gehört auch die Welt, also der Spielraum, in dem sich die Handlung vollzieht und die als solcher Spielraum mit zur Handlung gehört. Es ist die raumzeitlich ausgebreitete Welt.

Das heißt: Zur vollständigen Durchbildung der kultischen Handlung gehört auch die kultische Einordnung einer Handlung in den Spielraum von Raum und Zeit. Weder sind alle Zeiten gleich geeignet noch alle Orte für die voll ausgebildete kultische Handlung.

Die Zeit erscheint leicht als eine Dimension, die für das moderne Bewußtsein den Charakter eines gleichgültigen Kontinuums hat, das von sich aus keine bevorzugte Stelle aufweist, sie erscheint sozusagen amorph, als das Apeiron der Griechen.

Wird aber die Zeit ursprünglich und einfach verstanden aus dem Zusammenspiel von Himmel und Erde und wird dieses Zusammenspiel als göttliche Gabe, ja als symbolische Erscheinung des Gottes selber verstanden, dann ändert sich alles. Vom Steigen und Fallen des Lichtes vom Himmel her und vom Sich-Gewähren und Wieder-Versiegen der fruchtbringenden Gaben des Regens gleichfalls vom Himmel her über die Erde als die Wohnstätte der sterblichen Menschen kommt ein anfängliches Ordnungsgefüge in den Lauf der Zeit. Aus ihm konnten besinnliche Menschen einst Winke vernehmen, die es ihnen erlaubten, bestimmte Tage, die im Wechsel wiederkehren, als bevorzugte Tage, als *Feste* festzusetzen. Das Fest erscheint dann als die besondere und gefüllte Zeit, die das Ganze der Zeit gliedert und ordnet, indem sie sich zugleich heraushebt über dieses Ganze und zugleich hineinleuchtet in dieses Ganze.

Das Fest ist dann das Zeitsymbol der Nähe Gottes zu den Menschen und der Nähe der Menschen zu Gott, die ausgeschiedene und emporgehobene Zeit, in der die offene Ewigkeit erscheint, im Vergehen der Zeit. Es ist die bevorzugte Zeit des Kultes, des Gebetes, der realsymbolischen Handlungen. In dieser Zeit wird in diesen Handlungen die Gemeinschaft Gottes mit den Menschen und der Menschen mit Gott auf die gehörige Weise gefeiert. Diese Zeit ist also der selber kultisch gekennzeichnete Bereich kultischer Handlungen der Gemeinde.

Es gehört zu den Geheimnissen der Symbolbildung, daß Menschen einst fähig waren, etwa die Woche durch den Sabbat oder den Sonntag auszuzeichnen und das Jahr durch Feste wie Ostern, Pfingsten und Weihnachten. Und wenn auch sowohl diese Feste wie die ihnen zugrunde liegenden Erfahrungen durch unsere Alltagsgewohnheiten weitgehend nivelliert sind, so verdient es doch Beachtung, daß wir es nicht wagen, sie abzuschaffen.

Zum Fest als dem kultischen Grundsymbol der Zeit gehört der Tempel oder der Kirchenraum als Grundsymbol des Raumes, als ausgeschiedene und gehöhte Stelle des Raumes, als Stelle des Kultgeschehens.

Auch der Raum erstreckt sich in geläufiger moderner Betrachtung zunächst als reine grenzen- und gliederungslose Dimension. Wird er aber ursprünglich und einfach als den Menschen gewährte Wohnstätte verstanden, die unter den Gaben des Himmels, dem Licht und dem Regen, das Wohnen der Menschen von Gott her trägt und ermöglicht, dann erscheint der Raum gleichfalls in mannigfaltiger, doch nicht ordnungsloser Gliederung, und dann mögen wohl Menschen einst aus diesem Zusammenhang Winke empfangen haben, bestimmte Räume abzugrenzen als ausgezeichnete Orte der Präsenz Gottes für die Menschen.

Und so erscheint dann der sakrale Bezirk, der Temenos, das Templum oder der Ort, der Raum, das Haus der Kirche, das Haus der Gegenwart Gottes und damit zugleich der Ort und Raum der Versammlung der Gemeinde Gottes und der kultischen Feier, in welcher Feier die Gemeinschaft Gottes mit den Menschen gefeiert wird.

Vom abgegrenzten sakralen Raum empfängt dann das Ganze der Wohnstätte der Menschen Ordnung und Glanz. Vom Haupttempel aus hat man einst in römischen Städten die Straßen angelegt, und auch mittelalterliche und barocke Kirchenbauten bestimmten die Ordnung der Städte, denen sie zugehören. Der für den Kult gesonderte Raum ist in seiner Sonderung doch allgemein, er bestimmt den ganzen Raum.

Aber gleichzeitig entsteht so im ganzen Raum der Unterschied zwischen dem sakralen und dem profanen Bereich. Vom Sakralen her wird der übrige Raum dann als profan, aber doch vom Sakralen mit überstrahlt bestimmt. Aber der Schwelle als dem Übergang vom profanen zum sakralen Bereich kommt dann eine besondere Bedeutung zu. Gewiß sind auch die für die Bildung sakraler Räume fundamentalen Erfahrungen für uns weitgehend fremd geworden, und so stehen denn auch unsere Kirchen oft ortlos in selber ortlos gewordenen Städten. Und alte Heiligtümer sind fast nur noch Touristenattraktionen. Aber gerade dabei darf man sich fragen, warum es so viele Menschen gerade an solche Orte zieht und ob hier nicht vielleicht verdrängt und von der Oberfläche des Bewußtseins verleugnet eine archaische Vertrautheit mit dem Raum als Sakralsymbol am Werk ist.

Das Haus Gottes oder das Fest, die Raum- und Zeitsymbole der Präsenz Gottes nehmen an der Dialektik aller Symbole teil. Sowohl das Haus wie das Fest sind begrenzt, aber in ihrer Begrenzung werden sie zum leibhaftigen Spielraum der Begegnung mit dem Unbegrenzten, das alle Räume und Zeiten umfaßt und in dem wir überall und immer leben oder uns bewegen und sind.

Heilige Zeiten und heilige Stätten bilden den Spielraum, in den der Kult gehört, sie bilden für den Kult die rechte Zeit und den rechten Raum.

Im leibhaftigen Raum der Kirche und in der leibhaftigen Zeit des Festes erhebt sich in der Gemeinde die Sprache als Kult, und es sammelt sich das Ganze des Sprechens um die realsymbolischen Handlungen. Kirchenraum und Festzeit spielen selber auf ihre Weise bei diesem Handeln mit.

4. Die Ritualisierung der Kultsprache

Schließlich müssen wir auf ein Moment aufmerksam machen, welches den Kult und seine Sprache auf eine besonders charakteristische und merkwürdige Weise kennzeichnet.

Wir meinen die Ritualisierung der Kultsprache und des kultischen Handelns in allen ihren Ebenen und Ausdrucksformen. Im Kult geschieht es, daß die Sprache und ihre Ausdrucksformen einschließlich der realsymbolischen Handlungen der Beliebigkeit des Verfügens entzogen werden und in eine unberührbare Sphäre emporgehoben werden. Jetzt darf niemand mehr daran Hand anlegen, niemand mehr daran etwas ändern. Die Kultsprache und die zu ihr gehörigen symbolischen Handlungen werden festgelegt zu einem unantastbaren Ritual. Es hat die Form des Kultes zu bewahren gegen den Druck der alles verändernden Zeit und gegen den Druck der veränderlichen Meinungen und Launen der Menschen.

Dieses ritualisierende Bewahren ist selber ein Symbol. Denn die Worte und Handlungen sind nun symbolisch in die Sphäre Gottes getreten. Sie sind für das Verständnis der Kultgemeinde von seiner Macht berührt und aufgeladen. Der Strahl der Ewigkeit Gottes liegt auf ihnen, und so darf niemand sie ändern oder an sie Hand anlegen. Das zeitliche Dauern und Bleiben, dieses, daß sie immer wieder in der gleichen Form wiederkehren, wird so selber zu einem Symbol der Präsenz der Ewigkeit Gottes. Daher vor allem erklärt sich die Ritualisierung der Formen des Kultes und ihr enormes konservatives Potential.

Dies hat zugleich eine Seite, welche die Gemeinde betrifft. Die Gemeinde selber weiß sich als Ort der Präsenz Gottes, als Bereich, in dem der ewige Gott leuchtet, und so wünscht sie in der Zeit mit sich identisch zu bleiben über das Wandeln der Geschlechter und der Zeiten hinweg. Sie wünscht sich identisch zu bleiben in der größeren Gemeinschaft der Lebenden und der Toten, der Gegenwärtigen und der Vergangenen. Auch diese umfassende Identität der Gemeinde Gottes kommt in den rituellen Konservierungen der Formen des Kultes zum Ausdruck. Die Gemeinde will handelnd kollektiv mit sich identisch bleiben in den Formen und Gestalten, in denen alle sich als eines Sinnes erfahren. Wo also der Kult sich in immer gleichen Worten und Formen wiederholt, wo er enthoben ist der individuellen Willkür, wo sich alle Teilnehmer darin immer wieder erkennen als die mit sich identische Gemeinde Gottes durch die Generationen hindurch, darin ist er am meisten der vor Gott sich verstehenden Gemeinde und ihren Bedürfnissen angemessen, wie er darin auch dem Glanz der Ewigkeit Gottes angemessen ist, die im Kult zum Leuchten kommt.

So wird sich die rituelle Verfestigung und Stabilisierung des Kultgeschehens verstehen und von daher auch die erstaunliche Tatsache, daß etwa im christlichen Kult in Europa, und zwar im Osten wie im Westen, die alten Kultsprachen und viele alte Kultformen sich viele Jahrhunderte und oft mehr als ein Jahrtausend bewahrt haben, entgegen dem allgemeinen Sprachgebrauch.

5. Spannungen und Krisen der rituellen Kultsprache

Mit dieser Ritualisierung tritt der Kult allerdings in Spannung einerseits zu den individuellen Bedürfnissen, andererseits zu den Veränderungen der Geschichte. Diese Spannung ist eine notwendige Seite, die den Kult als Kult in seinem geschichtlichen Leben charakterisiert.

Wo der Kult früh und ursprungsstark ist, ist diese Spannung in der Stärke des Ursprungs noch aufgehoben. Dann ist die Geschichte wie gar nicht da, das Geschehene ist wie ein ewiger Augenblick, die Differenz zwischen individuellen und kollektiven kultischen Bedürfnissen und Äußerungen wird nicht empfunden. Ebenso wie dann die Differenz zwischen dem Symbol und dem Symbolisierten aufgehoben ist und dann nicht mehr empfunden wird. Das symbolische Geschehen ist dann vermittelnde Unmittelbarkeit, in ihm wird, wiewohl vermittelt, doch unmittelbar der Umgang mit Gott erfahren, ohne daß ein Schritt gemacht zu werden bräuchte vom einen zum anderen hin.

Aber die Geschichte geht weiter, und der geschichtliche Wandel ist nicht aufzuhalten. Die individuellen Bedürfnisse machen sich gleichfalls bemerkbar. Dies hat für den Kult die Folge, daß er in der späteren Zeit altertümlich wird, ja es sein will, ein ehrwürdiges, altertümliches Gebilde in gewandelter Zeit. Jetzt erwacht aber die Differenz zwischen dem Kult und der geschichtlichen Zeit und der in dieser Zeit lebenden Menschen. Es erwacht damit auch die Differenz zwischen dem Symbol und dem Symbolisierten. Was einst wie selbstverständlich war, bedarf nun der ausdrücklichen Erklärung und Erläuterung, was es jeweils bedeutet, und so muß die Differenz mit Hilfe von reflektierten Erläuterungen überbrückt werden. Auch die individuellen Bedürfnisse erwachen nun als besondere, die im Kult nicht mehr selbstverständlich aufbewahrt sind. So werden ihnen also Sonderräume in Grenzzonen des Kultes oder auch neben dem Kult eingerichtet, wie man es beim Andachtswesen des späten Mittelalters und der Barockzeit usw. sehen kann.

Der Kult kann in diesem Stadium noch lange ehrwürdig und groß sein, kraft seines eminenten konservativen Potentials. Er kann so auch noch lange große religiöse Kräfte vermitteln. Aber er ist nicht mehr selbstverständlich und so doch auch gefährdet.

Diese dem Kult kraft seiner Ritualisierung inhärente Spannung zur Geschichte und zur Individualität kann aber noch weitergehen. Sie kann so weit anwachsen, daß der Punkt kommt, wo sie als nicht mehr erträglich empfunden wird. Dies wird insbesondere dann der Fall sein, wo sich epochale Wandlungen in der Geschichte der Menschen ereignen und wo von daher die Grundlagen des ganzen bisherigen menschlichen Verständnisses in Frage gestellt werden und sich verschieben.

Dann kommen bisweilen der Kult und sein Ritual und damit die religiöse Sprache und ihre Handlungsmuster im ganzen in eine grundsätzliche Krise. Die Krise setzt dann den Kult in seiner ganzen Gestaltung in Frage.

Die Krise und ihre Frage haben einen doppelten möglichen Ausgang, einen negativen und einen positiven. Negativ kann der Kult im ganzen abgelehnt werden als das ganz Überlebte und dann vielleicht für lange verschwinden. Er wird dann viele Möglichkeiten der Religion, des Glaubens und des Betens in seinen Untergang mitnehmen. So sind schon manchmal Kulte und mit ihnen der Glaube nach einem langen geschichtlichen Leben untergegangen.

Aber dies muß nicht sein, wenn die Stunde der grundsätzlichen Krise des Kultes gekommen ist. Es gibt auch den positiven Ausgang aus der Krise. Dieser ist freilich nicht leicht durchzuführen, und dies kann auch nicht schnell geschehen. Aber der Kult kann aus dem Feuer der Krise neu geboren werden als eine neue schöpferische Synthese zwischen der Substanz des Überlieferten und dem Geist und der Sprache der neuen Zeit.

Tritt dies ein, dann ist zunächst eine Zone der Unsicherheit zu bestehen für alle, die am Kult und seiner Wiedergeburt interessiert sind, also für die ganze Gemeinde. In der Zone der Unsicherheit wird es Polarisierungen im Schoß der Gemeinde geben. Die einen werden mehr dem Neuen zuneigen und progressiv sein, die anderen werden bangen um die Bewahrung der lebendigen Substanz des Alten und werden konservativ sein.

Die Entscheidung zwischen so sich bildenden Parteien wird lange offen sein. Es ist eine Zone der Unsicherheit zu bestehen.

Auch für die Individualitäten, die lange im rituellen Kult aufgehoben waren, entstehen nun im Gefolge der Unsicherheit wenig geordnete Freizonen. Das Individuelle wird sich dann zunächst melden, ohne gleich eine sichere Ordnung zu finden, etwa als das Charismatische in den Pfingstbewegungen oder als individuelle konstruktive Versuche, Kult zu formen.

All diese Bestrebungen und Bewegungen, so ungeordnet sie noch sein mögen, können ihre sinnvolle Funktion haben. Sie bringen sozusagen das Material an Bestrebungen und Bedürfnissen der Zeit und der Menschen der Zeit an den Tag und entwerfen so im Dialog eine erste Sichtung. Aus ihnen wird eines Tages die Neugeburt hervortreten können.

Die wirkliche Neugeburt des Kultes und seiner Sprache bedarf des größten Mutes und der größten Besonnenheit. Des größten Mutes, weil ein neues Gelände von Geschichte und Sprache gewonnen werden muß, von dem erst unvollkommene Teile in Zerstreuung sichtbar sind. Und der größten Besonnenheit, weil gleichwohl das Erbe des überkommenen Kultes in seinen echten und unverlierbaren Elementen sorgfältig zu hüten ist für das neue Leben in der neuen Zeit, für die es neu gebildet werden muß. Und es bedarf vor allem des Geschenkes des Himmels, der lebendigen Inspiration, der Gnade, damit das, was nun entstehen soll, mehr als nur ein menschliches Gemächte wird, und dies so, daß ihm die Menschen doch mit ganzem Herzen und mit allen ihren Kräften dienen können.

6. Die mehrfache Synthesis des Kultes

Die Erörterung der Momente der realsymbolischen Handlung des Kultes im Zusammenhang mit der vorher entfalteten Erörterung der verschiedenen Formen des Gebetes gibt uns schließlich die Möglichkeit, den Kult auch in seiner Einheit und Ganzheit darzustellen. Dies soll zuerst in der Form der Anschauung geschehen. Danach wollen wir versuchen, diese Einheit und Ganzheit auf den lebendigen Begriff zu bringen. Dies wird es dann auch möglich machen, den Kult in seiner Ganzheit als die ausgezeichnete Form des Gebetes deutlich werden zu lassen. Denn wo der Kult seinem Wesen gemäß zu seiner Fülle entfaltet ist, zeigt er wirklich die schlechthin ausgezeichnete Möglichkeit dessen, was das Gebet als Sprache überhaupt will, wie das Gebet als Sprache die ausgezeichnete Möglichkeit dessen ist, was auch das Gebet als Schweigen will. Der Kult ist damit die ausgezeichnete Möglichkeit für das, was wir den Zirkel der Religion genannt haben. Er legt die Elemente des Gebetes und den Zirkel in ihre Fülle auseinander und bewahrt sie zugleich in ihrer Einheit. Versuchen wir dies zunächst anschaulich darzustellen.

Wenn die gute, die heilige Zeit gekommen ist, versammeln sich die Glaubenden am guten, festlichen Ort. Sie erscheinen in festlichen Gewändern. Und am meisten erscheint so der Vorsteher und Priester der Gemeinde. Es bewegt sich die Prozession, es geht Bewegung durch alle, sie erheben sich, sie neigen sich nieder; wenn es hoch kommt, dann entsteht der Tanz, es erhebt sich Gesang, bald erklingt die Verkündigung, die das Heil Gottes öffentlich ansagt, und es antwortet laut das Gebet der Gemeinde, das sich öffentlich zu Gott erhebt. Und es erscheinen im Zusammenhang damit die heiligen Handlungen mit den heiligen Zeichen, es erscheinen die geheimnisvollen Dinge, in denen die Gemeinde durch den Priester sich an Gott hingibt und in denen sie zugleich das Heil Gottes empfängt und erfährt. In ihnen versammelt sich das Ganze des Kultes, und dieses Ganze gewinnt so seine eigentliche Höhe. Die Gemeinde erfährt sich einbegriffen in den Glanz der Ewigkeit Gottes und darin auch eins mit sich und den vergangenen Geschlechtern, mit den Lebenden und mit den Toten. Immer wieder neu während der heiligen Handlung ertönt das Wort, die heiligen Zeichen deutend als Verkündigung und als Gebet, und immer wieder ertönt der Gesang, und es geht die leibhaftige Bewegung durch die Gemeinde der Menschen.

Alles dies ist Gebet, verlautende und sichtbare Hinwendung der Menschen zu Gott und auch verlautendes und sichtbares Sich-Herneigen Gottes zu den Menschen. Der Zirkel der Religion erscheint wieder und nun in seiner vollen öffentlichen Entfaltung, und er leuchtet so von seinem Ort und seiner Zeit her über das Ganze von Raum und Zeit, von Lebenden und Toten.

Gewiß sind viele Formen des Kultes möglich, und nicht alle müssen in voller Feierlichkeit entfaltet sein. Es gibt durchaus auch stillere und einfachere Formen des Kultes, und es soll sie zur rechten Zeit geben. Sie brauchen deswegen nicht weniger würdig zu sein.

Für das rechte Vollziehen des so anschaulich Dargestellten müssen wir schließlich auf den Begriff der Einheit achten, der hier zur Geltung kommen muß. Es ist Einheit im doppelten Sinne. Zuerst Einheit der Vielfalt der Erscheinung und dann Einheit des als Eines vielfältig Erscheinenden mit der wesentlichen Innerlichkeit der Religion.

Einheit in der Vielfalt der Erscheinung: Es gehört zum Kultischen, daß die Elemente des Geschehens breit differenziert sind und als Differenzierte auseinandergelegt. Und so entsteht eine vielfältige Gestalt. Darum ist der Kult am weitesten entfernt von der Sammlung des Gebetes des Schweigens, in der alles in die Einfalt des Einfachen gesammelt ist.

Aber das Vielfältige gehört doch in Eines zusammen und auch dieses Zusammengehören soll sichtbar und erfahrbar werden. Es soll sichtbar und erfahrbar werden, indem sichtbar wird, daß das Viele in das Eine gestimmt ist und so auch unter sich übereinstimmt.

Negativ muß also darauf geachtet werden, daß die Elemente

des Kultes kein bloßes äußerliches Aggregat bleiben, daß sie sich vielmehr vernehmlich sammeln in dem einen umfassenden Sinn, in dem alles deutlich zusammengehört, jedes Gebet, jedes Wort der Verkündigung, jedes Ritual, jede Bewegung. Nur in solcher Einheit ist der Kult eine sinnvolle Erscheinung, also nur dort, wo er den Begriff der Einheit des Mannigfaltigen erscheinen läßt.

Die Einheit der Momente des Erscheinenden aber hat ihre wesentliche Wurzel in der Einheit der Erscheinung mit dem, was in der Äußerung der Erscheinung hervortritt. Dies ist der entscheidende Begriff der Einheit des Kultes. So kann man auch sagen: lebendige Einheit der weitgehendsten Äußerung mit der verborgensten Innerlichkeit. Das heißt: Der Kult entspricht nur insoweit seinem Wesen, als er ins Äußere entfaltet, was im Inneren wirklich lebendig ist. Wenn jeder der Kultteilnehmer wirklich gesammelt ist auf den alle Welt umfassenden Gott hin und wenn jeder diese innere Wirklichkeit der Sammlung und nichts anderes entfaltet in die ineins gesammelte Vielfalt von vielen Worten und Gebärden der Gemeinde.

Und nur insoweit, als diese innerliche und entscheidende Wirklichkeit von wirklicher Andacht erfüllt und durchdrungen ist, vom leisen Strom der Bewegung aller Herzen und aller Gedanken hin an das Geheimnis Gottes und in die Tiefe dieses Geheimnisses hinein, das wir Gott nennen, und nur insofern diese wirklich und innerlich vollzogene Andacht sich entfaltet und ins Offene dringt und Gestalt gewinnt in der Form des Kultes, entspricht der Kult seinem Begriff und ist er gut.

Und nur insofern diese innerliche Sammlung und Andacht geformt ist von der Stille, vom Schweigen, nur insofern sie aus diesem lautlosen Grund ins Sich-Verlauten hervorgeht, nur insofern das ganz Stille still bleibt vor dem alle Sprache übertreffenden Geheimnis Gottes, insofern kann es auch angemessen sich zeigen in Wort, Handlung und Symbol, so zwar, daß diese Stille der Ehrfurcht sich gleichfalls bemerkbar macht im vielfältigen Gang der Äußerung und sie zugleich steigert und bändigt.

Und nur, wo auch die andere Seite der Andacht entwickelt ist, wo der andächtige Mensch weiß und es erfährt, daß er gerade in seiner Andacht und in den Ausdrucksformen derselben ganz von Gott ermöglicht und getragen, ganz sich geschenkt ist, ist dieser Kult in vollem Sinn erfüllt. Denn gerade der Kult ist die sichtbare Entfaltung dieser im Grunde unsichtbaren zweieinigen Bewegung: der Bewegung der Menschen zu Gott hin, die umfangen und getragen ist von der Bewegung Gottes zum Menschen hin.

Die Einheit des Unterscheidbaren, des inneren Lebens und der äußeren Erscheinung ist nur dort, wo Gebet und Kult in ursprünglicher Stärke leben, eine unmittelbare Einheit. Es braucht dann nicht von einem zu einem anderen hinübergegangen zu werden, sondern es ist eine einzige Bewegung, in der die Fülle des Herzens überläuft und sich ins Offene entfaltet. Aber das im ursprünglichen Leben Geeinte ist doch trennbar. Nun können Worte und Riten ihren eigenen Gang gehen und als eigene und gesonderte Gebilde auch betrachtet werden. Dann ist der Kult in Gefahr, seine Einheit und damit seinen Begriff und sein Wesen zu verlieren. Und dann muß man sich darum kümmern, daß diese Einheit und damit dieses Wesen gerettet werden.

Der Kult als Ganzes ist seinem Begriff und seinem Wesen nach die Einheit des Mannigfaltigen aufgrund der umgreifenden Einheit des inneren Lebens und der äußeren Erscheinung. Wo diese Einheit gewahrt wird, entfaltet er den Sinn allen Gebetes, ja aller Religion, die Erhebung des Menschen zu Gott und die Bewegung Gottes zum Menschen hin, das immer eine, aber vielfältig erscheinende sacrum commercium.

§ 17. Vom Unwesen der Religion

Unter dem Unwesen der Religion wollen wir die Erscheinung verstehen, die dann entsteht, wenn die Religion von ihrem Wesen abweicht oder dieses verliert, aber die Gestalt von Religion beibehält. In diesem eigentümlichen Zug, daß die unwesentliche Religion die Gestalt der Religion beibehält, unterscheidet sie sich vom Atheismus, der auch die Gestalt der Religion ablegt.

1. Die Gründe der Möglichkeit des Unwesens

Die Möglichkeit des Unwesens der Religion erwächst aus dem Zusammenspiel von drei Momenten. Das erste Moment, das das Unwesen ermöglicht, liegt in der Differenz der Innerlichkeit und der Äußerung der Religion. Diese Differenz ist im Gebet des Schweigens auf Null reduziert. Darum kann dieses Gebet nur wesentlich sein, oder es muß überhaupt entfallen. Und es bietet auch keine Angriffsfläche für die Kritik der Religion. Anders ist es dort, wo das Gebet als Sprache erscheint und also die religiöse Innerlichkeit sich äußert. Hier kann man das innere Wesen und seine Äußerung unterscheiden. Auch dieser Unterschied hebt sich, wie wir gesehen haben, dann auf, wenn die religiöse Sprache in ihrer ursprünglichen Kraft erscheint. Aber es gehört zu dieser Differenz, daß sie jederzeit erscheinen kann. Die Gestalt der Sprache kann sich abheben von der Innerlichkeit des Vollzuges und kann dann als wesenlose Gestalt doch immer noch Gestalt der Religion sein. Hier setzt dann auch die religiöse Religionskritik ein, wie wir schon in der Bibel lesen: „Dies Volk ehrt mich mit den Lippen, aber sein Herz ist weit von mir" (Mt 15,8; Mk 7,6). Dies ist am meisten dort möglich, wo die sprachliche Äußerung ihre ausgezeichnete Gestalt erreicht, nämlich im Kult. Darum ist der Kult einerseits die vorzügliche Gestalt der geäußerten Religion, in ihm erreicht die Äußerung ihre Höhe und ihre Fülle. Darum birgt der Kult aber auch die größte Gefährdung der Religion. Gerade die Fülle der Äußerung kann sich vom vollzogenen Wesen abheben und so äußerlich und wesenlos werden, aber die Gestalt der Religion bewahren. Darum müssen wir, nachdem wir die Entfaltung der geäußerten Religion bis in die Gestalten des Kultes hinein bedacht haben, nun notwendig auch noch vom Unwesentlich-Werden der

Religion und besonders des Kultes sprechen. Darum ist auch die wesentlichste Religionskritik, nämlich die religiöse, sehr oft Kritik gerade am Kult gewesen: „Gehorsam will ich, nicht Opfer", so lesen wir des öfteren in der Bibel (Hos 6,6; 1 Sam 15,22; Koh 4,17).

So ist es immer die Differenz zwischen der Äußerlichkeit und der Innerlichkeit, die das Unwesen der Religion möglich macht.

Aber daraus allein würde das Unwesen der Religion noch nicht entstehen können, wenn es nicht eine positive Neigung zum Unwesen im Menschen gäbe. Bei dieser Neigung läßt sich ein doppeltes Moment unterscheiden. Zuerst die Hinneigung der Menschen zum Vorstellbaren und Greifbaren und darum Wißbaren dieser Welt, das was man nach Thomas die Conversio ad phantasmata nennen kann. Davon hatten wir schon beim Kult als realsymbolischer Handlung zu sprechen. Diese Hinneigung kann den Menschen bewegen, den vorstellbaren und greifbaren Elementen an der Religion sich mit Vorzug oder gar ausschließlich zuzuwenden und so die Gestalt vom Wesen und vom Wesensvollzug abzuheben. Diese Hinneigung zum Vordergründigen ist selbst der Vordergrund der positiven Ermöglichung des Unwesens der Religion beim Menschen.

Aber auch dies würde für sich allein noch nicht jenes Unwesen ergeben, das die Religion zugleich bewahren will in ihrer Gestalt. Um dies zu erklären, müssen wir ein weiteres Moment und eine andere und tiefere und untergründige Neigung im Menschen in Betracht ziehen. Nämlich das zumeist verborgene und zuweilen auch ausbrechende unendlich und absolut Sein-Wollen, unendlich und absolut an Wissen und Macht und Glück. Weil es diese tiefste Neigung im Menschen gibt, sucht er alles Wissen und alle Macht und alles Glück über alle Grenzen hinauszutreiben. Weil es dies gibt, ist auch die Religion, die das Unendliche und Absolute von Gott her verheißt, mit dieser tiefen Neigung und mit diesen tiefen Kräften des Menschen verbunden. Nun ist aber freilich der Mensch in dieser seiner tiefsten und innerlichsten Sache seiner selber wenig sicher, und so kann sich diese tiefe Neigung verkehren, aber sie kann nicht ganz verschwinden.

Darum ist es möglich, daß der Mensch die Religion nicht aufgeben will gerade auch dann, wenn er daran ist, sie aufzugeben. Und daß er also ihre Gestalt bewahren will, wenn er ihr Wesen schon verlassen oder verraten hat.

Aus der Kombination dieser drei ermöglichenden Momente ergeben sich verschiedene Formen des Unwesens der Religion. Es sind die drei Momente der Differenz zwischen Innerlichkeit und Äußerung, der vordergründigen Hinneigung zum Greifbaren und der untergründigen ihrer selbst nicht sehr sicheren Hinneigung dazu, Gott gleich sein zu wollen.

2. Die wesenlose Multiplikation

Die erste Gestalt des Unwesens der Religion liegt dementsprechend in der *wesenlosen Multiplikation* der Äußerung der Religion, also der religiösen Sprache. Sie kommt so zustande, daß der Mensch das Greifbare der Sprache und insbesondere des Kultes festhält, aber das Wesentliche, das darin zum Ausdruck kommen soll, vor allem Glaube und Andacht, vernachlässigt. Durch diese Vernachlässigung wird sich dann zugleich die Sprache verändern. Sie wird vor allem planlos und formlos und wuchernd. Denn das wesentliche formende Element ist ja nun vernachlässigt oder hat sich gar verloren. Die Sprache wird ferner ihre Tiefe verlieren, d.h. ihre symbolische Kraft. Denn der Mensch, der nun immer noch und weiter die religiöse Sprache benutzt, hält sich ja an ihr Greifbares. Und so wird die Sprache nichts als greifbar, sie wird eindimensional, und das Geheimnis weicht aus ihr.

Und doch behält die Sprache eine Erinnerung an ihre einstige Größe, und der Mensch, der sie gebraucht, behält auch eine Erinnerung an das Faszinierende dessen, was er einst glaubte und was er noch nicht ganz aufhören will weiterzuglauben. Darum wird die religiöse Sprache nicht aufgegeben. Im Gegenteil: sie wird weitergebraucht und weiterentwickelt in dem Sinne nämlich, daß das Greifbare und Verfügbare an ihr planlos multipliziert wird. Immer mehr Gebete werden gesprochen, immer mehr Kulthandlungen werden vollzogen, das immer Mehr breitet sich planlos aus, die Quantität muß die Qualität ersetzen, nämlich das Symbol, das auf das Geheimnis weist und es nahebringt. So soll nun das selbstgemachte Viele und Vielerlei den Schein des Bedeutenden wahren. Das eigentliche Wesen aber ist entschwunden. So entsteht der planlose Wortreichtum, der aber zum größten Teil ein geschäftiger Leerlauf sein kann. Diese Erscheinung nennen wir die wesenlose Multiplikation.

Sie ist Unwesen, insofern sie Glaube und Andacht und ihre wesentliche Beziehung zum großen Geheimnis Gottes vernachlässigt, das aber, was Menschen machen können an der Religion, die Worte und Riten, vermehrt zu der wesenlosen Multiplikation als einer Gestalt des Unwesens der Religion. Mit der Vervielfältigung der Gestalten macht sich dann der Mensch selber wichtig in der Gestalt der Religion.

Man wird dabei fragen, wie es komme, daß der Mensch in dieser Weise ausweiche vor dem Ernst des Glaubens und der Andacht. Sollte dies die unsichere Angst vor dem Unbegreiflichen sein, das den Menschen anfordert, und die daraus resultierende geängstigte Flucht zu dem, was der Mensch selber machen kann? Die Furcht vor dem glaubenden Sichweggeben an Gott in die scheinbare Sicherheit dessen, was man in der Hand hat? Vieles spricht dafür. Der Mensch hält sich in der Tat an das Vordergründige und Machbare, weil er in diesen Medien hofft, seiner selbst sicher sein zu können.

Dann tritt die merkwürdige Zweideutigkeit auf: die vielmalige Wiederholung des gleichen kann ja, wie wir gesehen haben, selber zum Symbol des Unausschöpflichen und zum Instrument der Andacht werden. Aber sie kann auch der wesenlose Leerlauf oder das Unwesen sein.

Wegen dieser Zweideutigkeit bleibt auch in der wesenlosen Multiplikation immer eine gute Möglichkeit. Die heiligen Worte, auch in ihrem äußerlich gewordenen Gebrauch, bewahren einen Rest und eine Möglichkeit der ursprünglichen Sage. So bleibt es möglich, daß aus dieser Art von Wesenlosigkeit doch da und dort wieder echte Religion erwache.

3. Religion als Ideologie

Wird die Religion in der planlosen Multiplikation auf ihren faßbaren Bestand reduziert, und dies aus dem geängstigten Selbstseinwollen und seiner selbst Sicherseinwollen, dann ist es nur konsequent, daß die so ansetzende Bewegung auch noch weitergeht. Wenn der Mensch seiner selbst sicher sein will mit Hilfe dessen, was ihm greifbar zuhanden ist, dann wird er eines Tages den kostbaren Bestand der Religion zum Instrument und zugleich zur Verkleidung immanenter Ziele und Strebungen machen. Vor allem zum Instrument und zur Verkleidung seines immanenten Machtstrebens. Die Religion wird dann in ihren Gestalten instrumentalisiert. Sie wird zum Instrument des Menschen, der versucht, mit Mitteln der Religion einen Zuwachs an Macht zu gewinnen. Gleichzeitig aber soll die Macht verkleidet werden, damit sie ehrbar erscheint. Gerade das Ehrwürdige an der Gestalt der Religion wird gesucht, um die Macht selber, die u. U. eine böse Macht ist, ehrwürdig erscheinen zu lassen. Dann wird die Religion zur Ideologie der Macht, und diese Ideologie ist dann das gesteigerte Unwesen der Religion.

Mit der Religion als Ideologie der Macht nahe verwandt ist die Religion als ästhetische Ideologie. Auch in ihr wird die Religion instrumentalisiert, nämlich als ein Instrument ästhetischen Lustgewinns. Ist es die Schönheit ihrer Ausdrucksformen, die sie dazu geeignet erscheinen läßt? Die Ausdrucksformen werden von ihrem religiösen Sinnzusammenhang abgelöst und zu jener Selbstbestätigung benutzt, welche in der Lust am Schönen liegen kann. Und darüber wird dann das wahrhaft Schöne ebenso vergessen wie das wahrhaft Religiöse. Das wahrhaft Schöne ist immer noch der Splendor veri, der Glanz des Wahren, die Zugabe zum echten und wesentlichen und darin wahren Leben; davon abgelöst ist das Schöne selbst wesenlos. Und das wahrhaft Religiöse wird vergessen, denn dies liegt noch immer im Ernst des Glaubens und der Andacht, nicht aber in deren abgelöstem Schein.

Die Wurzel solcher Ideologien ist im Grunde der Glaube des Menschen an sich selbst und an die eigene Macht und deren Ziele. Diese Ziele können durchaus auch in der ästhetischen Lust liegen. Die Wurzel ist also gerade nicht eigentlich der Glaube an Gott. Dieser kann zwar beiher spielen. Aber er spielt nicht mehr die entscheidende Rolle. Aus dem Glauben an sich selbst als der Wurzel und dem Leitprinzip der ideologisierten Religion erwächst dann das sich Durchsetzenwollen im Horizont der Welt. Dieser Wille ergreift dann die Gestalten der Religion und ihres Bezugs zu Gott als Mittel. Dadurch wird der Schein einer ehrbaren Tradition bewahrt und der umgekehrte Schein des Bösen vermieden. So erscheinen dann die immanente Macht und die Lust und deren Ansprüche als Ansprüche der Religion, ja Gottes selber.

Liegt im Grunde dieser zweideutigen Bemühung nicht der immer wieder anzutreffende Trieb des Menschen, allmächtig und also Gott gleich sein zu wollen und im Grunde auch geängstigt zu wissen, daß seine eigenen und immanenten Mittel dazu nicht ausreichen? Und aus diesem Wollen und diesem geängstigten Wissen kann dann der Mensch erneut nach dem Höchsten greifen, der Religion oder gar nach Gott, um sich selbst zu sichern. Dies geschieht dann konsequenterweise durch den Griff nach dem Greifbaren an der Religion, dem Wort, dem Ritual, der Institution. Und mehr noch durch den Griff nach dem Anspruch, der damit verbunden ist. Insofern kommt auch die ideologische Verzerrung der Religion nicht ohne einen Rest dessen aus, was die Religion einmal wirklich war.

Das Unheimliche dabei ist, daß diese ideologische Verzerrung zumeist nicht dramatisch auftritt, sich vielmehr fast unmerklich einschleicht und gerade darin ihre ideologische Natur verhüllt. Hier setzt dann die Ideologiekritik mit Recht ein und sucht, das Verhüllte zu enthüllen und ihm seine Wahrheit zu sagen. Die Ideologiekritik kommt entweder selber aus einem religiösen Impuls wie bei den Propheten oder sonst oft in der Bibel, und sie sucht dann die Religion zu reinigen, indem sie den religiösen Menschen zum Bewußtsein der Verzerrung der Religiosität bringt und ihn dadurch zu einer gereinigten und wesentlichen Religion zurückzurufen sucht. Sie steht im Dienste der Religion. Ideologiekritik wird aber heute meistens von einem Standpunkt aus erhoben, der außerhalb der Religion liegt. Nämlich von einem soziologischen und gesellschaftskritischen Standpunkt aus. So ist es insbesondere bei Karl Marx, dem Urheber dieser Art von Ideologiekritik. In ihrem Licht erscheint die Religion überhaupt als Ideologie, die die unterdrückten Klassen nötig haben, um sich mit ihrem Los zu versöhnen, und die auch die herrschenden Klassen nötig haben, um sich an der Herrschaft zu halten. Die Ideologiekritik dieser Art begeht den sachlichen Fehler, daß sie die Religion schlechthin für Ideologie hält und ihre echten und nichtideologischen Möglichkeiten nicht in Betracht zieht. Auch dient diese Art von Ideologiekritik häufig der Rechtfertigung des eigenen areligiösen Standpunktes und ist so selber ideologieverdächtig.

Neuere Denker, die von Karl Marx beeinflußt sind, jedoch eine größere Offenheit des Geistes bewahrt haben, wie z. B. Max Horkheimer, haben hier differenzierter gesehen. Aber auch ihnen gegenüber muß darauf aufmerksam gemacht werden, daß die Religion als Ideologie eine Form des Unwesens der Religion ist, die ihr mögliches echtes Wesen voraussetzt[1].

4. Der religiöse Fanatismus

Die Religion als Ideologie ist einer letzten und äußersten Steigerung fähig. Dann entsteht aus ihr der religiöse Fanatismus. Er entsteht dann, wenn das endliche Selbsteinwollen des Menschen in den Gestalten der Religion sich verabsolutiert.

Diese äußerst gefährliche Verabsolutierung kann gedeutet werden aus der Beziehung des Menschen zu dem geheimnisvollen Abgrund des allein absoluten Gottes. Es handelt sich im Grunde um den Motivationszusammenhang, den wir schon kennen. Er sei aber hier um der Bedeutung der Sache willen näher entwickelt. Steht nämlich der Mensch diesem ungeheueren Abgrund Gottes gegenüber, dann kann er sich diesem zwar im Glauben anvertrauen, aber er ist dann seiner Sache doch nicht so sicher, daß er es nicht dabei auch mit der Angst zu tun bekäme. Immer wieder kommen wir auf die Angst. S. Kierkegaard hat sie die „sympathetische Antipathie" und die „antipathetische Sympathie" genannt[2]. Sie ist Sympathie, denn der Mensch möchte mit aller Leidenschaft seines Herzens das Unbedingte an Wahrheit und Glück, und also möchte er eigentlich Gott. Aber Gott kommt ihm zuweilen wie ein ungeheures Nichts vor. Und darum ist die Angst auch gleichzeitig Antipathie, denn der Mensch müßte ja, um dieses Unbedingte an Wahrheit und Glück zu erreichen, sich ganz an das Geheimnis hingeben, das er niemals begreifen kann und das ihm deswegen zuweilen als ein Nichts vorkommt, und davor schaudert er zurück. So halten sich die Sympathie und die Antipathie die Waage. Und den Menschen mag es dann bisweilen scheinen, als sei es gleich schrecklich, den Glauben zu wagen wie ihn zu verlieren. Die so entstehende Spannung ist nur durch einen Sprung zu lösen, wie Kierkegaard ganz klar gesehen hat. Es ist entweder der Sprung der Entscheidung des Glaubens oder der entgegengesetzte Sprung: die Verweigerung des Glaubens.

Wird der Glaube verweigert, dann bleibt aber doch die Erinnerung an das Unbedingte an Wahrheit und Glück, das dem Menschen von Gott her verheißen war und das der Mensch nicht aufhören kann, mit ganzer Leidenschaft seines Herzens zu begehren. Aber Gott hat er nun aufgegeben, da er ja den Glauben verweigerte. So scheint unter diesem Gesichtspunkt alles verloren. Alles verlieren will aber der Mensch auf keinen Fall, und so kann er auf eine letzte, im Grunde verzweifelte Möglichkeit verfallen: nämlich mit seinen eigenen Kräften und Möglichkeiten auf unbedingte Weise das Unbedingte an Wahrheit und Glück herzustellen. So wird sein endlicher Wille entzündet werden von der unbedingten und darin unendlichen Leidenschaft zum Unbedingten. Und diese unbedingte Leidenschaft wird sich ausbreiten auf alles, das der Mensch ergreifen kann, um seinen endlichen Willen durchzusetzen.

Der Mensch wird dabei insgeheim wissen, daß sein Wille endlich und bedingt ist und seine Möglichkeiten auch. Aber da dieses Wissen ihn wieder unglücklich macht, muß er es verdrängen und so wenigstens den, wenngleich trügerischen Schein erwecken, als gäbe es diese Endlichkeit gar nicht.

Diese Notwendigkeit der Verdrängung und des Scheins wird seinen endlichen Willen und seine endlichen Maßnahmen noch heftiger entzünden. Der Mensch muß ja jetzt sich selber und der Welt zeigen, daß das Bedingte sich doch als das Unbedingte erweist, nämlich sein Wille und seine Maßnahmen. Und er muß also gegen alle Grenzen mit rücksichtsloser und damit unbedingter Leidenschaft anrennen. Er muß mit rücksichtsloser Leidenschaft demonstrieren, daß er der Herr der Welt ist, sozusagen der Gott der Welt.

Und dies geht wiederum am besten mit Hilfe der Religion, und zwar ihrer verfügbaren Bestände an Worten und Riten. So wird der Mensch beanspruchen, im Namen Gottes zu sprechen und zu handeln, und seinem entzündeten endlichen Willen eine religiöse Gestalt geben. Er wird so aus dem Glauben und der Andacht, den lebendigen Beziehungen zum wirklich und einzig Absoluten, eine merkwürdige Umkehr bilden. Er wird zwar beanspruchen zu glauben und zu beten, aber er wird dabei das Moment des Absoluten von Gott weg und auf seine eigene Seite herüberziehen. So will er selbst absolut sein und will im Grunde nicht, daß ein anderer, nämlich Gott, absolut sei und seinen Anspruch begrenze und in Frage stelle. So wird er in Wirklichkeit nur an sich selber glauben und an dieses, daß er aus seiner Kraft der Gott der Welt sein kann. Er wird aber vorgeben und vielleicht auch meinen, er glaube an Gott.

Er wird also die Gestalt der Religion bewahren, ja steigern, vor sich und anderen. Aber sie in Wirklichkeit umkehren in den als absolut beanspruchten Glauben an sich selber und an seinen Willen und an seine Maßnahmen. Aus dem absoluten Recht Gottes ist dann das absolute Recht des Menschen geworden, in der gewaltsam festgehaltenen Gestalt der Religion.

Der Mensch wird also gewaltsam werden gegen sich und gegen alle Welt. Er wird niemandes anderen eigenes Recht gelten lassen können und wird also seine Meinung durchsetzen wollen jedermann gegenüber. Wenn der wirkliche Glaube an Gott mit Gott an alles und an alle glaubt und so in die große Freiheit gelangt, so wird der fanatisch verkehrte Glaube an Gott an niemanden glauben als an sich selber und allen mißtrauen und allen drohen, und er wird so in die Verschlossenheit und in die Enge und in den Zwang gelangen. Er wird also zu einer verzweifelten Schreckensherrschaft neigen, und dies im Namen des rechten Glaubens.

Auf diese Weise wird das Wesen der Religion am allerschärfsten in sein Unwesen verkehrt und dies Unwesen in sein Äußerstes getrieben. Und alles dies geschieht nicht ohne eine dunkle Art von Konsequenz.

Dabei wird sichtbar, daß auch der Fanatiker von der Erinnerung an die echte Möglichkeit der Religion lebt. Und diese echte Möglichkeit lebt auch noch in ihm. Aber er hat diese Möglichkeit gewaltsam verkehrt und ist so zum Schrecken für viele geworden.

Der fanatische religiöse Mensch wird seine verzweifelten Wege gehen, bis er scheitert. Scheitern wird er eines Tages, denn er kann nicht aufhören endlich zu sein, und so wird sein unbedingter und absoluter Anspruch der unfehlbaren Rache seiner Wahrheit, nämlich seiner Endlichkeit, anheimfallen. Seine beanspruchte Ewigkeit und Unbedingtheit wird zunichte werden, wenn der Tag seines Endes kommt. Die absolute Position des Fanatikers wird also schließlich notwendig scheitern an der absoluten Negation des Endes und des Todes.

Aber unterwegs kann der Fanatiker vieles zerstört haben auch an echten Möglichkeiten der Religion. Und doch kann sie aus dem Zusammenbruch wieder auferstehen. Und es ist verwunderlich, daß aus der Angst ebenso der Glaube hervorgehen kann wie der Fanatismus mit seinem Schrecken[3].

5. Die gemischte Wirklichkeit der Religion

Die Gedanken über das Unwesen der Religion können uns zeigen, daß die Religion unter Menschen stets einen gefährdeten Stand hat zwischen den höchsten Möglichkeiten des Menschen und seinen dunkelsten Möglichkeiten. Wir haben das Unwesen auf seinen Begriff zu bringen versucht auf dem Hintergrund des echten Wesens. Dies kann den Schein mit sich bringen, als ob das eine wie das andere in reiner Gestalt vorkomme.

Aber der Blick auf die Wirklichkeit des Lebens der Religion in unserer Geschichte belehrt uns doch eines anderen. Die wirkliche Geschichte bewegt sich immer in einem breiten und vielfältig gemischten Strom von Möglichkeiten und Wirklichkeiten, und Helles und Dunkles gehen da oft unscheidbar durcheinander. Darum wird man sagen müssen, daß das Leben der Religion in der Geschichte an allen Stellen sowohl vom reinen Wesen der Religion bewegt und angezogen ist, ohne dies jemals in vollständiger Reinheit erreichen zu können. Das Leben der Religion in der Geschichte ist aber gleichfalls an allen Stellen vom Unwesen der Religion bedroht und gemindert. So wird es im Konkreten unseres geschichtlichen Daseins keine noch so abgesunkene Erscheinung vom Unwesen der Religion geben, in der nicht doch noch ein Funke des echten Wesens unter der Asche des Unwesens glühte und in der nicht doch eine echte Möglichkeit bewahrt bliebe. Aber es wird auch keine große und leuchtende Erscheinung von Religion geben, welche man einfach so, wie sie faktisch ist, für die Erscheinungsform der Religion schlechthin nehmen könnte.

Dies gilt durchaus auch für das Christentum, wenn man es

nicht in seinem reinen Ursprung, vielmehr in seinem konkreten Leben in der Geschichte betrachtet. Auch das Christentum trägt sein Geheimnis auf dem Weg der Pilgerschaft durch diese Welt und darum im Spiegel und Rätsel, in Erhebung und Fall.

Die Religion bedarf in ihrem geschichtlichen Leben also von seiten der Menschen einer beständigen wachsamen Bemühung und Anstrengung, um sie von der Richtung auf das Unwesen hinwegzuwenden und in die Richtung auf ihr wahres Wesen zu lenken. Für diese Bemühung und Anstrengung von seiten des religiösen Menschen könnte die Besinnung auf den Begriff des Wesens und des Unwesens eine Orientierung geben.

Das Entscheidende allerdings in diesem Prozeß der beständigen nötigen Korrektur wird nicht von seiten des Menschen geschehen können, wie sehr sie auch aufgerufen sind, das Ihre zu tun. Das Entscheidende wird immer sein: die Vergebung der Sünden von Gottes Geheimnis her und die Führung durch das Licht aus der Höhe, eine Führung mitten durch das Hin und Her des fragwürdigen geschichtlichen Lebens.

Schlußwort

Das Ende ohne Ende

Wir sind am Ende der Religionsphilosophie. Wir haben versucht, das, was Religion ist, im Denken nachzubilden. Wir haben dabei auf das Wesentliche geachtet, und wir haben infolgedessen Normen gesucht und das Unwesen der Religion von ihrem Wesen geschieden. Am Ende aber muß man sagen, daß man mit der Religion an kein Ende kommt.

Zuerst weil man mit dem, was wir Menschen sind, an kein Ende kommt. Wir müssen die Höhen und Tiefen des Menschlichen durchstreifen, die Angst und die Hoffnung, das Innere und das Äußere, das Reden und das Schweigen, das höchste Licht und das tiefste Dunkel, das strahlendste Ja und das dunkelste und verborgenste Nein. Wir müssen mit dem Menschen auch die ganze Welt des Menschen durchstreifen, das Nichts und das Alles, den Himmel und die Erde und Bilder und Figuren der mannigfaltigsten und unerschöpflichsten Art.

Wer aber will sagen, daß er mit all dem das Herz des Menschen ausschöpfen kann und die Fülle der Welt des Menschen? Da kommt man an kein Ende.

Und mit dem, was man mit dem kurzen Wort Gott nennt als den Angelpunkt aller Religion, kommt man erst recht an kein Ende. Man kann sich in die Tiefe der schweigenden Meditation versenken, man kommt an kein Ende. Man kann alle Weisen der Sprache durchgehen und alle Gestalten der Welt und der möglichen Symbole aufbieten, man kommt an kein Ende. Man kann das Meer der Gottheit nicht ausschöpfen.

Aber da wir nicht anders als mit endlichen Worten und Gedanken das Endlose umkreisen können, so müssen wir diesen Gedanken ein Ende setzen. Wir wollen es aber nicht tun, ohne zu bekennen, daß alle diese Worte und Gedanken schließlich zurückbleiben müssen hinter dem Unausschöpflichen.

Man kommt mit der Sache der Religion auch in einem anderen Sinn an kein Ende. Weil nämlich die Religion selber an kein Ende kommt. Immer wieder erhebt sie sich aus allen Zusammenbrüchen und Niederungen des Geistes, und dies in immer wieder neuer Gestalt. Die Prophezeiung von Auguste Comte hat nur im Vordergrund der modernen Welt recht behalten. Aber in der Tiefe bleibt das Herz doch von Gott berührt. Und aus dieser Tiefe steigen immer wieder im geschichtlichen Leben der Menschen neue Gestalten der Religion, oder es erglänzen die alten im neuen Licht. Und wohl ist zwar die Religion in ihrem geschichtlichen Leben viele Male und gerade auch heute umstritten. Sie steht immer in Auseinandersetzung. Aber sie geht nicht unter. Wenn man meint, das Licht sei erloschen, dann blitzt und schimmert es auf einmal da und dort neu, und es ist kein Ende.

Und schließlich ist auch kein Ende in dem Sinn, daß die Religion selber, so weit sie unter den sterblichen Menschen lebt, um ihre Vorläufigkeit weiß und von ihr Zeugnis gibt. Sie ist nie vollendet. Immer schwankt sie zwischen Wesen und Unwesen, zwischen Aufschwung und Abfall, zwischen Glauben und Zweifel. Und immer muß sie auch ihr Gebet und ihren Kult unaufhörlich wiederholen. Sie gibt dadurch Zeugnis von ihrer Vorläufigkeit. Denn das Endgültige braucht nicht wiederholt zu werden. Daher hat Richard Schaeffler mit Recht von der „verantworteten Vorläufigkeit" des Kultes gesprochen[1]. Die Wiederholungen, vor allem des Kultes, sind wie ein Warten und Hoffen, sie sind wie intermittierende Lichter in der Nacht, wie ein Vorwegnehmen der Ewigkeit im flüchtigen Strom der Zeit. Eine Religion, die sich und ihr irdisches Werk für vollendet und abgeschlossen hielte, würde sich täuschen. Im Endlichen ist kein Ende und keine Vollendung, auch und gerade nicht für die Religion. Und gerade weil sie um das wahrhaft Unendliche weiß, fühlt sie ihre Vorläufigkeit am stärksten. Sie weiß, daß sie nicht ans Ende kommen kann, gerade dann, wenn sie dieses im flüchtigen Gestalten vorwegnimmt.

Darum ist es gut, daß aller Religion von ihrem eigentlichen Ende her, nämlich von Gott her, eine Aufhebung nach oben in ihr wahres Ende zugesagt ist. Dies aber ist nicht mehr Menschenwerk. Im himmlischen Jerusalem wird nach den Worten der Apokalypse des Johannes (Apk 21, 22) kein Tempel gesehen. Die Religion als der vorläufige Widerschein des Ewigen in der Zeit hat aufgehört und ist emporgehoben worden in die reine Gegenwart. In ihr allein ist das Ende ohne Ende.

Anmerkungen

Vorwort

[1] RGG 5. Bd. (Stuttgart ³1961) Sp. 1010–1021.
[2] LThK 8. Bd. (Freiburg i. Br. ²1963) Sp. 1190–1193.

§ 1.

[1] Von diesem Gedanken ausgehend, scheint mir die sonst interessante Erwägung von S. Holm über den Platz der Religionsphilosophie im philosophischen System fragwürdig. *S. Holm*, Religionsphilosophie (Stuttgart 1960) 11–63.
[2] Vgl. hierüber des näheren *M. Müller*, Sein und Geist (Tübingen 1940). Und neuerdings *K. Hemmerle*, Thesen zu einer trinitarischen Ontologie (Einsiedeln 1976).
[3] Vgl. hierzu des näheren *M. Heidegger*, Sein und Zeit (Halle 1927) § 7. Die phänomenologische Methode der Untersuchung, 27–39; wiederabgedruckt in: Gesamtausgabe, Bd. 2, hrsg. v. F.-W. von Herrmann (Frankfurt a. M. 1977) 36–52.
[4] Boethius, De consolatione philosophiae, PL 63.
[5] Phaidros 278 d.
[6] Metaphysik A 2, 982 b 28 ff.

§ 2.

[1] Vgl. *H. Duméry*, Phénoménologie et religion (Paris 1958) 99: „Le philosophe arrive toujours après coup, après l'existence, après l'histoire, après le donné. Il ne peut que ressaisir ce qui est déjà là, le sens déjà proféré, déjà institué." „après coup" gesperrt gedruckt.
[2] Hierüber habe ich ausführlicher gehandelt in: Heilsverständnis. Philosophische Untersuchung einiger Voraussetzungen zum Verständnis des Christentums (Freiburg i. Br. 1966) 27 ff, und in: Die Wesensstruktur der Theologie als Wissenschaft, in: Auf der Spur des Ewigen. Philosophische Abhandlungen über verschiedene Gegenstände der Religion und der Theologie (Freiburg i. Br. 1965) 351–365.
[3] *V. Gardavsky*, Gott ist nicht ganz tot (München 1968).

§ 3.

[1] Vgl. *P. Tillich,* Religionsphilosophie, in: Gesammelte Werke, Bd. 1, hrsg. v. Renate Albrecht (Stuttgart 1959) 329–331 zum Thema „Religion und Kultur".
[2] Zum näheren vgl. etwa: Grenzfragen des Glaubens. Theologische Grundfragen als Grenzprobleme, hrsg. v. Charlotte Hörgl und F. Rauh (Einsiedeln – Zürich – Köln 1967), darin vor allem den Beitrag von *T. Sartory,* Braucht der Glaube «Religion»?, 453–476, bes. 454, oder v. *Ch. Hörgl/F. Rauh,* Dualität und Einheit von Materie und Geist, 43–52, bes. 46, oder v. *Ch. Hörgl,* Die Botschaft von Gott und unser Glaube, 477–511, bes. 477f.

§ 4.

[1] Siehe *L. Wittgenstein,* Tractatus logico-philosophicus, erstmals London 1921, enthalten in: Schriften 1 (Frankfurt a. M. 1960) 7–83, im folgenden zitiert als Traktat.
[2] Siehe *L. Wittgenstein,* Philosophische Untersuchungen (posthum), erstmals Oxford 1953, enthalten in: Schriften 1 (Frankfurt a. M. 1960) 279–544.
[3] Vgl. Traktat, Satz 4: „Der Gedanke ist der sinnvolle Satz."
[4] Traktat, Satz 4.023.
[5] Traktat, Satz 4.1.
[6] Traktat, Satz 2.
[7] Traktat, Satz 4.11.
[8] A Lecture on Ethics, in: The Philosophical Review 74 (1965) 3–13.
[9] A. a. O. 11.
[10] Siehe Traktat, Satz 6.44 und 6.522: „Es gibt allerdings Unaussprechliches. Dies *zeigt* sich, es ist das Mystische."
[11] Vgl. A Lecture on Ethics, a. a. O. 12.
[12] Tübingen ²1966.
[13] Vgl. Vorwort zur englischen Ausgabe, a. a. O. XVIf.
[14] Vgl. a. a. O. 31–46.
[15] Vgl. a. a. O. 47–59.
[16] Vgl. a. a. O. 66–76.
[17] Siehe hierzu *B. Casper,* Die Unfähigkeit zur Gottesfrage im positivistischen Bewußtsein, in: Die Frage nach Gott, hrsg. v. J. Ratzinger (Quaestiones disputatae, Bd. 56) (Freiburg i. Br. ⁴1977) 27–42.
[18] Siehe vor allem *H. Albert,* Traktat über Kritische Vernunft (Tübingen ²1969).
[19] Vgl. a. a. O. 11–15.
[20] Siehe hierzu *Th. W. Adorno* u. a., Der Positivismusstreit in der deutschen Soziologie (Darmstadt u. Neuwied ³1974).
[21] *Th. W. Adorno,* Wozu noch Philosophie?, in: Eingriffe (Frankfurt a. M. 1963) 24.

§ 5.

1 Vgl. M. *Heidegger*, Die onto-theo-logische Verfassung der Metaphysik, in: Identität und Differenz (Pfullingen 1957) 35–73, bes. 70f; s. auch *ders.*, Brief über den „Humanismus" (Frankfurt a. M. ¹1949) wiederabgedruckt in: *ders.*, Gesamtausgabe, Bd. 9: Wegmarken, hrsg. v. F.-W. von Herrmann (Frankfurt a. M. 1976) 313–364, bes. 350–352.

2 Vgl. *René Descartes*, Meditationes de prima philosophia, bes. Meditatio II.

3 Vgl. *E. Husserl*, Ideen zu einer reinen Phänomenologie und phänomenologischen Philosophie. Erstes Buch, in: *E. Husserl*, Gesammelte Werke (Husserliana), neu hrsg. v. K. Schuhmann, Bd. III, 1 (Den Haag 1976) § 31. und § 32.

4 Dies übersehen zu haben, ist – wie mir scheint – der Fehler in den interessanten Überlegungen v. E.-W. Platzeck in seinem Beitrag „Das Reden vom Sein", in: Zeitschrift für philosophische Forschung, Bd. 24 (1970) 317–334.

5 Siehe besonders *Blaise Pascal*, Pensées, éd. Brunschvicg, fr 72, wo das Nichts dem Unendlichen dialektisch gegenübergestellt ist. Auch der Pascalsche Begriff des „Abgrundes" gehört in den gleichen Zusammenhang, s. ebd.

6 Schellings Werke, nach der Originalausgabe in neuer Anordnung hrsg. v. M. Schröter, 6. Erg.-Bd. (München 1954) 7; vgl. auch 2. Erg.-Bd. (München 1956) 85; v. Heidegger wird diese Frage Schellings aufgegriffen in: Einführung in die Metaphysik (Tübingen 1953) 1 oder *ders.*, Was ist Metaphysik? (Bonn ¹1929) wiederabgedruckt in: *ders.*, Gesamtausgabe, Bd. 9, a. a. O. 122.

7 Stuttgart 1969.

8 Als eine der neueren Untersuchungen in diesem Zusammenhang sei hier genannt der Beitrag von *Shizuteru Ueda*, Das Nichts und das Selbst im buddhistischen Denken. Zum west-östlichen Vergleich des Selbstverständnisses des Menschen, in: Studia Philosophica, Separatum Vol. XXXIV (Basel 1974) 144–161.

9 *Pablo Neruda*, Estravagario, in dem Gedicht: de cuando en cuando; zitiert nach: Pablo Neruda, Gedichte. Spanisch und deutsch, Übertragung und Nachwort v. E. Arendt (Frankfurt a. M. 1963) 230.

10 *Blaise Pascal*, Pensées, éd. Brunschvicg, fr 183.

11 *Eugen Fink*, Metaphysik und Tod (Stuttgart 1969) 208.

12 Vgl. *A. Camus*, Le Mythe de Sisyphe. Essai sur l'absurde (Editions Gallimard 1942) 15.

13 Vgl. *M. Blondel*, L'Action (1893) (Paris ²1950) VII.

14 Ich glaube mich bei dieser Überlegung in guter Übereinstimmung zu befinden mit dem, was *P. Tillich* in seiner „Religionsphilosophie", erschienen in: Lehrbuch der Philosophie, hrsg. v. M. Dessoir, Bd. 2 (Berlin 1925) wiederabgedruckt in: *P. Tillich*, Gesammelte Werke, Bd. 1, a. a. O. 295–364, entwickelt. Er gibt dort eine Sinnhermeneutik des menschlichen Daseins, und diese ist für ihn fundamental für das, was er unter Religionsphilosophie versteht.

15 Vgl. *Immanuel Kant*, Kritik der reinen Vernunft, B 641/A 613.

16 Vgl. hierzu die Ausführungen des Thomas von Aquin über den Satz: quod deus non sit in aliquo genere; d. h. Gott ist nicht in irgendeiner der Kategorien des Seienden zu fassen. Diese These wird bei Thomas sowohl in der theologischen Summe sowie bei der Summe wider die Heiden an entscheidender Stelle entwickelt. Vgl. S. th. I, 3, 5; S. c. gent. I, 25. Siehe hierzu meine Abhandlung: Bemerkungen zum Gottesbegriff des Thomas von Aquin, in: Zeit und Geheimnis. Philosophische Abhandlungen zur Sache Gottes in der Zeit der Welt (Freiburg i. Br. 1975) 219–228.

[17] Die onto-theo-logische Verfassung der Metaphysik, a.a.O. 70.

[18] Siehe etwa *P. Tillich*, Die Überwindung des Religionsbegriffs in der Religionsphilosophie, in: *ders.*, Gesammelte Werke, Bd. 1, a.a.O. 365–388.

[19] *P. Tillich*, Das religiöse Fundament des moralischen Handelns, in: Gesammelte Werke, Bd. 3, hrsg. v. Renate Albrecht (Stuttgart 1965) 24.

§ 6.

[1] Siehe oben 48 ff.

[2] Vgl. Kritik der reinen Vernunft, A 426 ff.

[3] Siehe oben (Albert).

[4] Vgl. *H. E. Hengstenberg*, Zur Frage nach dem Ursprung des Kausalbegriffs, in: Zeitschrift für philosophische Forschung, Bd. 27 (1973) 237–245.

[5] Vgl. *K. R. Popper*, Logik der Forschung (Tübingen ²1966) 31 ff.

[6] *Hugo Grotius*, De jure belli ac pacis, Prolegomena 11. Dies der methodische Ansatz neuzeitlicher Wissenschaft, die schließlich dort, wo sie das ganze Dasein in all seinen Lebensbereichen beherrscht, unfähig wird, überhaupt die Gottesfrage zu stellen. Siehe hierzu *B. Casper*, Die Unfähigkeit zur Gottesfrage im positivistischen Bewußtsein, a.a.O.

[7] *L. Wittgenstein*, Tractatus logico-philosophicus, a.a.O., Satz 6.432.

[8] Siehe etwa *Pascal*, Pensées, éd. Brunschvicg, fr 72.

[9] Vgl. Kritik der reinen Vernunft, A 426 ff.

[10] Leibniz hat diese Frage meines Wissens zum ersten Mal so formuliert in: „In der Vernunft begründete Prinzipien der Natur und Gnade", in: *Gottfried Wilhelm Leibniz*, Philosophische Schriften, hrsg. u. übers. v. H. H. Holz, Bd. I: Kleine Schriften zur Metaphysik (Darmstadt 1965) 414–439, insbes. 427. Sie ist wieder aufgenommen worden von Schelling in seiner „Philosophie der Offenbarung", in: Schellings Werke, 6. Erg.-Bd., a.a.O. 7. Neuerdings ist sie auch von Heidegger wieder aufgenommen worden. Freilich hat jeder dieser Denker der Frage eine eigene Richtung gegeben, und auch wir tun dies. Zu Leibniz s. auch *Anna Theresa Tymieniecka*, Leibniz' Cosmological Synthesis (Assen Holland 1964).

[11] Wenn wir hier betonen, daß die Unselbstverständlichkeit dessen, daß ist, was ist, sichtbar und erfahrbar ist, wenn eben auch auf eine Weise und für ein Organ, die bzw. das der „grundsätzlich anderen Richtung" der Frage entspricht, so haben wir etwa in Franz von Baader einen Mitstreiter für das Sehen und Erfahren durch das und im Leben. Siehe vor allem: Über Kant's Deduction der praktischen Vernunft und die absolute Blindheit der letzteren. Anhang, in: Sämtliche Werke, hrsg. v. F. Hoffmann, Bd. 1 (Aalen 1963) (Neudruck der Ausgabe Leipzig 1851) 22, wo es heißt: „Denn das Leben soll sich sein Recht auf keine Weise nehmen und abdisputiren lassen. Nun ist es aber allerdings eines seiner köstlichsten Rechte, daß es bei einer gewissen Stufe seiner Evolution *auch sehe!"*

[12] Siehe oben, 52 ff.

[13] Siehe oben, 69 f.

[14] Siehe oben, 71 f.

§ 7.

[1] *Thomas von Aquin*, S. th. I, 2, 3.

[2] *H. Boeder*, Die „fünf Wege" und das Prinzip der thomasischen Theologie, in: Philosophisches Jahrbuch (Freiburg – München 77) (1970) 66–80.

[3] „Invenimus enim in rebus quaedam quae sunt possibilia esse et non esse" (*Thomas von Aquin*, S. th. I, 2, 3).

[4] „Cum quaedam inveniantur generari et corrumpi" (ebd.).

[5] „Si igitur omnia sunt possibilia non esse, aliquando nihil fuit in rebus" (ebd.).

[6] Ebd.

[7] Aristoteles Metaphysik, A 2, 994 a 1 ff.

[8] Vgl. *Kant*, Kritik der reinen Vernunft, A 426–429; dazu den Text auf A 517.

[9] *Thomas von Aquin*, S. c. gent. I, 25; dazu S. th. I, 3, 5: „Utrum Deus sit in genere aliquo."

[10] Vgl. *Thomas von Aquin*, De ente et essentia V, 4.

[11] „Es muß so sein, daß jede Sache, die von solcher Art ist, daß ihr Sein verschieden ist von ihrer Natur, das Sein habe von einer anderen" (ebd).

[12] Ebd.

[13] Ich habe mich hierzu eingehender geäußert in: Der philosophische Glaube bei *K. Jaspers* und die Möglichkeit seiner Deutung durch die thomistische Philosophie, in: Symposion, Jahrbuch für Philosophie, Bd. II (Freiburg i. Br. 1949) 1–190; und darüber hinaus in: El pensamiento filosofico actual frente las „quinque viae" de Santo *Thomas de Aquino*, in: Teologia, Tomo VI/1, No. 12 (Buenos-Aires 1968) 75–122.

[14] Siehe *Anselm von Canterbury*, Proslogion c. 2.

[15] Ebd.

[16] Ebd.

[17] Vgl. *Kant*, Kritik der reinen Vernunft, A 592–602.

[18] Vgl. hierzu: *C. Hartshorne*, What Did Anselm Discover?, in: Union Seminary Quarterly Review (March 1962) 213–222; ferner *A. Plantinga* (ed.), The Ontological Argument (Garden City N. Y. 1965). Dazu *Schubert M. Ogden*, The Reality of God (London 1967) 21 ff; deutsche Ausgabe: Die Realität Gottes (Zürich 1970).

[19] Vgl. *Kant*, Kritik der reinen Vernunft, B VII.

[20] *Kant*, a. a. O., B XVf.

[21] *Kant*, a. a. O., B 596.

[22] Vgl. *Kant*, a. a. O., B 599–601.

[23] Vgl. *Kant*, a. a. O., B 606.

[24] *Kant*, a. a. O., B 625.

[25] Vgl. *Kant*, a. a. O., B 630.

[26] *Kant*, a. a. O., B 641.

[27] Vgl. *Kant*, a. a. O., B 655.

[28] Vgl. *Kant*, a. a. O., B 663.

§ 8.

[1] Siehe vor allem sein Hauptwerk: Der Stern der Erlösung, 4. Aufl., in: *F. Rosenzweig*, Der Mensch und sein Werk. Gesammelte Schriften, 2. Abteilung, hrsg. v. R. Mayer (Den Haag 1976).

[2] Siehe besonders: Schriften, Bd. I: Fragmente, Aufsätze, Aphorismen. Zu einer Pneumatologie des Wortes (München 1963).

[3] Siehe Werke, Erster Band: Schriften zur Philosophie (München – Heidelberg 1962), darin vor allem die programmatische Schrift: Ich und Du, a. a. O., 77–170.

[4] Das dialogische Denken. Eine Untersuchung der religionsphilosophischen Bedeutung Franz Rosenzweigs, Ferdinand Ebners und Martin Bubers (Freiburg i. Br. 1967).

[5] Der Andere. Studien zur Sozialontologie der Gegenwart (Berlin 1965).

[6] Daß das personale Modell das eigentlich führende und grundlegende für das Verständnis des Seins des Seienden und daher auch für die Erkenntnis ist, wird auch von F. von Baader betont. Siehe dazu vor allem: Vorlesungen über speculative Dogmatik, 2. H., VII. Vorlesung, in: Sämtliche Werke, a. a. O., Bd. 8, 229–234, oder auch 3. H., VIII. Vorlesung, a. a. O. 339.

[7] Aristoteles, Peri Psyches, B 417 b 7.

[8] Hexaemeron I, 13. Siehe hierzu K. Hemmerle, Theologie als Nachfolge. Bonaventura – ein Weg für heute (Freiburg i. Br. 1975) bes. 72–76; vgl. auch Margot Wiegels, Die Logik der Spontaneität. Zum Gedanken der Schöpfung bei Bonaventura (Symposion 28) (Freiburg – München 1969). Zu dem Text von Bonaventura ist insbesondere auch Scotus Eriugena zu vergleichen. Und hinter Eriugena steht Dionysius der Areopagite und hinter diesem wieder Proklos und Plotin. Vgl. zum ganzen Zusammenhang W. Beierwaltes, Negati Affirmatio: Welt als Metapher, in: Philosophisches Jahrbuch 83 (1976) 237–265.

[9] Zum Beispiel bei Plato, Phaidon 110 d.

[10] Vgl. dazu W. Pape, Griechisch-Deutsches Handwörterbuch, Nachdruck der 3. Aufl. (Graz 1954), Erster Band, 178 f. Des näheren habe ich darüber gehandelt in dem Aufsatz: Logik des Ursprungs und Freiheit der Begegnung, in: Zeit und Geheimnis, a. a. O. 53–65.

§ 9.

[1] Für Heidegger vgl. vor allem: Die onto-theo-logische Verfassung der Metaphysik, a. a. O. 70, überdies: Brief über den „Humanismus", in: Platons Lehre von der Wahrheit, a. a. O. 85 f, wiederabgedruckt in: Gesamtausgabe, Bd. 9, a. a. O. 338 f.

[2] Vgl. S. th. I, 3, 5.

[3] H. Bergson, Les deux sources de la Morale et de la Religion (Paris [17]1939) 111 ff.

[4] Das Heilige ([1]1917) seither viele Neuauflagen.

[5] Confessiones, VII, 10, 16.

[6] Vgl. dazu neben dem genannten R. Otto auch M. Scheler, Vom Ewigen im Menschen, I ([1]1921), bes. die darin sich findende Abhandlung „Die Wesensphänomenologie der Religion". Scheler nimmt mehrfach – z. B. 166 und 391 – auf R. Otto Bezug. – Die entsprechenden Stellen bei Heidegger, auf die wir hingewiesen haben, eröffnen die Frage nach der religiösen Phänomenalität sehr grundsätzlich neu, differenzieren aber in deren Deskription weniger als R. Otto und M. Scheler.

[7] Deutsche Predigten und Traktate, hrsg. und übers. v. J. Quint (München [3]1969) 305. Der Zusammenhang zwischen Offenbarung, Erscheinung und Göttlichkeit ist besonders in der neuplatonischen Tradition öfters behandelt worden. Vgl. dazu vor allem: W. Beierwaltes, a. a. O. In dem wichtigen Aufsatz wird aus Scotus zitiert: „Omne namque, quod intelligitur et sentitur, nihil aliud est, nisi non appa-

rentis apparitio", a.a.O. 241, aus Periphyseon oder De divisione naturae III 4, 633 AB (Pl 122).

[8] Vgl. dazu zusammenfassend und spekulativ weiterdenkend *B. Casper*, Das dialogische Denken, a.a.O., bes. die Zusammenfassung 349ff.

§ 10.

[1] Über die Konkurrenz der Gruppen und ihren Grund habe ich Genaueres gesagt in der Schrift: Über das Wesen und den rechten Gebrauch der Macht (Freiburg i. Br. ²1965). Über die Beziehung solcher Gruppen und Gruppenauseinandersetzungen zur Transzendenz handelt des näheren meine Abhandlung: Miteinandersein und Transzendenz, in: Auf der Spur des Ewigen, a.a.O. 74–82.

§ 11.

[1] Hierüber habe ich Näheres ausgeführt in dem Buch: Die Würde des Menschen und die Religion. Anfrage an die Kirche in unserer Gesellschaft (Frankfurt 1977).

[2] Vgl. hierzu *F. Ulrich*, Atheismus und Menschwerdung (Einsiedeln 1966); *J. C. Murray*, Das Gottesproblem gestern und heute (Freiburg i. Br. 1965). *Verf.*, Die philosophische Gotteserkenntnis und die Möglichkeit des Atheismus, in: Zeit und Geheimnis, a.a.O. 109–123.

[3] Das Nähere hierzu s. u. 146ff.

[4] Vgl. dazu meine Studie: Über das Böse. Eine thomistische Untersuchung (Quaestiones disputatae, Bd. 6) (Freiburg i. Br. 1959). Auch unter dem Titel: Thomas von Aquin über das Böse, in: Auf der Spur des Ewigen, a.a.O. 155–169.

[5] Vgl. *E. Topitsch*, Vom Ursprung und Ende der Metaphysik. Eine Studie zur Weltanschauungskritik (Wien 1958). Sowie: Mythos, Philosophie, Politik. Zur Naturgeschichte der Illusion (Freiburg i. Br. ²1969).

[6] *H. Grotius*: De jure belli ac pacis, Prolegomena 11. Vgl. dazu auch: *B. Casper*, Die Unfähigkeit zur Gottesfrage, a.a.O.

[7] Vgl. hierzu *Schubert Miles Ogden*, The Reality of God and other Essays (London 1967) 7ff, deutsche Ausgabe: Die Realität Gottes (Zürich 1970), wo der Unterschied gemacht wird zwischen säkularisiertem und säkularistischem Bewußtsein. Dieser Unterschied ist analog der hier erörterten Unterscheidung.

[8] Diese Zusammenhänge sind am tiefsten gedeutet worden von *M. Heidegger*, besonders in: Nietzsches Wort „Gott ist tot", in: Holzwege (Frankfurt a. M. ²1950) 193–247, bw. 240.

[9] Ich habe diesen Zusammenhang eingehender darzustellen versucht in der Studie: Nietzsches Atheismus und das Christentum, in: Auf der Spur des Ewigen, a.a.O. 228–261. Eine methodisch ganz andere Deutung Nietzsches gibt *E. Biser*, Gott ist tot. Nietzsches Destruktion des christlichen Bewußtseins (München 1962).

[10] Vgl. *O. Marquardt*, Wie irrational kann Geschichtsphilosophie sein?, in: Philosophisches Jahrbuch 79 (1972) 241–253, bes. 244.

[11] Vgl. Payne im ersten Aufzug des dritten Aktes „Dantons Tod", in: *Georg Büchner*, Werke und Briefe, Bd. 1 (Darmstadt 1967) 47.

§ 12.

[1] Vgl. S. *Kierkegaard*, Unwissenschaftliche Nachschrift, Zweiter Teil, Zweiter Abschnitt, Kap. III, § 1.; deutsche Ausgabe: Philosophische Brosamen und Unwissenschaftliche Nachschrift, hrsg. v. H. Diem und W. Rest (Köln – Olten 1959) 460–480.

[2] „Der Vater hat durch sein Wort, das aus ihm hervorgeht, sich und alles gesagt, denn in seinem Wort [...] hat er sich selber erklärt." I Sent. d. 32a. 1 q. fund. 5 (ed. Quarrachi I, 557). Zur Theorie vgl. *W. Schachten*, Intellectus verbi. Die Erkenntnis im Mitvollzug des Wortes nach Bonaventura (Freiburg – München 1973), ferner *Margot Wiegels*, a. a. O. und *K. Hemmerle*, Theologie als Nachfolge, a. a. O.

[3] Zum Verhältnis der bonaventuranischen Theorie zur Lebenserscheinung des Franz von Assisi vgl. *W. Schachten*, a. a. O. 162 ff, und *K. Hemmerle*, a. a. O. 14 f.

[4] *Franz von Assisi*, Legenden und Laude, hrsg. v. O. Karrer (Zürich 1945) 521.

[5] Ich habe diesen Zusammenhang theoretisch näher zu begründen versucht in der Abhandlung: Über das Böse, a. a. O., auch unter dem Titel: Thomas von Aquin über das Böse, in: Auf der Spur des Ewigen, a. a. O.

[6] *F. Heiler*, Das Gebet (München ⁵1923).

§ 13.

[1] *Meister Eckart*, Die deutschen und lateinischen Werke, hrsg. im Auftrag der Deutschen Forschungsgemeinschaft. Die deutschen Werke, hrsg. und übers. v. *J. Quint*, I. Bd. (Stuttgart 1958) 107.

[2] *Franz von Baader* trifft solche Unterscheidungen im Zusammenhang mit Natur, Raum und Zeit. Siehe etwa als ein prägnantes Beispiel: Fermenta Cognitionis, Viertes Heft, 13, in: Sämtliche Werke, Bd. 2, a. a. O. 295 f.

[3] Siehe *G. W. F. Hegel*, Vorlesungen über die Philosophie der Religion, hrsg. v. G. Lasson, Erster Band, Halbband 1 (Hamburg 1966) bes. 235, 238, 240.

[4] Vgl. a. a. O. 240.

§ 14.

[1] Ich gebe im folgenden einige ausgewählte Literaturhinweise zur religiösen Sprache. Seit den 50er Jahren sind in einem Weiterdenken vor allem englischer sprachanalytischer Anregungen eine Reihe von Arbeiten erschienen zur religiösen Sprache. Vgl. etwa: *I. T. Ramsey*, Religious Language (London 1957); *W. F. Zuurdeeg*, An Analytical Philosophy of Religion (Abington 1958); *J. Macquarrie*, God-Talk. An Examination of the Language and Logic of Theology (London 1967), deutsche Ausgabe: Gott – Rede. Eine Untersuchung der Sprache und Logik der Theologie (Würzburg 1974). *G. C. De Maulde*, Analyse linguistique et langage religieux. L'approche de Ian T. Ramsey dans „Religious Language", in: Nouvelle Revue théologique 101 (1969) 169–202. – Gute Einführungen in deutscher Sprache sind: *E. Schillebeeckx*, Glaubensinterpretation. Beiträge zu einer hermeneutischen und kritischen Theologie (Mainz 1971); *G. Ebeling*, Einführung in die theologische

Sprachlehre (Tübingen 1971); B. *Casper*, Sprache und Theologie. Eine philosophische Hinführung (Freiburg i. Br. 1975).
2 B. *Liebrucks*, Sprache und Bewußtsein (Frankfurt a. M. 1964/70) I, 218; s. dazu B. *Casper*, Sprache und Theologie, a. a. O. 64.
3 Siehe oben § 9., 137.
4 Vgl. vor allem K. *Jaspers*, Philosophie (Berlin – Göttingen – Heidelberg ²1948) 785 ff.
5 A. a. O. 786.
6 Vgl. hierzu meine Studie: Die Würde des Menschen und die Religion, a. a. O.
7 Vgl. zu diesem anderen Aspekt des Polytheismus § 10., 134 ff.
8 Panónyme pōs se kaléssō tòn mónon akléiston (PG 37, 508).
9 Benedicti Regula 20, 4 (CSEL 75 [1960], 75).

§ *15.*

1 Augustinus, Confessiones VII, 17, 23.
2 Vgl. P. *Ricœur*, De l'interprétation. Essai sur Freud (Paris 1965) deutsch: Interpretation. Der Versuch über Freud (Frankfurt 1969). Ricœur hat nachdrücklich auf die philosophische Bedeutung von S. Freud aufmerksam gemacht. Vgl. dazu auch J. *Rütsche*, Freud in der französischen Philosophie, in: Philosophisches Jahrbuch 78 (1971) 401–422.
3 In diesem Zusammenhang kann man J. L. Austins Theorie der Sprachhandlungen vergleichen. Siehe vor allem E. v. *Savigny*, J. L. Austins Theorie der Sprechakte, abgedruckt in Savignys deutscher Bearbeitung von Austins wichtigstem Werk (How to Do Things with Words, Oxford 1962): Zur Theorie der Sprechakte (Stuttgart 1972) 7–20. Insbesondere muß auf die dort erläuterte Theorie der Sprachhandlungen als „illocutionary act" und als „perlocutionary act" hingewiesen werden. Vgl. dazu die gute Erläuterung, die B. Casper, Sprache und Theologie, a. a. O. 41–57 gibt. Ich beziehe mich darauf, aber ich habe es vorgezogen, den Sachverhalt weniger formal zu fassen.

§ *16.*

1 Im Rahmen neuerer Erörterungen über den Kult weise ich besonders hin auf die Arbeiten von Richard Schaeffler und Peter Hünermann. R. Schaeffler hat den Kult unter Rückgriff auf reiches religionsgeschichtliches Material erläutert als Abbildhandlung einer Urbildhandlung, die dem Göttlichen eine erneuernde Parusie gewährt. P. Hünermann hat den Kult auf instruktive Weise als kommunikative Handlung erläutert. Vgl. R. *Schaeffler / P. Hünermann*, Ankunft Gottes und Handeln des Menschen. Thesen über Kult und Sakrament (Quaestiones disputatae, Bd. 77) (Freiburg i. Br. 1977). Für Schaeffler s. auch den Aufsatz: Kultus als Weltauslegung, in: B. *Fischer* u. a., Kult in der säkularisierten Welt (Regensburg 1974). Ich weise ausdrücklich auf diese wichtigen Abhandlungen hin, doch schien es mir wichtig, im Blick auf sie den eigenen Ansatz konsequent zu entwickeln.
2 Vgl. hierzu M. *Heidegger*, Sein und Zeit, I, 12 und I, 13, in: Gesamtausgabe, Bd. 2, hrsg. v. F.-W. von Herrmann (Frankfurt a. M. 1977) 71–84. Hierzu wäre vom

thomistischen Standpunkt aus auch zu vergleichen die frühe Studie von *K. Rahner*, Geist in Welt (München ²1957).
³ *Augustinus*, In Johannis Evangelium 80, 3 (PL 35, 1839).

§ 17.

¹ Einen guten Überblick über die Geschichte des Ideologiebegriffs mit Angabe der wichtigsten Literatur hierzu gibt *N. Birnbaum* in: RGG, Bd. 3 (Tübingen ³1959) 567–572. Zu Horkheimer vgl. bes.: Kritische Theorie. Eine Dokumentation, hrsg. v. *A. Schmidt*, 2 Bde (Frankfurt a. M. 1968). Vgl. bes. 1. Bd., 375 und an vielen anderen Stellen. – Hier ging es darum, im Unterschied von der verbreiteten soziologischen und gesellschaftskritischen Ideologiekritik einen Ideologiebegriff zu entwickeln, der von einem religionsphilosophischen Ansatz ausgeht.
² Vgl. *S. Kierkegaard*, Der Begriff Angst, § 5. Deutsche Ausgabe in: *S. Kierkegaard*, Philosophisch-theologische Schriften, hrsg. v. H. Diem und W. Rest, hier der Band: Die Krankheit zum Tode – Furcht und Zittern – Die Wiederholung – Der Begriff Angst (Köln – Olten 1956) 487–492, bes. 488.
³ Ich habe die Zusammenhänge in einigen früheren Studien teilweise ausführlicher darzustellen versucht. Vgl. Thomas von Aquin über das Böse, a. a. O.; Nietzsches Atheismus und das Christentum, a. a. O.; Vom Wesen und Unwesen der Religion, in: Auf der Spur des Ewigen, a. a. O. 279–296.

Schlußwort

¹ Vgl. *R. Schaeffler* / *P. Hünermann*, a. a. O. 26.

Vom gleichen Autor erschien:

Auf der Spur des Ewigen

*Philosophische Abhandlungen über verschiedene Gegenstände
der Religion und der Theologie*

Die hier gesammelten Vorträge und Abhandlungen spiegeln den
denkerischen Weg eines der profiliertesten und aufgeschlossen-
sten philosophisch-theologischen Denker der Nachkriegszeit.
Diese Sammlung mit Beiträgen aus den Jahren 1945 bis 1964 ent-
stand im Nachvollzug der großen Denkentwürfe der jüngsten
Vergangenheit und soll den gegenwärtigen und zukünftigen Aufgaben der Theologie zugute kommen. Ihr Schwerpunkt liegt auf
vier Beiträgen, die die moderne Situation der Theologie behandeln: über den Wandel der Theologie im 19. Jahrhundert, über
die Struktur der Theologie als Wissenschaft, über die Philosophie
in der Theologie und über die Methode der Theologie heute.
Ein Band, der seit seinem Erscheinen nichts von seiner Aktualität
und Relevanz verloren hat.

1965, 472 Seiten, Leinen, ISBN 3-451-14283-X

Herder Freiburg · Basel · Wien

Vom gleichen Autor erschien:

Zeit und Geheimnis

Philosophische Abhandlungen
zur Sache Gottes in der Zeit der Welt

„Auch in diesem Werk, das Aufsätze aus den Jahren 1966–1974 vereinigt, geht es Welte um die Annäherung zwischen Thomas und Heidegger: In der negativen Theologie des Thomas soll ein erster Anlauf zur Überwindung der Metaphysik vorliegen, deren aufbewahrende Verabschiedung die Heideggersche Philosophie sein will. Die eigentliche Überraschung des neuen Buches liegt woanders. Welte hält nach wie vor Heidegger für den ‚nachdenklichsten der neueren Denker'. Aber er sieht, daß er mit seiner Hilfe bestimmte drängende Gegenwartsfragen nicht analysieren kann; er wendet sich daher an neuere Wissenschaftstheoretiker, an kritische Rationalisten wie Karl Popper, an die Frankfurter Schule und Herbert Marcuse. Diese eindrucksvolle Neuorientierung spricht vor allem aus der Abhandlung über den ‚neuen Humanismus und die Dialektik von Integration und Fortschritt'. Dort wird ausgeführt, wie sich ökonomisch-technische Entwicklung einerseits und humane Integration andererseits umgekehrt proportional zueinander verhalten. Religionsphilosophie erhält eine gesellschaftskritische Wendung. Ob die Synthese zwischen Thomas und Heidegger besser gelingt, wenn man Horkheimer hinzunimmt, daran kann man zweifeln – aber nicht an der geistigen Lebendigkeit Weltes, der seine Leser mit dieser Polyphonie überrascht." *Hessischer Rundfunk*

1975. 328 Seiten, geb. – ISBN 3-451-17165-1

Herder Freiburg · Basel · Wien